U0439926
18

林慶彰　總策畫
民國時期稀見期刊彙編
第一輯

政學科研究年報③
（經濟篇）

臺北帝國大學研究年報
第十八冊

政學科研究年報

第三輯

臺北帝國大學文政學部

臺北帝國大學文政學部 政學科研究年報 第三輯

第二部 經濟篇

目次

經濟學對象論……楠井隆三…（一）
——經濟學認識論の一齣——
銀行の創設信用と物價……北山富久二郎…（一三）
株式取引所に於ける主力株に就て……今西庄次郎…（二二）
——我が新東株上場禁止問題——
物産取引所格付賣買の理論……今西庄次郎…（二五七）
清朝治下臺灣の貿易と外國商業資本……東嘉生…（三一五）

經濟學對象論

——經濟學認識論の一齣——

楠井隆三

目次

緒言……1
第一章　對象論の本質……7
第一節　對象論の重要性……7
第二節　對象一般の形成……13
第三節　經濟學對象の形成……19
第二章　從來の經濟學對象論への批判（左右田學說を中心として）……23
第一節　左右田學說の摘要……23
第二節　左右田學說への批判……47
A.　對象規定に關して……48
B.　經濟學認識論に關して……58
第三節　その他の事例若干……66
第三章　積極的見解の概說……74
第一節　經濟學認識論における「現實主義」……74
第二節　經濟學對象論における「現實主義」……83
第三節　經濟學の對象としての「社會的總再生產過程」……85
A.　學史的概觀……85
B.　社會的總再生產過程の意味內容……92
C.　この概念を採る理由……109

第四節　社會的總再生產過程と經濟價値論並に理論經濟學體系論との關係……109
A.　社會的總再生產過程と價値……109
B.　社會的總再生產過程と理論經濟學の體系……112

緒言

私は本年報第一輯(昭和九年五月刊)において、經濟學認識論の一齣として、「理論經濟學體系論」を試みたのであるが、今ここに表記の題名のもとに公にしようとしてゐるものもまた、同じやうな意味を負へるものである。これらの二者のうへにさらに「方法論」が加はることによつて、一個の知識學としての理論經濟學認識論が完成するのであつて、私としては、できるだけ早く且つほゞ完全と思はれるやうなすがたにおいて、この仕事のうへに一應の決定を與へたいと思つてゐるのであるが、さしあたりこゝに經濟學の對象の規定に關しての卑見を述べることゝする。

この際を利用して、前記の拙論に對して下された批判において論難の的となつた點と、その後における私自身の思考の發展によつて補完の必要を發見した點とのうちで、今こゝに開陳しようとしてゐるものと直接的に關係のある次のことを明かにしておかうと思ふ。私は、前記の論文における對象論・方法論・體系論の三者の間の論理的聯關についての私の敍述があまりに短簡に過ぎたために、そこに充全的でない幾多の點を殘してゐるのを、自ら知つてゐるのであるが、なかんづくその著しきものとして自覺してゐるのは、この三者が必然的な相互依存的・または補完的關係に立たないで、孤立的に、進んでいへば對立的にさへ成立することが可能であり、それらがたゞモザイック的に集つて認識論を構成すると考へてゐるかのやうに、讀者をして思はしめはしなかつたかといふことである。「對象・方法・體系の三者は、論理的に、科學の認識目的を母胎とし、これに制約せられて成立し、しかも三位一體的に科學といふ一つの全體の構成の契機《モメント》をなしてゐる」[1]のであるが、しかも科學といふ私どもの實踐的營みの現實について見るとき、かく私どもが三つのものとして論じてゐることがらが、實は、時間的にいつて、科學の存立と同時に存立してゐるものであり、渾然たる一體としての科學の內容そのものを形成してゐることはいふを俟たない。たゞ私どもは科學の認識論的反省において、この三者をば、一つの同一物を形式的に・論理的に三つに分析し、それの三つの異なれる側面として、相互に引き離して、個々別々にこれを論じ、もつて全體としての科學の基礎づけをなしてゐるに過ぎない。したがつてこの三者についての理論たる對象論・方法論・體系論の三者もまた、相互に孤立的に・抽象的に存立してゐるものではなくて、論理的に・必然的に相互依存的および相互補完的關聯に立つてゐ、結局一つの認識論に綜合せられるのである。そして私は科學論を推し進めてゆくうへにおいて、對象・方法・體系の三者をこの順序において論じてゆくのを論理上正當と考へる。けだし「何を選擇原理として、對象の構成のために必要とするものを、混沌たる體驗内容のうちから抽象し來るかを說くのが對象論であり、方法論はかくして構成された對象についての眞理を求むるために私どもがこれに加工する手續、すなはち研究方法の確定をなす。また體系論は對象を科學的に加工して得たる成果たる多種・多樣・多數の知識を配列するについての、なかんづくこの際の指導原理についての理論」であつて、この意味において對象を前提とすることなしに方法を考へることはできず、また對象と方法とがなくしては成果があり得ざるがゆゑに、三者の論理的な成立順序は、まさに上に述べたやうなものでなければならない。

（私が前に「體系論」を、そして今こゝに「對象論」を公にし、「方法論」の發表を後廻はしにするのは、全く發表についての私の個人的な便宜によつてゞあつて、決して論理的に意味のあるわけではない。）

がこの立言に對しては、おそらくはたゞちに次のやうな疑問が起つて來るであらうと思はれる。すなはち、もし私のいふがごとき聯關が對象・方法・體系の三者の間にありとせば、對象が當然論理的先行者としての優位を保つことゝなり、他の二者は對象それ自體から派生し來り、これより演繹せられ得るのではなからうかといふ疑問である。しかしながらかゝる疑問に對しては、逆にまた次のやうな反問がなされ得る。曰く、對象それ自體はある特定の認識態度によつて構成せられなければならぬものである（後述のごとく）、果して然らば、それは既に何らかの意味における方法を前提としてゐるのではないかと。思ふにこゝにあげたやうな疑問は、ひとたび方法といふ語の多義性に想到するときは、たゞちに解消するものではなからうか。他の機會において詳論しようと思ふが、方法といふ語は（改めていふまでもなく、私どもはいま科學の世界における方法のみを問題としてゐる）、その最も廣き意義においては、科學的思惟が内面的統一性を保ちつゝ自發自展しゆきて一つの組織を形成する仕方を意味するのであつて、この意味においては、それは、前に私が用ひた用語法における對象・方法・體系の三者のすべてを、それ自體のうちに含んでゐるといへる。何故なら、そこには、科學の營みについて問題となるべきことの全部が、明かに含まれてゐるからである。方法といふ語は、その次に廣き意義においては、對象を除ける二つのものを、すなはち認識作用が對象に能きかけるときの手續(すなはち狹義の方法)と、かゝる能きかけの成果の產出の過程(すなはち體系)とを含む。かくして方法といふ語のこの多義性に注意することによつて、私どもは先に述べたやうな疑惑を一掃し得ると思ふ。これを要するに、何を如何なるものとして、如何なる問題に關して、認識してゆかうとするかといふ認識興味が、またこれによつて定立される認識目的が、當該科學の對象・方法・體系を、換言せば、それの性格を、窮極的に制約するといふべく、方法なる語を上記のごとき狹義において用ふるとき、對象・方法・體系の三者についての論義の順序としては、私が先に掲げたものが、當然であると思はれるのである。

いふまでもなく、私はこゝでは一個の經濟學徒としての立場から逸脫しない限度においてのみ、論議を進めてゆかうとしてゐるのであつて、この意味において認識論一般の諸問題に深く立ち入らない。たゞ經濟學一般、特に理論經濟學の研究を實踐してゆくにあたつての正しき指導原理を獲得せんとする目的のためにのみ、認識論を問題としてゐるのである。對象論に關してもまた、これを、一般的に科學の對象を論ずるといふ意味において、ここに取りあげることは、私の任ではない。したがつてかゝる立場から以下に論じてゆくことが、認識論學者の立場において、これを見るときは、おそらくは多くの笑ふべき錯誤を犯してゐることであらう。また純粋な經濟學徒の側に立つてこれを見るときにも、貧弱なる讀書と淺薄なる思索とは、私をして極めて重大な獨斷をなさしめてゐることを發見し得るに違ひない。謹んで大方の叱正をまつ所以である。

(1) 拙稿「理論經濟學體系論」（本年報第一輯）三五五―六頁。

(2) 同上、三五〇―二頁。

第一章　對象論の本質

第一節　對象論の重要性

他のすべての科學におけるとおなじく、わが經濟學においてもまた、科學としてのそれの最初の問題は、それが何を認識の對象となすかといふことにある。何となれば、一般的にいつて、科學の問題、したがつてまた認識なる事實は、とりも直さず、何について、これを如何なるものとして、如何やうにして、知らうとするかといふことに集中してゐ、換言せば、認識の問題は、認識の對象を求めることと對象の認識を究めることとにあるからであり、またこのことは、論理上、その第一歩として、この「何について」の問題の確立、すなはち認識の對象の規定を要請してゐるからである。

しかもこの問題の解決は、ある意味において、科學の性格の決定を意味する。すなはち「ある學問は何を研究すべきであるかと云ふ事が若しも一度知られるならば、それと共に其の學問の任務全般がもはや豫定されてゐることにならう」[1]。何となれば、對象は、ある特定の意味においては、認識主體がこれに能きかける際の手續すなはち方法に關する最も重要な事柄を制約してゐ、したがつてまた科學の體系そのものをも豫約してゐるからである。

ところで私どもは、いま、有ならびに存在を超越せる事物の本質的性質、すなはち對象夫れ自體・または對象一般の理説としての認識論そのものについて語らうとしてゐるものではない。それはまさに認識論學者の任務であつて、私どもの敢へて窺ひ得ざることがらである。私がいま積極的になし得ることは、ただ、一つの特殊科學としてのわが經濟學に關する認識論の範圍においてのみ論ずることであり、その際、經濟學の領域から足を若干踏み出すことがあつても、それは、たかだか、隣接する諸科學との共通の問題およびそれらとの對比または境界の確定といふこと以上には出で得ないであらう。

しかも一般的に、特殊科學の對象規定の仕事は、しかく容易ではない。この仕事のうへにおいて、私どものつねに感ずる困難または不安定感は、ある特定の範疇を選んで當該科學の對象を、他の科學のそれから區別し、その間に限界線を引いたとき、たとひこれを論理的に最も明確に劃し得たと自負しても、なほかつ、この限界線上に横はる多數の事例を、結局、發見せざるを得ないといふことにある。

今これをわが經濟學の領域について見ても、私どもが、日常生活において、體驗してゐるところを反省せば、このことが明かであらう。私どもの經驗において現はれてゐるところのある特定の一つの現象は、絶對的意味において經濟的現象としてのみ存立してゐるといふことはあり得ず、この一つの現象は、als solche には、如何なるものとしてでも、私どもの意識にのぼし得る素地をもつてゐる。かくのごとく、各個の現象は、それ自體として、多樣的な屬性または側面をもつて顯現してゐるのである。經濟學者は、かくのごとく個々的にも多樣的な・いはゞ混沌的な現象の多數の存在を前提として、そこから經濟學の對象を拉し來らなければならないのであるが、これが實踐にあたつての客觀的に妥當なる原理を求め、これによつて規定したる經濟的現象のうちに、前に述べたやうな所屬不明の要素を見いだし得ないやうにするためには、また經濟的なる要素を含む現象を見落さないためには、如何にすべきかゞ、すなはち私どものいま追求しようとしてゐることがらである。そして當初よりその困難性を充分に暗示してゐるところのこの仕事は、前にもいつたやうに、科學としての固有の性格の把握を意味し、それの知識領域を指示するものとして、斯學がまづ第一に決定すべきものである。事實上私どもは、ほとんどすべての經濟學者について、その體系的な著作の劈頭において、あるひは「經濟とは何ぞや」とか、あるひは「經濟的とは何ぞや」とか、その他これに類する種々なる表現をもつて、斯學の對象の規定を與へ、しかる後に彼等の經濟學的敍述を展開してゐるのを見る。しかもこの規定に關するすべての人の見解は、事實において、完全に合致してゐないで、ほとんど百人百説ともいふべき狀態にあるのであつて、わが經濟學は、その出發點において、既に、混亂と不明確とに支配せられてゐるといつても過言ではない。そしてこのことは、私がこゝに「經濟學對象論」をものせんとすることの根本的な動因でもある。

　私が經濟學の對象の規定を、こゝに、こと新しく問題としてとり上げることに對しては、このやうな問題は少くともわが日本の學界においては既に解決ずみのことではないかいまさらにこれをとりあげることは餘りにも斯學の進歩を無視せるものである乃至はそれはたゞ無智の勇氣によつてのみ出來ることであるといふやうな非難が、あるひは投げつけられるかも知れない。

もちろん私といへども、幾多の先人によつて、この問題が、烈しき論爭を經つゝ一應の解決を與へられて來てゐることを知つてゐる。しかしながらこれら先人の下した解決も、實は、經濟學自體の發展史上の當該階段における解決に過ぎないのであつて、その限りにおいて、それはどこまでも暫定的のものであり、相對的な安定性をもつに過ぎない。かくしてこの安定狀態の奥深き所に依然殘されたる一箇の問題が、しかも最も根本的な問題が、解決を求めてうごめいてゐ、時あつてか、新しきすがたにおいて、表面に浮びあがつて來るのを見のがし得ない。古くして且つ新しき問題——それは、「經濟學の對象は何ぞや」の問題である。斯學の對象の不精確性については、ローザ・ルクセンブルクは、「國民經濟學は奇妙な學問である。この領域に第一歩を踏みいれるにあたつて、すなはちこの學問の特有の對象が何であるかといふ最も初歩的な問題にあたつて、早くも難點と意見の相違とがはじまる。……信じられないやうな話であるが、國民經濟學の專門家の大多數が、自らの學問の眞の對象が何であるかについて、きはめて曖昧な概念をもつてゐるのは事實である[2]」といつてゐ、またゾムバルトが次のごとくいつてゐることも、今日なほ依然として、正當な嘆きとして受けとれるのである。

「古來ドイツ國民が Nationalökonomie と呼び來り且つ常にかく呼びつゞけてゆくところの科學においては、規定せられてゐるべきことがすべて規定せられてゐない。それが取りあつかふところの對象すら規定されてゐない。しかうして斯學が知識の地球儀の上において、何處に自らが存在するかを知らないといふことが、他のすべての『科學』と共通にもたないところの、たゞ哲學のみが斯學と共通にもつところの一つの特性である。何となれば、私の見るかぎりにおいては、すべての他の科學は、過去において確かに烈しく論爭されたにしても、「現在では、自己の地位」を知つてゐるからである。勿論最も論爭の的となつてゐる二三の科學をあげるならば、たとへば論理學または心理學または地理學の問題提起・方法・認識様式に關して、きはめて大なる見解の相違がある。それにしても、論理學が人間の行爲ではなくて人間の思惟を、心理學が人間の人體の構造ではなくて人間の心理的生活を、地理學が月ではなくて地球を、その研究對象としてもつてゐるといふことについては、何人もこれを疑はない。しかるに經濟學においては、事實上、かゝる境界づけは存しない。吾人は、研究が地球に關するのか、月に關するのかを知らない[3]」。

いふまでもなく、彼のこの言葉は、比喩としても、いさゝか誇大に失するのであつて、經濟學の對象が、事實として、全く不定であるといふわけでは決してない。たゞ、經濟學者の多くが、實踐においてその對象としてゐるところのものを改めて規定することに興味を有しないか、あるひは責任を感じないか、乃至はまた規定してゐるにしても、それが曖昧であるか、あるひは實際の對象と一致してゐないかに過ぎない。

こゝにおいてか私どもは、經濟學認識論の存在理由を見る。すなはちかゝる事態に直面して、私どもは、認識論一般の援を藉りて、經濟學上の認識の本質・その權限・その廣袤および限界についての證明根據を與ふるところの經濟學認識論を樹立すること、その營みの一部分として對象論をなすことの大いに重要なるを知るのである。

(1) マイノング「對象論に就いて」、三宅實譯本、九一頁。
(2) Rosa Luxemburg, Einführung in die Nationalökonomie, 1925. S. 1.
(3) W. Sombart, Die Drei Nationalökonomien, 1930, S. 1.

第二節　對象一般の形成

經濟學の對象を規定するに先だつて、しばらく、一般的に認識の對象は如何にして形成されるかといふことについて、代表的なりと思はれる哲學者のいふところを聞いておかう。

認識といふことは、それにおいて認識されるものが、相對的獨立者として認識作用に對立してゐるところの二重事實である。

「吾々は凡ての意識に於て機能、活動或は狀態とこの機能がそれに於て實現されるところの內容との間の基本的對立に遭遇する。意識の體驗に於ては兩者は互に結合してゐて分離し得られない、內容なき單なる機能もなければ、また內容も自分に向けられた機能なくしては不可能である。[1]」しかも「吾々が意識そのものと共に、また意識そのもののうちに何が與へられてゐるかを問ひさへすれば直ちに意識そのものに現はれ來ることは、如何なる場合にも、內容の多樣が統一にまで結合されてゐるといふことである。この綜合のうちに吾々が意識の對象と呼ばねばならぬものが存立する。何故なれば、かくして統一にまで形成されたる諸要素の多樣が綜合と共に何かある獨立のものとなり、このものに於て、表象の運動は更に展開することを得るからである。しかしその場合に統一にまで結合せられるかの諸要素は決してこの統一そのものに由來するのではなく、部分として實在者の總和に屬してゐる。諸要素は統一的形式に結合せられることによつて始めて意識の對象となる。從つて對象は意識の外にそのものとして實在するものではなく、むしろ意識が內容の個々の部分と互に結合して統一を形成する形式によつてのみ實在するのである。そして全問題は結局、如何なる條件の下に多樣なるものの綜合的統一が認識の價値を所有するかといふことに終局する。[2]」しかして「經驗的意識に於て實在者の諸要素が結合せられて出來た凡ての群は……實在者の測り知られない全王國から切り取られた斷片に他ならない。右の群が事物概念を意味すると生成概念を意味すると否とを問はず、それは實に全實在からの極めて局限された選擇にすぎない。そして各個物――かゝるものは意識及び認識の對象となり得る――の立てる複雜極まる凡ての關係は經驗的意識に於ては決して一緒に表象し得るものではない。また多くの世代の勞作が凝縮して統一をなせる文化人の成熟した意識、或は多くの可能的認識が思惟の凡ゆる經濟と共に包含されてゐる學的概念――理論的意識のこの最高の產物と雖も決して實在者の總體を包括することは出來ないであらう。多様なるものの綜合は人間の意識のうちにある、從つて人間の認識にとつては不可避的に局限されてゐる。既に知覺に於てさへ常に經驗的意識の可能な感覺に選擇が加へられてゐる、又知覺から概念、概念から更に高次の概念へと向ふ何れの進展も、常に異なれる徵表を捨てゝ共通の徵表を維持しておくことによつて獲られる。論理學はこの思惟過程を抽象と呼ぶ、即ち右の過程によつて確立されたる結果は凡て實在者の見渡し得ざる多様からの選擇なる價値を有する。右の如く、世界を概念によつて單純化することは實際、人間意識の如き制限されたる意識が自分自身の表象世界に君臨し得る唯一の方法である。

「右の意味に於て、意識はその對象を自ら生產し、それが內容として自らのうちに見出す實在者の諸要素から自己自身の世界を形成すると一般に言はれ得る。……認識は諸要素の選擇や整頓に於て現はれる諸要素の綜合に他ならぬ。先づ第一に選擇整頓は既に知覺に於けるが如く不知不識の間に行はれる。そしてその場合には吾々の對象的表象作用によつて形成せられたるものの總體は、實在の一斷片としての吾々の世界といふ產物となつて現はれてくる。吾々が對象と名付けるものは、全く單純な知覺に於てさへ、決してそのまゝで實在するものではない。加之、吾々の對象のうちにその成分として入つてくる諸要素も依然として狹隘な吾々の意識のうちへは入り込んで來ない無數の他の關係のうちに立つてゐる。その限り吾々は自ら對象を作るのである。併しさうかと云つて對象は實在とは別な或ものではない。即ち知られざる物自體の吾々に知られた現象ではない、寧ろ實在の一片——かゝるものとしては實在するが、併し全實在そのものと看做さるゝを得ない一片である。たゞに對象の成分のみならず、この成分が結合せられて對象を形成する形式も實在そのもののうちに潛んでゐる。吾々の認識の眞理は、吾々が認識に於て對象——內容形式の孰れより見るも質は實在に屬するにも拘らずそれが選擇せられ整頓せられるものなる限り、實在から新しい形成物として生成し來たる對象——を生產するといふ點、そしてこの點にのみ存する。[3]」

私はこゝにウィンデルバントの見解を、おそらくは過度に冗長に引用したが、それは、要するに、認識なるものの本質が、「測り知れざる豐富な宇宙から、對象の獨特な世界を、人間の意識において生產する選擇的綜合」[4]といふことにあることを明かにせんがためであつた。しかしてこのことは、次に來るべき私どもの問題が、このいはゆる選擇的綜合を如何やうに行ふのであるかといふことにあるを暗示する。

さて意識內容一般から、科學的認識——前科學的な單なる認識衝動の素朴な無邪氣な活動と區別されたる——は、如何にして科學の對象を形成するか。これが過程に關しては、いふまでなく認識論學者のうちに種々なる見解が存するが、私はいまその代表的なものの一つとして、リッカートがその名著 ,,Der Gegenstand der Erkenntnis," I. Aufl. 1892, VI. Aufl. 1928 において展開してゐるところのものの筋書だけを、こゝに書きつけたい。彼によれば、意識内容一般なる所與(das Gegebene)は、實在の範疇・所與性の範疇・因果性の範疇などのいはゆる構成的現實態諸形式(konstitutive Wirklichkeitsformen)によつて、客觀的現實態(die objektive Wirklichkeit)に形成される。この客觀的現實態は、内包的にも外延的にも多樣的な(intensiv und extensiv mannigfaltig)すがたにおいてあり、全體としても、部分としても、そのままでは、如何なる概念によつても攝取せられきれないやうな性質をもつてゐる。これを言ひ換へれば、それは科學的認識の材料をそれ自體のうちに豊かに保有してゐて、そのまゝでは一個の混沌《カオス》である。この混沌的な内容について、認識者は、法則性(Gesetzmässigkeit)または因果法則(Kausalgesetz)と史的文化價値(historischer Kulturwert)との二つの方法論的形式(methodologische Erkenntnisformen)によつて、概念的に改鑄を施して、こゝに始めて科學的認識が成立する。そして法則性なる形式によれるものが自然科學であり、史的文化價値なる形式によれるものが歴史科學·文化科學である——これがリッカートの認識論のうちの私どもの當面の問題に直接的に關係のある部分の大意である。(,, Die Gegenstand der Erkenntnis," Fünftes Kapitel.)

リッカートのこの見解に對しては、たとへば、わが左右田博士や田邊元博士によつて有力なる批判が下されてゐるがごとく、(左右田博士の論文「個別的因果律の論理」を繞つての田邊博士の批判とそれへの反批判——「左右田喜一郎全集」第三巻所輯參照)、これを無條件に採りあげることは出來ないのであるが、ともあれ、私どもは、科學的認識の第一歩が、與へられたる意識内容の混沌的狀態に對つて、その多樣性について、そのうちより、夫々の科學の内容を引き出し來ることにあることを肯定せざるを得ないであらう。

(1) W. Windelband, Einleitung in die Philosophie, 1920, II. Aufl. SS. 230—1, 速水氏等譯本（岩波文庫）、二五一—二頁。
(2) a. a. O. SS. 232—3, 譯本、二五四頁。
(3) a. a. O. SS. 334—6., 譯本、二五五—七頁。
(4) a. a. O. S. 236., 譯本、二五七頁。

第三節　經濟學對象の形成

科學としての經濟學の第一步もまた、論理的にいつて、然りである。すなはち私どもは、混沌たる das Gegebene の內容を經濟學的に改造し･修正することに、斯學の論理的意義における成立點を見いだす。しかしてこれは、言を換へていへば、斯學における概念構成の、進んでは斯學の對象構成の仕事である。

こゝに私どもは、科學の分類なる一つの重大な、しかも興味ある問題にぶつかる。何となれば、所與より抽出せらるべき經濟的なものそれ自體が、後述するがごとく、その本質的諸モメントにおいて、共通なるものをもてるところの多數の coordinate な･いはゞ類概念(たとへば法律的なもの･政治的なもの･倫理的なものなど)をその近隣にもつてゐ、したがつてこの意味において、それらのすべてのものが相依り相率いて從屬すべきより高次なもの･いはゞ種概念(精神的なもの･文化的なもの･歷史的なもの･社會的なものなど)の構成が可能である。そして私のこゝにいはゆる類概念として成立する科學は、すなはち經濟學･法律學･政治學･

倫理學などの諸特殊科學であり、いはゆる種概念として成立する科學は、すなはち精神科學(あるひは文化科學・歴史科學・社會科學など)である。さらにこの精神科學の類概念として、同じく所與よりその對象を抽出するのであるが、その形成の原理をこれと異にすることによつて成立するところの自然科學が存立してゐ、さらに進んで、この兩者を統一する種概念としての經驗科學を、之およびこれと並存するところの先驗科學を綜合する科學一般を思ひ得るからである。各個の科學はかくのごとく、相對的なる種概念―類概念の關聯において、上下左右に層々疊々と重ねられたる一大體系のうちにおいて、何れかの群《グループ》のうちに夫々の所を得てゐるわけである。科學の分類は、要するに、諸科學をもつとも單純に幾つかの群のうちに編入し、これによつて諸科學が、きはめて容易に、學問の世界における自己の地位を知り、その類概念としての同位の諸科學と比べては相互の差異を知り、さらにその種概念としての上位の科學においてそれらとの間の共通的要素を覺り、併せて自らの性格を知ることが可能となるやうにすることを、その任務とするものである。

いふまでもなく、科學の分類といふ問題は、科學論におけるもつとも重要なる問題の一つである。この際問題の中心點は、如何なる原理をもつて分類を指導すべきかといふことにあり、しかも矛盾なくこれを行つてゆくためには、唯ひとつの原理のみをもつてすべきであり、これが決定の表明は、たゞちに論者の學問に對する窮極的な態度そのものの暴露を意味する。私はもとよりこゝで科學分類論をなさうとは思つてゐない。たゞ本論文の關係するかぎりにおいて必要と思はれることを、最小限度に述べるにとゞめるのであるが、分類の原理を定立するにあたつて、觀念論的に、乃至は論理主義的にゆくことを避けて、存在論的に、すなはち歴史的社會的存在としての現實の諸科學自體の內容に即して、分類をなしてゆくべきであるといふこと(これは後述するがごとく、經濟學對象論における私の態度でもある)だけを、こゝに特記しておきたい。

さていはゆる內包的および外延的に多樣的なる意識內容より經濟學の對象を選ぶに先きだつて(論理的意味において)、私どもは、經濟學もまたその一部門であるところの精神科學・文化科學一般の對象としての精神の・文化の世界を、自然科學の對象としての自然の世界に對立せしめて、構成する。その際の對象形成の指導原理となるものは、それぞれ、理念としての文化價値と因果法則とである。この對立する二つの指導原理によつて、「客觀的現實態」をとり扱ふ科學たる經驗科學は、精神科學・文化科學と自然科學との二分野に大別せられることゝなる。

私どもの經濟科學は、この二分野のうちの前者すなはち精神科學・文化科學に所屬する。何となれば、經濟科學の對象たる經濟生活は、全體としても、はたまた部分としても、そこに一定の歸趣があり、目的があり、また規範があり、要するに價値生活であることについては疑ふ餘地のないところであり、したがつて科學の對象としても、かゝるものとしてのみ取りあつかはるゝことを、それ自體要請してゐるからである。

かくして今や私どもの到達した問題は、しからば如何やうにして精神・文化の世界のうちにおいて經濟を見いだし得るか、いはゞ、精神・文化なる形式に經濟なる內容的制約を如何にして與へ得るかといふことにある。このことは他の方面からいへば、いづこに他の精神科學・文化科學と經濟科學とを區別する所以のものを求むべきかといふ問題である。

第二章　從來の經濟學對象論への批判

——左右田學說を中心として——

第一節　左右田學說の摘要

私は上記の問題の解決に向ふにあたつて、まづ經濟學の對象が從來如何やうにして構成せられてゐるかについて、一應の回顧をなしたい。私どもはこれによつて、自らの說を積極的に展開してゆくうへに、多くのものを敎へられるであらうからである。もちろんこの際、斯學發展の歷史において現はれてゐる一切の著作家の對象構成の仕方を漏すところなく涉臘しつくすことは容易なる業でなく、また必ずしもすべての人々の見解を網羅することを要せず、たゞ斯學發展の史上の輝ける巨星、今日までの斯學の歷史の具體的構成要素であるところの各學派の代表者たちの體系的勞作を選擇して、その對象構成を系統的·體系的に追究することをもつて足れりとしよう。しかも私はいまこゝでは、このやうな系統的な硏究の發表をなさないで、私をしてそもそもこの種の問題に興味をもたしめるやうにし、且つ以下本論の敍述において表出するやうな私見を獲得するうへにおいて大なる影響を及ぼしたところの左右田喜一郎博士の學説を中心として、筆を進めてゆきたいと思ふ。

さて「經濟學の對象は經濟である」といつても、それだけでは、問題の解決上一歩も踏み出されてゐない。元來「經濟」(Wirtschaft, economy, économie, economia ……)は極めて多義的な語であるがゆゑに、〔その語源的乃至言語學的な研究や、各國語におけるこの語の意義の如何に多様的であるかについては、手近かなものとして、Sombart, Die Drei Nationalökonomien, SS. 1—2, SS. 13—17 にいさゝか冗漫に失すると思はれるほど詳細に述べられてゐることをあげておきたい〕、まづ第一に、私どもはこの語を經濟學において用ひてゐるのだといふことを明確に意識しなければならない(このことはいふまでもないことであるが、往々にして忘れられがちである)うへに、さらに經濟學において使用する場合のこの語の意味内容の確定または概念規定をなさなければならない。しかしてこの後の仕事は、本質的であるとともに、あるひは本質的であるがゆゑに、きはめて困難なものである。

「經濟學の對象は經濟生活である」といつても、この困難な問題が、未解決のままで殘されてゐることは、全く同じである。何故なら經濟生活は、たしかに、人間生活の一部面であるが、如何なる性質をもつところの一部面であるかについての規定をなしておかなければ、上の命題の意味するところが、毫も把握せられ得ないからである。

さて左右田博士は、經濟學の對象規定の仕事を、經濟學的概念構成に關聯させ、これについての從來の有力なる學說(彼の經濟學上の主著の公にされし當時―― „Geld und Wert,“ 1909, „Die logische Natur der Wirtschaftsgesetze, 1911 ――學界を風靡せしオーストリー學派)の態度を批判し、銳くその缺陷を曝くことから始めて、新カント學派の哲學の立場において、斯學の概念構成を基礎づけてゆくことにおいて完成する。私どもはまづ博士のいふところに耳を傾けよう。

「現今經濟學の出發點をなすものは『慾望』(Bedürfnis)の概念であり、此の概念より『財』(Güter)『經濟行爲』(Wirtschaftliche Tätigkeit)『經濟』(Wirtschaft)等の概念は導かる。併し乍ら慾望の概念は人間行爲一般と關聯せる廣汎なる概念であるから、之を『經濟的』(wirtschaftlich)として定義し得むが爲には、他の制約的要素を附加する事を要する。之が爲め一方に於ては〔「外界の」(äussere)〕『有形財』(konkrete Güter)、他方に於ては『有償』(Entgelt) といふ事が考へられ、斯くて欲望の概念より經濟行爲の概念が獲られ、例へば次の如く定義せらる。『經濟行爲とは一箇の、若くは多數の他の財を使用（讓渡、或は道具の場合には消耗）して欲望充足に必要なる、占有し得る外界財を有償的に獲得する事に外ならず』と。……斯くて經濟行爲は他の人間行爲に對し其の限界を劃され、玆に經濟的存在が他の現象より區別せらるる根本的本質の相違が見らるゝのである。[1]」あるひはまた經濟行爲を規定するに、こゝにあげたやうな諸契機に加ふるに、「經濟原則」に則るといふことを齎すものもある。[2] さらに「生計手段の獲得に直接的關係を有する」といふことを以て「經濟的」となさんとするものもある。[3] 之を要するに、通說は「經濟學の出發點を欲望に求め、之より其對象たる物一般を得、其の內より經濟學上の財を導き、之に關聯せしめて經濟行爲の概念を定め、進むで之より經濟の意義を決し、更に經濟組織の完成したるものとして國民經濟を拉し來りて吾が經濟學の對象を定め得べしとして居るのである。[4]」

　ところが「斯かる思惟方法の必然遭遇せざるを得ざる大なる困難が……直ちに現出するのである。其の一は、第一の〔欲望充足のための財をもつて來て〕經濟財の範圍を餘りに廣く包括せんと欲するとき、最早此の對象に對する人間の充足行爲を『經濟的』といふ特殊の表徵の下に解するを得ない。何となれば、餘りに異なる要素が介入することに依つて明白なる科學的意義失はれざるを得ないからである。第二に……單に有形財のみを經濟學の對象たらしめんとするとき、而して斯學に於て斯かる有形財に向けられたる人間の欲望にのみ或る意味を附與せんとするとき、是れ既に當初より『經濟的』なる概念を豫想するものでなければならない。是に於てか、常に殘る而も根本的なる問題は、何故に多くの欲望より單に斯くの如き欲望のみを『經濟的』と定義せざるべからざるか、といふこと是れである。此の事は、殊に從來純經濟的と稱し來つた行爲には他の種々なる人間行爲があつて、而も此の第二の定義に從へば當然排却せらるべきものなるの事實に顧みるとき、特に然りである。例へば非物質的財產權の獲得（老舖科の如き）等是れである。[5]」また「經濟原則」に則れる行爲も直ちに「經濟的」行爲とはいひ得ない。何故なら「此の原則が……經濟領域に於てのみならず、又他の凡ての人間生活の領域に於て、何等特別なる狀態を前提とせず、苟くも合理的なる行爲の方法が一般に語らるべき場合亦妥當する[6]」ことは明白なことであるからである。最後に「生計手段の獲得に直接的關係を有する」行爲が「經濟的」であるとなすことも採用出來ない。何故なら「第一に『直接的』……といふ多義に失する概念を其の概念規定の標準としてゐ、……第二に『生計手段』とは何ぞやに關して之を確定する事不可能に屬する」からである。[7]

これを要するに「其の概念的基礎を慾望に有する所の『經濟』及び『經濟行爲』の定義は、現實の生活に於ける問題解釋に際して甚大なる且つ根本的困難に遭遇せざるべからざること及び此の困難を克服するの殆ど不可能なることは[8]」明かである。

かくして通說におけるがごとき概念構成の經過に對して發せらるべき根本的な疑問は、「此の如く慾望でも、財でも、經濟行爲でも、其の概念を定むるに當つて、或種のものを排し他の種のものを採り來りて之が經濟學上の正當なる概念なりといふ決定を與へ得る所以の標準は何處にあるかと云ふことである。幾多の物の中にあつて一を採りて他を排するには必ずその一を採り他を排する所以の根本原理がなければならぬ。純理經濟學の概念構成上に於て論者をして『經濟的』なりと思はしむるものは抑々何か。吾人が混沌たる經驗素材に對立するときに、一を經濟的なりとし、他を非經濟的なりとし、其の經驗素材を兩者に分ち得る爲めには、吾人の認識の原理として存在する或ものなくしては其の概念構成は任意たるを免れない。……非物質的慾望は美學、哲學、心理學、倫理學、宗教學等の直接研究すべき範圍にして獨り物質的慾望こそ經濟學の直接研究すべき對象なりとす、と突然に何等の前提なしに決定〔することに對して〕吾等は『何故に』といふ問を發し得ないか。此の間に對して答ふべき原理を有することなくんば純理經濟學の概念構成は一箇の偉大なる、乍併畢竟するに空中の樓閣たるを免れない。[9]」要するに「從來の經濟學は何故に或る種類の慾望を以て經濟的慾望となすかは説明し得ない。或る種類の慾望を經濟的慾望と云ふは其が經濟的慾望であるからであると云ふより以外には理由はない。……現今の純理經濟學は其の概念構成に於て此の如き單純なる前提なき獨斷論をなして居るものである。是偏へに純理經濟學が心理主義を奉ずる結果である。[10]」

さて私どもは、如何にせば前にあげたやうな通説における弱點を排し得るであらうか。博士はこの途を、一般的に、概念構成の過程の論理そのもののうちに求めるが、これは頗る妥當なる遣り方であるといはなければならない。

抑々概念構成は徹底的にこれを考ふれば、決して形式論理學において示されてゐるやうに然く無雜作なものではなくして、「異中の同をとり所謂『抽象』によりて諸 Merkmale の普遍性を得、更に之を統一體に集成する[11]」といふその過程には、その求むる概念の構成につき必要なる抽象を可能ならしむるためには、その求められてゐる概念其自身が、結局抽象以外の何らかの方法によつて、既にアプリオリッシュに、得られてゐなければならないことが明白である。さらにまた「諸普遍的表徴を抽出するに要する比較客體の範圍決定せられ、即ち其比較すべき客體に內存する諸表徵が共通なること既に決定せられ居るに非ざれば、一の概念も構成することを得ぬ。[12]」すなはち概念には、「對象に即して而かも對象から獨立に存在を保ち得る[13]」あるもの、「經驗により經驗と共に起るも經驗より來らず之より獨立せる das Apriori[14]」が在つて存すといふべきである。

さらにこのことは、博士によれば、次のことによつても證明せられ得る。すなはち「一概念は數個の判斷の集和によりて成るとしても、如何に完全に集和しても、到底說く事を得ざる概念の核心は終極に於て殘ると云はねばならない。反對に此の核心あればこそ初めて幾多の判斷は一概念に附屬するものとして集和せらるゝのである。此の概念の中心思想、諸 Merkmale 諸判斷を概念構成の部分として結合する核心其自身は決して此等諸 Merkmale 諸判斷より導き出すことを得ない。[15]」

經濟學上の概念構成についてもまた、この一般的な概念構成におけると同じく、「概念構成に於て一を以て經濟學に對して本質的なりとして之を採り、他を然らずとして之を棄つる所以の根本原理たる嚮導觀念（die leitende Idee）……即ち何が經濟學を學として可能ならしむる所以の斯學に特有なる概念の構成に於ける嚮導觀念なりやを見ることを要す。此の如き嚮導觀念は概念構成を導き、之をして經濟學上可能ならしむるものなるが故に、其の概念構成其自身より發生し來るものではない。カント哲學上に解せられたる意義に於て之を換言すれば、此の如き觀念は概念構成に對して先天的ならざるべからず……〔即ち經濟學〕の範圍內に於て其の概念全部の構成に當り、一を其の概念に本質的なりとし、他を非本質的なりとするには、其の學全體を貫通して、其の概念構成の歸趣を示す一嚮導觀念あることを要すとの意味に於て、其の學の概念構成に謂はゞ經驗的なる乍併先天的要素を要すと云ふのである。[16]」

かくてこの嚮導觀念が把握せられてはじめて、斯學の諸概念はその出發點を

與へられることゝなるわけである。しかるに從來の經濟學は、斯學のこのもつとも重要の問題に、意識的に、觸れるといふことを全くなさなかつた。

從來の學說と雖も「其の概念構成の過程を論理的に考ふれば、……此の如き嚮導觀念に似而非なるものなしには一の概念も得られなかつた。」[17] 蓋し慾望から出發して經濟の概念を形成するに際して、或る種の慾望を捨てゝ他の種の慾望を經濟的慾望となす瞬間に、既にこの取捨選擇の原理としての經濟を前提としてゐることは極めて明白であつて、[18] かくてそれは「概念構成に於て當さに得べきものを前提として居る一箇の循環論法の誤まりに陷り、兼ねて概念構成上何故一を本質的なりとし他を然らずとするかを示すを得ずして獨斷論を稱導しつゝある[19]」わけである。

かくて前述の如き意味における先天的要素を確立することによつて、「玆に初めて經濟學認識の限界も價値も確然として定め得るのみならず、之を定め得る所以の規矩準繩をも併せて發見し得るに至るのである。而して此の諸根本問題は一に懸つて其の先天的要素の妥當如何と云ふ唯だ一つの問題に集中するを得るに至る。此の如くして純理經濟學は初めて其自身の正當なる問題を發見し得たと云ふてよい。[20]」之によつて吾人は「認識をして對象に向はしむる從來の經濟學の概念構成上の心理主義的經驗主義に代ふるに、對象をして吾人の認識に向はしむるカントの所謂コペルニクスの態度」を以てすることが可能となり、これが結果として、「經濟學上の總ての概念に…… begriffliche Umwälzung を起さしめ……從來の經濟學の概念構成上に於ける實在論的循環論理的獨斷主義を破る[21]」ことゝなる。

(1) K. Soda, Geld und Wert, S. 154., 左右田喜一郎全集、第二卷、三九一頁。 K. Soda, Die logische Natur der Wirtschaftsgesetze, S. 62., 全集、Ⅲ、一三四頁。

(2) Die logische Natur, SS. 163—4., 全集、Ⅲ、一三六—七頁。

(3) Geld und Wert. SS. 156—7., 全集、Ⅱ、三九五—六頁。

(4) 左右田氏、「カント認識論と純理經濟學」、全集Ⅱ、二七四頁。

(5) Die logische Natur., SS. 62—3., 全集、Ⅲ、一三四—五頁。

(6) a. a. O. S. 64., 全集、Ⅲ、一三七頁。

(7) Geld und Wert, SS. 156—7., 全集、Ⅱ、三九五—六頁。

(8) Die logische Natur., S. 63., 全集、Ⅲ、一三五—六頁。

(9) 「カント認識論と純理經濟學」全集、Ⅱ、二　五—六頁。

(10) 同上、二七八頁。

(11) 左右田氏、「經濟學認識論の若干問題」、全集、Ⅱ、二九六頁。

(12) 同上、二九七—八頁。

(13) 同上、二九九頁。

(14) 同上、三〇〇頁。

(15) 同上、三〇五頁。

(16) 「カント認識論と純理經濟學」、全集、Ⅱ、二七八—九頁。

(17) 同上、二八〇頁。

(18) 同上、二八〇—二頁。

(19) 同上、二八二―三頁。
(20) 同上、二八六頁。
(21) 同上、二八六―七頁。

しからば私どもは、この概念構成上の das Apriori すなはち中心的・響導的觀念を、いづこから獲得し來るのであるか。またそれが經濟學において如何なる本質的地位に立つてゐるのであらうか。

この問題の解決は、結局するところ、夫々の特殊科學の本來の動因を省みるといふことに依らざるを得ないであらう。換言せば、夫々の科學が、一體如何なる認識目的の下に、そこに生成してゐるのであるかを、改めて反省することによつてである。何となれば、科學はある事項につきての眞理性を實踐的に獲得しようとする私どもの意圖的・目的々なる營みの一つであり、この認識目的あればこそ成立してゐるものであり、したがつて科學に關するすべての事柄、すなはちその對象・手續・成果・組織は、認識目的に照合しての合目的性に關してのみ判断せらるべきであるからである。博士はいつてゐる。

「概念構成の實際上の中心問題は其の學問の認識目的は何なりやと云ふことに歸する。即ち一學の認識目的が定まり居るにあらざれば其の學の概念は到底決定することを得ない。……或る一學を論理的に基礎附けするとは、其の學が特有の認識目的を有することを論理的に明にすることである。……或一の學問……を論理的體系に於て立證せんとせば、其の學問が他の如何なる學問によつても未だ嘗つて闡明せられたることなき、而して又他の如何なる學問によつても闡明せらるゝことを得ぬ一定の認識目的あることを要する。一學問の興廢は此の認識目的の存否に係る。[1]」

この認識目的が確定してはじめて、夫々の科學がひとつの統一的な・有機的なWissen-schaftとなり得る。博士はさらにいつてゐる。

「凡そ一個の學問が獨立の存在を保有し得るは、原則として其の學の客體其自身に制約せらる爲めにあらずして、認識對象が吾々の認識に依り、而して吾々の認識に於て、統一的體系を保つにのみよるのである。……認識の成果が統一を保つや否やに依つてのみ一學問が論理上獨立するや否やが決せらるゝのであり、從つて同じ認識客體に付ても其の認識目的の相違により種々異なる學問の對象となり得るのである。故に或る客體が豫定的に必ず一學の對象たり得とか、又は反對に必ず他の對象たり得ずと云ふが如きことは斷じてあり得ない。天地間の森羅萬象が或は社會學の對象となり、或は經濟學の對象となり、或は商業學の對象となり、或は地理學の對象となり、或は物理學の對象となり、或は心理學の對象となり、或は史學の對象となるは、一に其の學の認識目的によりて、認識對象が吾々の特殊の思索體となり、統一的の體列に參するからである。[2]」

ところでこの重要なる意味をもてる認識目的を、私どもは如何にせば、現實的に明確に把握し得るであらうか。それは當該科學が學問の分類のうちにおいて歸屬する場所を知ることによつて、最も容易になし得られる。しからば經濟學は學問の體系中において如何なる位置を占むるや。これに對する博士の解答の前提としては、科學分類に關するリッケルトの學説が存在して、したがつて博士の問題は「經濟學は自然科學に屬するか、歷史に屬するか、其の兩者に共に屬するか、或は其の兩者の何れにも屬しないか」[3]といふことになつてゐ、またその解答は、「經濟學は斷じて自然科學に屬しない」[4]、經濟學の對象たる經濟生活は本來歷史生活たる人生一般に對する吾人の一面的解釋によつて構成されるのであり、從つて經濟學は歷史に屬す、といふにある。[5] この論證についての博士の思惟過程を辿ることは、こゝには必ずしも要しないであらう。ところで經濟學が歷史に屬すといふ立言に對しては、「經濟學には經濟史以外に理論的部門あつて、茲に因果法則は求められ、之を以て學問の要なり、學問の最終の目的なりとする[6]」論者よりの論難が、當さに起るべきであらう。これに對しては、次のごとく答へる。

「抑々經濟乃至經濟生活といふ事が物理學上の letzte Dinge としての Atom 又は心理學上の諸 einfachste Elemente の如く一切の時處を離れて成立し得べき概念に非ずして、其の中心觀念が irrational なる認識素材に制約せらるゝ處に初めて意義あるに至ることは明かであつて、一般的に歴史を可能ならしむる論理に基くことは云ふ迄もないことである。此の意義に於て經濟生活を對象とする經濟學が歴史に屬することは明かであらう。此の認識目的に制約されたる上での認識對象たる經濟生活が其表面に於てのみ Generalisierung の行はるゝことは可能なりと信ずる。其の成果は卽ちメンガーの所謂 Theoretische Nationalökonomie と稱するものである。……もしこの場合に經濟學自身の認識目的を先天的內在的條件として始めて人類の經濟生活が吾人の認識に上り來ることを忘れて、時處に全く制約せらるゝことなき generalisierende Begriffe に aufgehen せしめ、所謂『經濟法則』なる者も自然法則なりとするならば、又實際論理上の自然法則が其處に求めらるゝならば、則ち經濟學は此の場合全然其の影を潜むるに至つて、其の代りに現はれ來るものは一自然科學としての心理學あるのみである。〔經濟學が經濟學として存立することを得るためには〕、飽く迄一切の概念、一切の認識は經濟學の認識目的に制約せられてあらねばならぬ。リッカートが歴史と自然科學との間に中間範圍として生物學、經濟學等を說く所は確かに此の重要なる點を看過したものである。…… der endgültige Erkenntniszweck に於ける Mittelgebiete, Mischform は認識論上無意義なるのみならず、一個の矛盾である。das endgültige Erkenntnisziel は必ず歴史、自然科學の何れか一にあらねばならぬ。〔かくして〕經濟學の學としての位置は明かになつた[7]。』またその認識目的も明かになつた。この認識目的に照して、斯學の對象を形成してゆくべきであつて、從來の學說の考へてゐたやうに、「對象其自身に於て一定の範疇を形成して對象と概念とが實在論的に結合せらるゝといふ關係が決して存せず、對象の側から見て或ものが必ず經濟的なりとか然らずとか云ふことにあり得ない。即ち同じ人も、行爲も、欲望も、同じ物も、組織も、夫々の認識目的に係りて同時に而して同じ狀態に於て、諸學の對象となつて、夫々の異れる概念が形成せられ得る[8]」のである

しかるに從來の學説においては、この點についての反省が不充分であつて、それにおいては、如何に經濟的行爲の成立過程を精細に追求し、「經濟的」なる概念を限定するために精緻なる論議をなしても、かゝる發生的過程の追求によつては結局、よつて以て經濟學的概念構成の歸趣に向つて進み得る嚮導的見地・嚮導的理念乃至は論理的先天性を發見し得ない。かゝる行き方は、認識論において排斥せらるべしとせられてゐるところの夫の心理主義の經濟學への適用、いはゞ「經濟科學的心理主義[9]」と稱すべきものであつて、「經濟的」とは何ぞやを規定するの能力なきものとして、我が經濟學より排除すべきものである。

「何が經濟學的概念構成一般の嚮導觀念なりや」の問題は、簡單ではあるが、それにもかゝはらず斯學の根本問題である。しからばかくのごとく重要なる意味を負つてゐるところのこの中心觀念を、私どもは如何にして發見し得るか。博士はこの點について、次のごとくいつてゐる。

このためには、「經濟學が一經驗的存在科學たることに充分注意しつゝ、それを缺いては凡ての理解せられたる經濟的現象も唯だの事實たるに終るが如き何ものかを求めねばならない。例へば法律現象に於ける權利と義務の概念、美學的現象に於ける美の概念の如き是れである。特殊科學の範圍に對して一形式當爲概念を樹立する爲めにあらずして――それは哲學の問題である――かゝる概念に、必要に應じて內容的確定性を許すために、すべての特殊科學の各特有の範圍において、一個の中心概念を樹立しなければならない。この中心概念を以て、特殊科學は相互にその知識の範圍を制限し、之によつて始めて科學的獨立性を獲得することが出來る。それ故、かくの如き中心觀念に基いてすべての人間行爲（人間行爲そのものとしては寧ろ統一的と稱すべきであるが）は、種々なる認識目的に從つて、種々雜多の解釋が許され、從つてその解釋、或は『經濟的』に、或は『法律的』等たり得るのである。……

「しかもかゝる中心觀念は、それ自身又文化發展の所產であつて、漸次に吾等の意識にのぼり來つたものである。かく後れて發展したる觀念に基いて既に過ぎ去りし行爲を逆に解釋し得べしと雖も、この過去の行爲にはかゝる觀念は尙ほ意識に明かではない。當時は寧ろかゝる種々なる見地を許すには餘りに分化してゐなかつた。否全然分化せざる統一的意味をもつてゐた。しかるに後に至つて、文化發展の進行と同步調を以て、この意味も亦種々に分るゝに至つたのである。原始的な社會狀態に於いては、かゝる觀念は尙ほ未だ個人の意識に明瞭に存してゐない。從つてかゝる時代に於ける同一の行爲も、之を今日の見地よりすれば、種々の解釋が許されるのである。……かゝる種々の解釋の由つて起る所以は、一に認識興味の分化に基く。しかるにこの認識興味は、一般に文化發展と共に現出するものなるが故に、認識興味そのものも亦、歷史の進行に基く史的所產である。それ故この解釋の分化は認識歸趣の分化を示すものであつて、そは決して原始的行爲に實質的に固着せるものでなく、却つてかゝる行爲は、分化せざる、而も當時の狀態によく適合せる一定の目的の結果に外ならない。しかるに吾等が今日有する種々なる認識歸趣は、次第に或る時代に吾等の意識に明かとなり、やがて逆に過去に屬する現象の闡明に用ひ、かくて統一的に一貫せる史的進化の過程を明かならしめ得るものである。こゝに於いてか認識歸趣も亦歷史的である。しかも認識歸趣が一度意識に明かとなるに至るや、一定の觀念を意識的に內に藏する一切の行爲は、これなくしては最早明かならしむるを得ざるに至るのである。今や認識歸趣は、以前の行爲に對するとは反對に、當該行爲の說明に對する論理的・內在的前提となるに至る。而して以前の行爲は、新しき立場よりしては、單に有史前の時代の意義を有するものとなるに過ぎない[10]。」

かくのごとき事態の結果として、私どもの求めてゐるところの經濟學的概念構成の中心觀念は、次の二條件を充すものたらざるを得ない。すなはち、

第一「經濟的と稱せらるゝすべての現象が、全體として考察されるとき、これが他の社會的又は自然的現象より因つて以て區別せられるためには、それなくしては最早何ら他の表徵を示し得ざるが如き觀念であることと。卽ちそれはすべての經濟現象の根基となれる觀念でなければならない。しかも決して或る種の當爲（Sein sollen）を意味しない。第二、それは歷史的事實性を包含しなければならないこと。これによつてこの中心觀念は、單に觀念的たるに止らずして又現實態に確固たる根據を有することゝなる。卽ちそれは今日の經濟組織の前提に對し、その概念的意義並びにその歷史的成立に方つて、相互に相制約する坐標（Koordinate）であらねばならない。故に一言以て之を蔽へば、一面今日の經濟組識に對する論理的先天性たると共に、他面この經濟組織の前提に對する概念的並びに歷史的制約を、自らの內に結合するものでなければならない[11]。」

しかして博士によれば、この二つの條件を完全に充足してゐるものは、實に、貨幣概念 (Geldbegriff) である。

すなはち「一切の人類の歴史生活が貨幣概念に beziehen せられたるときにのみ經濟學の對象は是あるを得。即ち予は wirtschaftlich = auf Geldbegriff beziehend と同義なりと解するものである。即ち經濟學の認識目的は一個の文化生活として解せられたる人類の歴史生活を Geldbegriff に beziehen して解釋する所に……歴史全般の認識目的と區別せられ、……史學としての經濟學の特殊の認識目的〔としての〕……其の外的表明を得べきである。この表明を得るといふ意義に於ては此以外に經濟學の認識目的を實質的に制約することは斷じて出來ない。[12]」

(1) 「經濟學認識論の若干問題」、全集、Ⅲ、三〇八頁。
(2) 同上、三一〇頁。
(3) 同上、三一七―八頁。
(4) 同上、三一八頁。
(5) 同上、三二〇―一頁。
(6) 同上、三二二頁。
(7) 同上、三二一―三頁。
(8) 「カント認識論と純理經濟學」、全集、Ⅲ、二八四―五頁。
(9) Die logische Natur., S. 76., 全集、Ⅲ、一五七頁。

(10) a. a. O. SS. 77—8., 全集、Ⅲ、一五七—六〇頁。
(11) a. a. O. SS. 78—9., 全集、Ⅲ、一六〇—一頁。また三二四頁。
(12) 「經濟學認識論の若干問題」、全集、Ⅲ、三二五頁。

貨幣とは如何なる本質をもてるものであるか、貨幣概念の論理的構造如何といふ重大なる難問に對する左右田博士の解決は、私どもはこれをその名著,, Geld und Wert," Tübingen, 1909 において見いだす。博士による貨幣概念の構成過程そのものを詳細に nachdenken することは、別の機會にゆづりたい。またそれをなすことは、私どもの當面の問題に對して必ずしも必然的なる要請をもつてゐないであらう。幸ひにも私どもは、博士自らの筆によるそれの素描を、,, Die logische Natur, etc." Kap. III. において見いだすがゆゑに、いまは、これに據りつゝその大綱をこゝに書きつけるにとゞめよう。

「予は、凡そ貨幣概念を構成する爲めには、社會概念より出發する。クニースの如く貨幣の素材價値より、或はクナップの如く國家概念より出發するは、吾等の採らざる所である。社會の概念を構成する場合には、認識論的にも心理學的にも未だ十分に說明せらるゝ所なき吾等の根原的精神生活に深く其の根據を有する思惟行爲卽ち綜合の好個の一例を認めることが出來る。此の綜合的思惟行爲は、個々の細胞の中に個人を、個々の個人の中に社會を、換言すれば複數の中に單位（統一）を抽離構成する所にあつて存す。然るに此の單位は、直ちに何ものかに對する單位を意味し單位其れ自身ではない。蓋し、單位なるものは、思惟に於て且つ思惟より産出せられたる一所産たるが故である。人間の、否、人間の集團の單なる交互作用は、當さに是れ相互に相錯叢する雜多にして、此の中より先づ一定範圍に於ける且つ一定の意義に於ける一の單位を思惟に於て構成するのである。（第四章）。此の社會概念を各人の精神生活の經濟的に重要なる部分、換言すれば價値現象に係はらしめて考察する。而して斯かる社會を『評價社會』と稱し、一定の評價對象に對する數多の評價主體の單位を意味せしめる。（第五章）。而して此の評價社會は卽ち貨幣概念の構成に對する礎石たるものである。今、價値觀念の概念的發展を第一より第五段に分ち階を追うて追究すれば、第一階段に於ては、一定の個別的對象が結局其の對象の故を以て評價せらる（愛着價値）。抑々無制限なる人間の欲望は、數量に於て制限せられたる手段に對するが故に、評價せられたる意義は他の對象の上に移動せられ、之に依つて最初の對象は一の類の見本となるに至る。斯くして成立したる此の『對象價値』は軈て獨立し、此の對象價値に對する一の評價社會が成立する。而して其の場合多くの個人に於ては、此の評價社會を前提して當該對象を以て利用以外の作用の目的物として、換言すれば更に進んだ目的に對する手段として評價することあり得るのである。從つて第三段階に於ては、同一對象に於て二個の評價の分化が成立し、又同一評價主體たる個人に於ても同樣生じないとも限らない。斯の如き主體が構成したる二個の評價社會は、第一に當該對象の『對象價値』に、次いで之が『手段價値』に對して概念的に相對立し、而して此の段階に於て始めて概念的に『貨幣の成立』が云々せられ得る。斯くて第四段階に至る。此處では手段價値の普遍化が起る。然し此の第四段階に於ては、手段價値は、尙ほ何等かの意味に於て、確たる實質的把持者を有さねばならない（例へば種々なる金屬貨幣の如き是れである）。然るに作用的なる手段價値の對象價値より明白に分化することは、更に實體に對する作用の獨立性と共に次第に手段價値の分離過程の完成に導くのである。卽ち補助貨幣、銀行劵等に始めて一部分分離したる過程を認むることが出來る。最後の第五段階に貨幣職分といふ『理想』が存立し、玆に手段價値の絕對的分化や獨立が行はれ且つ發生的には對象價値に基く所の交換手段の作用は結局純粹概念となり、其の際、內的把持者たる此の對象價値とは最早何等關係を有せず況んや此の對象價値に從屬するが如きはあり得ざる所である。（第六章）[1]」

博士によれば、此の第五階段において到達した純粹貨幣概念は、心理發生的には最後に發展したものであるが、「全發展の內在的アプリオリを構成する」ものである。かくてそれは「認識論上のアプリオリたり得……前きに要約したる貨幣思索の發展に對して一種の目的因（causa finalis）となり得る」[2]ものである。その理由は次のごとくである。「吾々が貨幣に就いて語るとき……直に一定の貨幣職分を考ふるのであつて、此の職分の實現の條件としての實體的根基は、「職分の『把持者』（Träger）と考へられ、此の際『作用』と『把持者』とは吾等の思惟に於て又思惟により分化分離せられ相對立する」のであり、かく「實體より抽象せられたる貨幣職分が、始めて此の實體に貨幣職分の把持者たるの意義を與へることが出來る」のであり、この第五段階は一の極限概念としての貨幣であつて、この意味におい

「當然其の儘の如き純粹なる姿に於て、之に當然附隨して相對立すべき概念を缺いては、事實上決して實現せらるべきことを得ないものである。然るに、反對に、此の純粹貨幣概念に係はらしむることなしには、如何なる實體と雖も之が素材的根基と解せらるゝを得ざるが故に、此の意味に於て、此の純粹概念は、發生的階列に於ては慥かに最後に得たるものなるも、論理的には常に全階列の出發點たるものである。」[3)]

以上のごときものが、博士の貨幣概念構成過程の大樣と、その貨幣本質觀とである。私はこれに對して、若干の疑問をもつものであるが、その體系的な開陳は別の機會にゆづるとして、兎に角そこに、きはめて精密峻嚴なる論理をもつて展開された、獨創性の豐かなる貨幣概念構成の論理を見いだすことは、何人といへども否めないところであると思ふ。

かくのごとくにして構成せられたる貨幣概念は、博士にとつては、混沌たる「客觀的現實態」より經濟的存在に對して本質的なものを採擇し、非本質的なものを排除するところの經濟學的認識對象構成の嚮導的觀念である。けだし「凡そ今日『經濟的』と稱する如何なる現象と雖も、之が研究をなす場合に、直接的に間接的に、貨幣概念に係らしむるにあらずんば、抑々了解するを得ない」[4)]のであり、それは今日の「流通經濟及びその凡ての制度の論理的概念的前提であり、かくして經濟における質的多様はこゝにその公分母を見出して通約せられ得る」[5]からである。

たとへば、「農業的、工業的、商業技術的生産、生産要素としての自然、勞働力の増加、人口の減少、大小經營、交通、分配、利子、勞銀、社會政策等の諸概念は、何れも貨幣概念を論理的に前提するにあらずんば、經濟的概念として考へ得ざるか、もしくは全然技術的用語たるに止り、之よりして特に經濟的なる契機を斷じて見出すを得ない。人口論その儘に何ら留保なしに經濟學の一部を認めらるゝその原因は、當さにこれ傳統に從ふに過ぎない。人口の增減その儘にては、經濟問題に無關係なる、もしくは關係を有すること、これ當さに物財の製造消費その儘の如し。人口の增減將た物財の製造消費もしくは豐饒なる、又は地の利を有する土地の生産餘剩等が、唯だの事實より『經濟的』となるには、すべて概念的轉換を蒙らねばならない。然らざれば、たとへば人口の增減はそのまゝでは單にこれ漠然たる意味における文化問題であり、もし夫れ文化概念より離れて考ふるならば、是れ生理學的又は人種學的問題、即ち自然科學問題に過ぎない。然るに或る事實が或る一の科學の對象たるか、他の科學の對象たるかは一に懸つて見地の相違に基くものにして、實質的内容の相違に基くものではない。或る事實にして一定の認識目的を缺くとき是れたゞの事實に止まる。今日勞働者保險の問題は、以前の如く單に經濟學に限らず、法律學及び醫學においても亦取扱はるゝ問題である。それ故經濟學が取扱ふ凡ゆる事實は、吾等の內的價値感情の特に『經濟的』と稱せらるゝ表彰、即ち貨幣概念に係はらしむる一定の方面よりしてのみ考察され得るのである。[6]」

かゝることが何故いへるかといふと、次のごとき關聯が、そこにあるからである。すなはち

「貨幣概念と……今日の經濟組織の前提——卽ち契約の自由、分業及び交易交換——とは相互に制約する頗る密接なる關係に立てるものにして、從つて相互に一を缺きては全く他を論理的に考へ得ない。斯かる諸前提は、先づ、資本主義的經濟組織の根基たる貨幣の成立に基きて與へられ、而して又歴史的には貨幣の成立は、資本主義的經濟組織と共に明かに意識に入り來るのである。其れ故、凡ての經濟現象は、其の斯くの如くにして、一切の經濟的概念の焦點たる貨幣概念に注ぎ入る。今日の經濟組織の自由主義的根基は貨幣と其の論理的に且つ史的に關聯し且つ貨幣を伴つて始めて完全に妥當性を有するに至るのである。〔かくて〕……最早、貨幣と經濟とがこの意味に於て、何等共通出發點を有せずとは考ふる能はざる所である。斯くして、貨幣概念は此の意味に於て經濟學概念構成の中心的嚮導觀念」そのものに外ならぬ。

すなはち之によつて私どもは、博士が貨幣概念と資本主義概念(その內容は、彼が述べてゐる所だけをもつてしては、きはめて明確であるとはいへないにしても)とが相關概念または同時存在的概念であると考へて居ることを知る。かくして貨幣概念は、資本主義經濟の下において成立してゐるすべての概念の基本概念(Grundbegriffe)である經濟價値·價格·資本·勞賃·利子·利潤·銀行などのさらに奥に潛んでゐるところの唯一の最基本的な概念である。「從來わが經濟學の病根」として

「資本にせよ利子にせよ、經濟學上の諸基本概念が一として定説をもたなかつた」[8]ことは、かくして改善せられることゝなる。「經濟學は、きはめて長い間、自らが元來いづこに所屬してゐるかを正當に知らないで、異なれる國境の間を放浪してゐるところの諸概念でもつて間に合はせて來つた。かくのごとき放浪的な無頼漢のうちから、經濟學は好んでその概念軍の幹部、すなはち、價値―慾望―財―快―不快―効用等の職を充して來つたのである」[9]とは、ゾムバルトの不滿であるが、貨幣概念は、それの概念的構造の確立性を一先づ肯定し得るとするならば、資本主義經濟に關しては、これを斯學における中心的・嚮導的觀念の王座につかしめ得、ゾムバルトの不滿のごときも、一應解消するやうに思はれるのである。

貨幣概念をもつて斯學の中心點におくといふ考へは、必ずしも左右田博士の獨占にかゝるものでなく、たとへば、マーシャルが、その「經濟原論」において、「經濟學は一面に於て富の科學であり、他面に於て社會に於ける人間行爲の社會科學の一部である。その一部とは、人間欲望を滿すがための人間努力を取扱ふ部分であり、その努力と欲望とを富によつて、或は富の一般的代表者即ち貨幣

〔傍點は筆者〕によつて測定し得る限りに於て取扱ふ部分である」[10]といつてゐるのも、斯學の對象の規定といふことに關する限り、結局左右田博士と全くおなじ見解であるといへよう。

(1) De logische Natur., SS. 85—7., 全集、Ⅲ、一六九—七二頁。
(2) a. a. O. SS. 87—8., 全集、Ⅲ、一七四—五頁。
(3) a. a. O. SS. 88—90, 全集、Ⅲ、一七四—九頁。
(4) a. a. O. SS. 79—80, 全集、Ⅲ、一六二頁。
(5) Geld und Wert, SS. 153—4., 全集、Ⅱ、三九〇—一頁。
(6) Die logische Natur., S. 80., 全集、Ⅲ、一六二—三頁。
(7) a. a. O. S. 81., 全集一六三—四頁。
(8) 左右田氏「福田博士に答ふ」、全集、Ⅲ、二四八—九頁。
(9) Sombart, a. a. O. S. 294., 譯本二九四頁。
(10) A. Marshall, Principles of economics, 大塚金之助譯本、第一分册、一一五頁。

第二節　左右田學說への批判

A.　對象規定に關して

以上きはめて素描的にではあつたが、左右田博士の貨幣概念の構成過程と、したがつてまた貨幣の本質的構造とを知り、且つかゝる構造において、それが經濟學の中心的嚮導觀念であり、經濟學上の諸概念構成を可能ならしむる所以のアプリオリであると博士がなしてゐることを知つた。博士によれば、貨幣概念は、一切の國民經濟學的概念の論理的アプリオリたるの故をもつて、今日の交通經濟、貨幣經濟もしくは國民經濟における一切の現象を、從來の斯學における根本概念に比して、「より統一的に且つよりよく說明し得べき概念」[1]である。ところでこゝに重大なる問題が存立し得る。それは、「種々なる經濟組織の進化の過程の單なる敍述的歷史以外に、尙ほ一つ說明的なる經濟學を併せ有するためには、今日の交通經濟と所謂『家屬經濟』、『自然經濟』、『封鎖經濟』或は社會主義的未來國家を共に概念的に統一的に考察[2]しなければならないが、博士はこの課題を如何やうに解かうとするかといふ問題である。しかも私にとつては、これはきはめて重要な問題であるやうに思はれるのである。

彼はこの點に對する反對論を、次のごとくに豫想してゐる。

即ち、第一には論理的見地からして、「貨幣概念は稍ゝ後期の發展の所産にして、其の背後に多くの複雜せる經濟階段を經たるものであらねばならない。然るに、斯かる比較的後れて吾人の意識に顯はれたる概念に依つて逆に史的現象を解釋し、之に加ふるに此の現象が經濟的なりや否やを區別せんとすれば是れ全く論理的に逆の處置法を用ふるもの、從つて貨幣概念を許さゞる非貨幣經濟狀態は之を以て直に又非經濟的と稱さねばならない。斯くの如くんば——論者は云ふであらう——今日の斯學の現狀に悖るものなり、と」[3]の非難が起るであらう。また第二には實際的見地からして、「若し貨幣を以て、一面『交換手段』として、他面『價値の客觀的表彰』として解するならば、之に對して無論交通經濟を前提せねばならない。然るに過去に於て有したる又現在に於ても尙有する經濟組織は、唯り交通經濟のみならず、又、封鎖的自足經濟もあつて、這は今日農業に於て尙散見する所である。而して農業的、封鎖的家屬經濟の大部分を經濟學的研究の對象たらしむる爲には、普通何等貨幣概念の仲介を要しない。斯の如くんば、何等の留保なしに經濟的と考ふる斯かる社會現象及び社會組織の少からぬ部分を、少くとも概念的には經濟現象より排除せねばならないことゝなるであらう。從つて吾等の解釋は——この反對說に依れば——『經濟的』なる概念の單なる獨斷的一面的狹窄に過ぎざるものにして、論理的には確固たる立證と必然性とを缺けるものである」[4]といふ反對論が生ずるであらう。

しかしてこの非難に對する博士の解答と駁論とは、次のごとくである。「此の二個の反對の語る所、一部の理無きに非ず〔傍點は筆者〕と雖も、是れ悉く眞ではない[5]。」

第一の批判に對しては、「成る程、貨幣概念は貨幣經濟に於て始めて成立し、進步せる經濟組織に於てのみ完全に明瞭になるに至ると主張するに何等異存はない。又、貨幣概念が、尙ほ、現今の斯學に於ける慾望と同一の意味に於て、經濟學の出發點たりと主張するの斷じて正當に非ざることも何等疑ひの餘地を存しない。然るに貨幣が經濟的進化の過程の最高階段に屬し（傍點は筆者）從つて貨幣經濟時代に於ける一切の經濟現象に、事實的にも概念的にも根基を供するといふ史的事實を顧みて、猶ほ且つ貨幣概念が經濟現象解釋の出發點たりと斷言して憚らないのである。此の際、經濟現象の解釋に對する出發點と經濟現象そのものの出發點を混同する……ことは許すべからざることである」[6]と反駁してゐる。

この主張についての博士の論據は(全集、第三卷一六八頁―一八三頁)、遺憾ながら、私には充分に明確であるとは思はれないのであるが、博士のいふところを推察して考へるに、前に引用したやうに、「貨幣が經濟的進化の過程の最高段階に屬し、從つて貨幣經濟時代に於ける一切の經濟現象に、事實的にも概念的にも根基を供する」といふことは「史的事實」であり、この「事實を顧みて」貨幣をして「經濟現象の解釋に對する出發點」たらしめ得るとするのである。「發生的に言へば最後に發展したる概念が全發展の內在的アプリオリを構成するのである。」[7]

私は、この立言に對して、次のごとき疑點をもつものである。貨幣概念が、またそれと同時存在的概念であるところの「交通經濟」が、「經濟的進化の今日迄の最後に到着したる最高段階である」[8]といふことは、經濟史的事實として肯定し得ることであらうが、しかしそれもきはめて限定せられたる意味においてのみであらう。ところで博士の、「其れ故、凡ての經濟的行爲は貨幣に注ぎ入る。實に貨幣概念は經濟學的尖塔《ピラミット》の頂點に屹立するものである。然るに……一定の欲望、一定の財、行爲、組織を『經濟的』と稱し得ん爲めには、此の最後に發達したる貨幣概念よりして逆に係はらしめらるゝことを要する。……此の事實的發生的には最後に到着せる、然し論理的には前提たる歸趣を缺いては、上述の「決定」を確實に遂行すること斷じて不可能である」といふ言葉には、一個の獨斷――「事實的發生的に」「交通經濟」に先行してゐるところの諸種の型の經濟が、そのうちに「貨幣概念の構成過程」を姙りつゝ、「交通經濟」にまで發展した、また「事實的發生的に」「交通經濟」に後行する諸經濟は、いはゆる「極限概念としての純粹貨幣概念」の實現の過程をそのうちに含みつゝ、「交通經濟」に連續してゆくといふ獨斷――が在つて存すと思はざるを得ない。何故なら、もしさうでないとするならば、「其れ故、凡ての〔傍點は筆者〕經濟的行爲は貨幣に注ぎ入る」とは「斷じて」いひ得ないからである。私が「獨斷」なりとなしたことがらは、ある意味においては、儼然たる歷史的事實であるといへないことはない。しかしながら博士は、これが史實であることの事實的證明を――少くとも客觀的に明かな形態において――なしてゐないのであるから、その意味においては、これを獨斷なりと斷定しても決して不當ではないと思ふ。

私のこゝにのべた非難は、博士が豫期せられた第二の非難と相通ずるものであつて、博士はいまこゝでこの非難を受けることは不滿であらうと思はれる。しかし事實的にでなくて、論理的に、私はこの非難が當然なされ得ると思ふ。

博士の「其れ故、凡ての經濟的行爲は貨幣に注ぎ入る」といふ言葉は、たゞ次のごとく、「交通經濟」あるひは「資本主義經濟」に關するかぎりにおいてとの限定のもとにこれを解するときにのみ、正當である。何となれば、かゝる經濟のもとにあつては、事實として、貨幣の存立は必然的であり、且つすべて「經濟的」と解せられる現象は貨幣と何らかの關係をもつてゐるからである。したがつてこの場合においては、「客觀的現實態」より經濟的現象を概念的に構成するにあたつて、貨幣概念が「係はらしめらるべきもの」であるといへよう。このかぎりにおいて、私は博士の說を誤りであるとは思はない。

それにしても私どもは、果して貨幣概念のみが、かゝる役割を演じてゐるのであるか否かを、否なほ一步進んで、貨幣概念に對して更らに論理的に先行してゐて、これあるがために貨幣概念の構成がそもそも可能となつてゐるやうな概念が存在する可能性が、果してありはしないかを、吟味することを要しないであらうか。

この吟味の結果、私は次のごとき決論に達した。「交通經濟」に關するかぎりにおいて、一切のものに論理的に先行するところの概念構成上のいはゆるアプリオリは、交換といふ概念である。前述のごとく、「交通經濟」にあつては、事實上たしかに、すべて經濟的なものは貨幣概念に係はつてゐるが、この貨幣概念そのものは、實は、交換概念に依存して成立してゐるに過ぎない。事實的にいつて、交換のないところに貨幣を見いだすことが出來ない。また論理的にいつて、左右田博士自らの貨幣概念構成過程の諸段階にも現はれてゐるがごとくに、諸個人の評價客體に對する意義認識に强度の差のあることは、評價社會の內部にこの客體の交換を惹起せしめ、このことは、「交換手段にして同時に又價値の客觀的表彰としての職能」を果すべきあるもの、すなはち貨幣の成立を必然的ならしめるのであつて、交換が貨幣に論理的に先行してゐるといふべきである。かくして「交通經濟」におけるすべての經濟的なものは、事實的にも、はたまた論理的にも、交換に「嚮導」せられてゐるといふべきである。それゆゑに、左右田博士が貨幣概念に與へたところの斯學の概念構成に關する地位は、むしろ、これを交換概念にこそ與ふべきであつたのではなからうか。

博士はその豫想する第二の反對論、すなはち「從來何等澁滯なく經濟的と稱せる社會現象を吾が貨幣概念を以てしては十分に説明するを得ず、換言せば其の正しき概念構成に導き得ない」[10]といふ反對論に對しては、次のごとく答へてゐる。

「貨幣は種々なる經濟狀態を順次經過した後始めて貨幣として現はれたもので、之を要するに經濟的進化の過程の一の所產に外ならざることは歷史上の事實である。然るに系統的に解釋する〔傍點は筆者〕場合には、之に反して、謂はゞ先天的形式たる斯の如き概念の論理的前提なしには當初より今日の組織に至る迄の進化の過程は固より、更に進んでは將來の組織を論理的に說明するを得ない事安んじて主張し得る所である。之を換言すれば、事實的には進化の過程の最後に於て成立したる概念を論理的に前提するに非ずんば、總ての經濟現象の如何なる系統的研究と雖も何等の意味をも有し得ない。其れ故、此の意味に於て、吾等は貨幣概念を經濟現象の凡ゆる解釋に對する論理的前提として前提するものである。[11]」

かくのごとき反駁は果して正當であらうか。私どもは、いま少しく博士のいふところに耳を傾けよう。

「此の第二の實際的反對に對して、二つの方面より反證する爲めに、二個の疑問に答ふることを以てしたい。其の一は交通經濟に先行する封鎖的家屬經濟若くは貨幣經濟に先行する自然經濟が、交通經濟乃至貨幣經濟と謂ふと同一の意味に於て等しく『經濟』と稱せられ得るか如何。[12]」これに對する答は、「交通經濟時代に於けるすべての經濟現象は、貨幣概念に係はつて十分明かに說明するを得るも、然し凡ての自然經濟的現象は、之に依つて決して交通經濟時代に於ける現象と統一的に說明する能はず……此等兩時代に共通ならざるメルクマール卽ち貨幣概念ありて、交通經濟を封鎖的經濟より根本的に區別する契機となつてゐる。[13]」「經濟的概念の根本的改變は交通經濟の成立と同時に現はれ來つた。其れ故交通經濟の時代に於て始めて樹立せらるゝに至りし、若くは少くとも其の概念的確定性を此の時代に得たる學語を、何等留保なしに自然經濟時代に移し得ない。[14]」

かくて博士のこれらの言葉にそのまゝよれば、私どもは、結局「交通經濟」と「封鎖的家屬經濟」とを、「貨幣經濟」と「自然經濟」とを、經濟的には、何らの關係もなき、何らの連續性もなきものとして受けとらざるを得ないであらう。何故なら彼によれば、「經濟的」=「貨幣概念に係はれる」が眞理であり、しかも「封鎖的家族經濟」・「自然經濟」は貨幣概念とは風馬牛であるからである。かくては私どもはかゝる經濟をもはや「經濟」と稱し得ないといふことになりさうである。しかも博士は、直ぐこれに引きつゞいて、「封鎖的家族經濟を交通經濟の歷史的先驅者として考察し得、……斯くの如くにして種々な經濟階段の進化の過程を歷史的に追求するを得、又追求せざるべからず」[15]といつてゐるのであるが、一體この間の論理的連絡を如何にしてとるのであらうか。私は博士の論理そのまゝでは、到底それは不可能であると思ふ。むしろ「封鎖的家屬經濟」と「交通經濟」との間、「自然經濟」と「貨幣經濟」との間に、貨幣概念以外の他の何らかの共通の契機的要素がありと考へ、これによつて兩者がともに「經濟」として、同一のディメンジョンの上に立つことができると考へて、はじめて兩者をつなぐ歴史的進化過程の研究が云々せられ得るのではなからうか。そして私どもの眞に求めてゐるものは、この共通の要素の概念ではなからうか。そしてそれは、左右田博士自らも明言してゐるがごとく、決して彼の立てた貨幣概念ではあり得ないと思ふ。

實際的反對における第二の疑點は、「今日の農業に對して、そが封鎖的家屬經濟の段階を超ゆること尚ほ未だ遠からざるも、貨幣概念に係はらしむることなしに經濟的解釋を下し得ず」[16]、從つて「經濟現象の統一的研究より排除せらるべきなりや如何」[17]といふにある。博士はこの疑問が比較的に輕き意味しかもつてゐないと認めてゐるらしく(私もさう思ふ)、その解答は次のごとき程度のものである。

「今日農業を營むは單に次の二個の原因に基く。即ち何等かの非經濟的動機より、例へば習俗的傳統又は保守的風習より營むか、又は意識するとせざるとを問はず交通經濟の根基の上に非經濟的と稱せらるゝ封鎖的經濟を營むか何れかである。右の第一の場合における農業者の行爲は……國民經濟的意味を有せず。……第二の場合において、交通經濟に意識的にか無意識的にか關聯して他の職業を棄てゝ農業を營むとき、其の解釋は交通經濟の基礎に係はらしむるに非ずんば抑ゝ考ふるを得ない。……先づ貨幣概念に係はることに依つて其の農業的行爲は國民經濟的意味あるものとなるに至る。[18]」

(1) Die logische Natur., SS. 81—2., 全集、Ⅲ、一六五頁。
(2) a. a. O., 全集、Ⅲ、一六五—六頁。
(3) a. a. O. SS. 82—3., 全集、Ⅲ、一六六頁。
(4) a. a. O. S. 83., 全集、Ⅲ、一六七頁。
(5) a. a. O., 全集、同上頁。
(6) a. a. O. SS. 83—4., 全集、Ⅲ、一六八頁。
(7) a. a. O. S. 88., 全集、Ⅲ、一七五頁。
(8) a. a. O., S. 90., 全集、Ⅲ、一七九—八〇頁。
(9) a. a. O. SS. 90—1., 全集、Ⅲ、一八〇頁。
(10) a. a. O. S. 93., 全集、Ⅲ、一八三頁。
(11) a. a. O. S. 84., 全集、Ⅲ、一六八—九頁。
(12) a. a. O. S. 93., 全集、Ⅲ、一八三—四頁。
(13) a. a. O. S. 95., 全集、Ⅲ、一八六頁。

(14) a. a. O. S. 95, 全集、Ⅲ、一八四頁。
(15) a. a. O. S. 95., 全集、Ⅲ、一八六頁。
(16) a. a. O. S. 93, 全集、Ⅲ、一八四頁。
(17) a. a. O. S. 95., 全集、Ⅲ、一八七頁。
(18) a. a. O. SS. 95—6., 全集、Ⅲ、一八七—八頁。

B.　經濟學認識論に關して

以上のごときものが、豫想されたる非難に對する博士の反駁の大體である。そして遺憾ながら、博士の精緻な説明にもかゝはらず、私どもは依然として博士の豫期された非難をもちつゞけるのみならず、私はさらに一層根本的なる疑問を、これに挿まざるを得ないものである。尤も根本的なる疑問といつても、私のこゝに述べようとするものは、經濟學認識論に關するかぎりにおいてのものではあるが。

まづ最初に、經濟學認識論として博士の成し遂げた仕事は、私の見るところでは、單に對象論の範圍にとゞまつてゐて、認識論の他の二つの重要な構成部分であるところの方法論(狹義の)と體系論とに關しては、私どもは博士よりほとんど何ものをも聽き得なかつたといつて過言ではない。博士のなしたところだけでは、經濟學上の「認識の對象を求め、及び對象の認識を究むる」ことをその課題とせる經濟學認識論の仕事の半をなしてゐるに過ぎない。かくして私は經濟學認識論の範圍における博士の學說の未完成性を悲まざるを得ないのである。

博士によれば、「經濟的」といふことは、「貨幣概念に係はる」ことであり、貨幣概念を選擇の原理として「客觀的現實態」を概念的に加工するとき、そこに經濟的現象が形成される。しかして他面において、人類生活をこの貨幣概念に係はつて解釋するとき、經濟生活が成立する。かくして經濟學上の概念構成は、たゞちに、斯學の對象規定を意味するといふべきである。博士は、從來の通說における概念構成の弱點を暴露することによつて、經濟學的概念構成の先天的要素を求めざるべからざることを明かにし、自らとしては、かゝるものを貨幣概念において見いだしたのであるが、このものによつて、經濟學の研究對象も同時に規定されるわけである。私は、前にも述べたやうに、貨幣概念が、かゝる役割を演じ得るものであるとは思はないのであるが、何であるにしろ兎にかく、かくのごとき役割を演ずるところのある特定の概念が、博士のいはゆる論理的先天性において、存することは、博士とともに、これを主張せざるを得ない。

斯學の對象構成についての博士の見解を、私どもは、もはや略〻知り得た。しからば彼は、「方法」につき、また「體系」について、果して如何なる考へをもつてゐたであらうか。私は、これらのことについての彼自らの體系的敍述につひに接することを得ないで終つたことを、最も遺憾とするものである。

もちろん博士が方法について全く何ごとをもいつてゐないとは、いひ得ない。が私の考へによるときは、博士は單にそれを對象論のうちに沒入してしまつたすがたにおいて闘說してゐるのみである。博士が、

「經濟生活は人類生活の一方面的解釋であつて、……從つて一切の時處を離れて成立し得べき概念に非ずして、其の中心觀念が irrational なる認識素材に制約せらるゝ處に始めて意義あるに至ることは明かであつて、一般的に歷史を可能ならしむる論理に基くことは云ふ迄もない。此の意義に於て經濟生活を對象とする經濟學が歷史に屬することは明かであらう。此の認識目的に制約せられたる上での認識對象たる經濟生活が共表面に

於てのみ Generalisierung の行はるゝことは可能である。[1]」といふとき、私どもは、そこに歴史科學における個別化的方法(individualisierende Methode) と自然科學における普遍化的方法(generalisierende Methode)とについて闡説してゐることを知るのであるが、この場合方法といふ語を用ひてゐるけれども、實踐的に博士の重點をおいてゐることは、むしろ individualisierende od. generalisierende Begriffsbildung の意味における方法であつて、(これが、私が博士の經濟學認識論は對象論のみだといふ所以である。) 經濟學において、歴史生活として把握せられたる・個別化的概念構成方法によつて形成された對象の個別性の表面において、如何やうに generalisieren をなして「經濟法則」を發見してゆくべきかの手續(狹義の方法)では決してない。しかもいま改めていふまでもなく、かくのごとき方法に關する認識論的研究の重要なることは、對象規定に關するそれと全く同様である。體系論的問題にいたつては、私どもは、博士から何ら聽くところがない。私がつねにいふがごとく、對象と方法と體系と、この三つの側面に關する組織的なる研究なくしては、經濟學認識論は完全なものとはいへない。もちろん三者は、前にのべたやうに、機械的に分かれて成立してゐるものでなく、實は同一のものの三側面に過ぎないのであるから、そのいづれか一につきて云々するときには、ある程度においては、不知不識のうちに、他の二者にも說き及ばざるを得ないことになるのであらうが、それだけでは斷片的敍述に過ぎなくなり、時としては、他のものを全く等閑に附してしまう恐れがなしとしない。故に私どもは、これらの三者の重要性を充分に意識して、當初から體系的に之を追求してゆかなければならない。かくしてはじめて經濟學認識論が完成するのである。

博士はその貨幣概念に對して、經濟學の中心的嚮導觀念といふ名稱を與へたのであつたが、この際、嚮導といふ語の意味するところは、(經濟學認識論に關するかぎりにおいては、)貨幣が爾餘の經濟學的概念構成のいはゞ手掛りとなる概念であるといふことにあるのみ。私は、この語が本來もつてゐるところの意味內容を一層生かして、かくのごとき中心的嚮導觀念たる最基本的概念は(貨幣であるにしろ、何であるにしろ)、單に對象規定の手掛りとなるのみならず、對象に能きかけて、あるひは理論を構成し、あるひは個別性を記述するにあたつて、私どもを何らかの意味において指導する役割を演ずべきであると思ふ。またこの中心的嚮導觀念は、それを想起することによつて、私どもが、如何なる秩序において對象に能きかけてゆくべきか(換言せば、如何なる體系のもとに進むべきか)をつねに示され得るやうな概念であらねばならない。要するに、それは、對象の規定と方法の驅使と體系の樹立とにおいて、つねに認識者を嚮導するところの指南車でなければならない。何故なら、かくのごとくにして始めて、私どもの科學が統一的な原理によつて構成せられ、その展開が矛盾なく行はれ得るに至るといへるからである。

左右田博士の貨幣概念は、單に對象構成に關する中心觀念としてのみこれを解しても、充全的なものであるとは思へない所以は、既に述べた。しかしてまた斯學の方法および體系に對しても、それが何らかの積極的な指導力をもつてゐるとは考へられない。この意味において、貨幣概念をして斯學の中心的嚮導觀念の玉座につかしめることが、合理的であると思はれない。私どもはこれに代はるべき他の何らかの概念を摸索しなければならない。

私はこゝで左右田博士が、何故に嚮導觀念がまさに受けもつべき役割を理解しなかつたか、換言すれば、單に概念規定についての論議だけでは、認識論の仕事がなほ半途にあることを意味するのであつて、さらに進んで方法およひ體系についても反省しなければならないことに着目し得なかつたかの原因を追求したい。

私の受けとつたところにして誤でないとするならば、それは、おそらく博士の學問的生涯の後半における興味の中心が、彼自らの體系的な經濟學の建設とその完成といふことになく、その創造的な研究の熱意は、彼をして經濟學認識論に踍躅せしめずして、經濟哲學を通り拔けて「文化價値の哲學」、いはゆる「左右田哲學」にひた押しにつき進ましめたことにあつた。かくして博士の經濟學認識論は、さらに經濟哲學は、經濟學なき(といつて過言であるならば、少くとも、體系的な經濟學なき)經濟學認識論および經濟哲學たるにとゞまつてしまつたのである。それは內容なき形式といふ、一個の學問的悲劇である。

この前車の覆るに鑑みて、私どもは自らを誡めなければならない。すなはち私どもは、自らの經濟學の體系的完成と、それに對する認識論的反省と、人生における經濟生活の意味についての洞觀とを、併行的に補完的になしてゆかなければならない。他の問題に關することはひとまづさし措いて、對象論に關する範圍において、左右田博士の「貨幣概念中心說」に對して抱いた私の疑問の解決、換言せば、彼の貨幣概念に代はるべき他の斯學の中心的嚮導觀念の把握もまた、かくしてのみ可能となると思ふのである。

以上經濟學認識論に關するかぎりにおいて、左右田博士の學說を私どもの論議の對象となし來つたのであるが、それはたゞ對象論を中心としてのことであつて、これと直接的に關係のない問題についての博士の見解に對して私のもつ疑問は多々あるが、（なかんづく重要なものは、貨幣概念と經濟價値概念との論理的關聯についての博士の見解に對するものと、斯學の「下限」としての經濟學認識論における嚮導觀念――いふまでもなく、博士のそれは貨幣である――と、「上限」としての經濟學形而上學における嚮導觀念との間の・あまりにも無雜作なるIdentifizierung[2] に對するものとである。）それらについては、他の機會をまつて、述べることにしたい。

(1) 左右田喜一郎、「經濟學認識論の若干問題」、全集、Ⅲ、三二一頁。

(2) 同上、三二六—八頁。

第三節　その他の事例若干

以上私は、左右田博士の學說を紹介し批判しつゝ、經濟學の對象規定についての彼の失敗の跡をたどつて來た。上來闡說した博士の諸業績が公にせられてから既に四半世紀を經過してゐるにもかゝはらず、斯學の現狀は、博士が當時不滿に思つたところを、いまなほほとんど補充してゐない。くどいやうであるが、このことを實證するために、ゾムバルトの„Die Drei Nationalökonomien"（一九三〇年刊）に、彼が斯學の對象規定の不明確性について述べてゐるところをこゝに引用しよう。そしてこの際私は、それが如何に左右田博士の抱きたりし不滿と合致してゐるかに注目したい。

彼は「經濟」なる語の意味の不明確なことのゆゑに、「經濟學の對象は經濟である」

といふことが、何らの解決をも意味しないことを指示したのちに、次のごとくいつてゐる。

「形式的規定性においては、經濟なる語は、一定の人間的行爲、人間の行動の一定の種類、『經濟すること』(Wirtschaften) を表示し、またそれより導き出されて、人間の行爲のこの一定の種類に對應するところの狀態を表示する。しかも正また負の價値記號をくつつけて。……かくて『(このことを理解すれば)、經濟的なもの《ダス・エコノーミッシェ》は、主體の・それの意慾の客體に對する・關係を意味するものなることが……明白である。このことから、吾人は、經濟的現象をもつて、それの特性を、主體の・それの欲求の客體に對する・關係に負つてゐるやうな現象であると見做さなければならない、といふことゝなる。』〔ガンス・ルダッシー〕。またリーフマンは、經濟學は『客體ではなしに、心理的計慮を取りあつかふべきである』といつてゐる。この行爲すなはち『經濟すること』は、かくて……二重の看點のもとに規定され得る。そしてこのことは、經濟學をやるについて二つの異なれる樣式を齎した。すなはち、

「第一には、吾人は、人間の行爲に對して、一つの準則《マキシーメ》の尺度をあてる。すなはちそれを合理主義的に評價し得る。かくてたとへば、經濟することは『經濟原則』に則つて行爲することを意味するといひ……またこの原則にしたがつて形成された狀態を表示するためにも、經濟といふ。……かくてこの際には、經濟または經濟することは、所與の目的に對する『正しき』手段の選擇を意味する。

「第二に、經濟することを、一つの特定の利益に役立つところの、換言せば、最も大なる利用效果にさし向けられた行爲と解し得る。この際『利用』をもつて概して享樂と、否『幸福』とすらも、同一視する。かくて

經濟なる語は、こゝでは、心理學的な、または一層精確にいへば、感覺論的な刻印を打たれる。(リーフマンはいふ)、『人間の經濟的行爲と經濟的關係および人間がそのために作つた制度と施設等の根底に横はる統一的な《ダス・アインハイ》もの《トリツヘ》、すなはち、經濟科學の同一原理《イデンティテーツプリンチープ》は、物財の調達に存せずして、純粹に心理的に考へたる場合の、最大の效用剩餘、享樂を目的として、效用と費用との對置・比較に基くところの特殊の計慮の內に存するものである』と。

「Wirtschaft についての形式的見解の兩つの亞種は、合理主義的なものも感覺論的なものもともに……經濟學をして一つの綜合科學 Universalwissenschaft にならしめる必然性をもてることを知る。……何となれば、『經濟原則に則つて行爲せよ』および『效用原則に從へ』といふ二つの原理は、人間の全く普遍的な行動樣式を表示してゐるからである。畫家または圖案家も……詩人も……哲學者も……『經濟』原則にしたがつて行爲してゐる。否一切の『理性的』な人は、すべての瞬間において、たとへば講義を聽くべく、または酒屋にゆくべく、近道をとる場合にもまた然りである。常に人々の頭に次の根本原則が浮んでゐる、曰く、『欲する目的を實現するために、必要とするところよりも大なる如何なる費用をも出すなかれ』」

「さて私の知るところでは、その讀者または聽講者に、經濟學は『經濟』原則の學問であるといふ奇妙な作り話をなしてゐる多數の經濟學者のうちにも、繪を描き、詩を作り、または哲學し、あるひは日常の仕事をなし、あるひは子供を敎育し、およびこれに類することをなすための『經濟的』樣式に關して論述をなさうと思ひついた人は未だ嘗つて一人もないにもかゝはらず、『效用原則』の多くの代表者たちは、經濟學を一つの一般的『享樂學』としてうち建つべきであるとの結論をひき出して、その見解を眞面目に持してゐるのである。……

「吾人は、この全く形式的に立てられた『經濟學』を一つの Quid pro quo 一つの誤解と見做すべきである。彼等は、簡單に、『經濟』なる語の二重の意義の犧牲になつて了つてゐるのだ。この語は一度は正當にも經濟を、事物的領域《ザッヘベライヒ》を意味しながら、さらにそれとは全く別なもの、すなはち經濟性 Wirtschaftlichkeit を意味してゐるのだ。〔效用原則の代表者たちが〕まさに經濟なる語のこの誤つた意味を掴んだことが、彼等の災難であつた。『經濟性』なる概念をもつてしては、たとへば一つの科學の境界を劃するといつたやうなことのために利用することが不可能であるといふことは明白な筈である。[1]」

さらにまた「シュタムラーは社會生活と經濟生活とを同一視することを提案してゐる。曰く、『もし經濟學が一個の獨立的な科學たらんと欲するならば、その研究の對象として、外部的に規制された共働（das äußerlich geregelte Zusammenwirken）をもつてするときにのみ、このことが可能である。』『人間または慾望または抽象的なる經濟が、經濟學に對つて、端緒と基本的概念を交付しなければならないのではなくして、人間の社會的生活がそれをすべきなのであり、この社會的生活の特殊な論述と具體的な實現が、經濟學によつて、その固有の任務として、研究せらるべきものである』と。私は經濟學の對象をかくのごとく一般的に規定することは、合目的々であるとは信じない。教會における・營庭における・裁判廷における・九柱戯クラブにおける・取引所における・および工場におけるもろ〳〵の現象を研究することを、同じ一つの科學の任務となさないためには、私どもは、確かに、この『外部的に規制された共働』のうちになほ特別な區劃をつけなければならないであらう。ともあれ視野をこのやうに擴大した場合には、經濟學が正にあるべきやうな、何らか一つの特殊科學には達し得ないで、むしろ一個の普遍的社會學に達してしまうであらう。[2]」

「シュパンは、經濟を定義して、『目標《チーレ》（目的《ツウエツク》と讀め！）に對する諸手段の總計』であるとなした。彼はこの概念規定に引きづられて、最も遠隔せる領域までをも、經濟學的研究の領域のうちにひき入れることを餘儀なくされた。何故なら、時あつてか『手段』となり得ないといふやうなものは決して存しないからである。しかしその性質上たゞ手段でしかあり得ないところのもの（シュパンはこれを『純粹』手段と名づける）もまた、きはめて異質的な性質をもつてゐて、一つの科學によつて包括せられ得ない。かくて（シュパンのいふがごとくなりとせば）、たとへばすべての政策、すべての教育が、經濟學の研究領域に所屬することにならう。シュパンの概念規定は、單に、私どもが『手段』なる概念を物財に制限するときにのみ、採用し得る。がそれでは彼の概念規定の要點が駄目になつてしまう。

「なほ『純粹手段』なる概念は、一つの不正當な、形而上學的意味を含んでゐる。何故に經濟は單に手段であつて、文化目的ではあり得ないか、……何故に經濟のみが手段であつて、多くの人が考へてゐるやうに、たとへば國家もまた手段であり得ないか。

「ともあれシュパンの愛すべき見解は、今一つの見地よりするに、『經濟』なる概念の決定に當つて、自ら意識することなくして、物質的表徵と形式的表徵との間に放徨してゐる無數の理論家についての典型となつてゐる。わがシュパンは、當初においては、これ以上望み得ないやうな決然さをもつて、最も客觀的な立脚點を採つてゐる（『すべての經濟は社會を意味する。』『すべての經濟的觀察は、社會的諸前提に導く』）にもかゝはらず、敍述の經過において、『經濟』なる概念が不知不識のうちに『經濟性』の概念に變化しゆき、かくて突然私どもは、經濟の對立物が非經濟性であることを知らされるのである。曰く、『經濟は非經濟（＝非經濟性）に對立する一つの類概念である。』かくて私どもは驚いて問ふであらう。『非經濟性』なる概念は、したがつてまたそれの對立物なる『經濟性』は、したがつて『經濟』は、この意味において『社會』と一體何の關係があるのか、と[3]」。

しからばゾムバルト自らは、經濟學の對象たる經濟を、如何なるものと解してゐるか。これに關して、彼のいふところを聽かう。

「かの經濟性についての學問と相並んで、經濟についてのなほ一つの科學を、すなはち吾人が『ドイツ國民の經濟』または『高度資本主義の時代における經濟生活』を云々するときに吾人の考へてゐるところの事態《ザッヘヘルヘルト》についての一つの科學を、成育させてゆくことの必要性が存する。この際には、經濟といふことは、物質的《マテリアール》な意義において、人間の諸活動と諸施設の・內容的に規制された・一つの範圍（ein inhaltlich bestimmter Umkreis menschlicher Tätigkeiten und Einrichtungen）として吾人の眼に映じて來るのである。この物質的見解においてのみ、經濟は、一個の特殊科學の對象として、眞面目にこれを問題とすることができるのである。[4]」

「理論家の任務は、まづ第一に、經濟學者の研究が向けられるべき事物的領域《ザッヘベライヒ》を正當に劃することである。私の信ずるところによれば、最も多く爲されるやうな仕方でなされるのが最もよいのである。通俗的な考へでも、一度位は正當であり得る。しかも經濟學の對象の世に行はれてゐる規定は、周知のごとく、自然といふ外界の物に對する人間の慾望と、その相對的抑制との間に必然的に存在してゐるところの緊張に關してなされてゐる。かくて吾人は、經濟を、人間の生計資料の配慮として、すなはち物的諸財の調達（作出・移動・利用）に對して向けられた人間の活動として、解する。[5]」

私どもは、こゝに引用した言葉によつて、ゾムバルト自らの經濟學對象規定についての態度と、その對象觀の片鱗とを覗ひ知ることが出來ると思ふ。

私どもはまた經濟學の中心概念の規定、進んでは經濟の規定についての通說を批判し、自らの見解を開陳したものの一例を、土方成美博士の勞作[6]において見いだす。

博士は、通說における規定を、非社會的見解と社會的見解とに分類する。前者に屬するものは、經濟生活とは吾人の物質生活または物質的福祉に關するもの、乃至は欲望充足に關するものなりとなす說、經濟とは犧牲と效用・乃至は犧牲相互間の比較考量なりとなす說、經濟行爲とは經濟主義に則れるものなりとなす說、等々である。また後者に屬するものは、經濟生活とは交換生活なりとなす說、經濟關係とは社會的生產關係なりとなす說、等々である。博士はこれらの學說を逐次に批判して、そのいづれをも斥けて、「吾人が疑もなく經濟事象なりとする事象を捕へ來つて、之の諸性質を追究し、其指示する意味を捕捉し以つて、何が經濟なりやの核心を把握すること」によつて、「配分」概念に到達する。配分とは「有機的一體をなす全體の一部としての物の支配を移轉すること」を意味し、これがとりもなほさず經濟であるとしてゐる。

以上のごとくにして、左右田博士によつてなほ批判されなかつたところの比較的晩近の人々の説をも參看して、私どもの知り得たことは、結局殘念ながら、斯學の對象の規定についていては、いまなほ混沌が支配してゐるといふことにほかならない。いつの日にか私どもはこの不安定性から脱し得るのであらうか。果してそのための途があるのであらうか。

私はこれから、この點についての未熟なる私見を陳べて、一は大方の批判に委ね、一は今後の自らの研鑽の旅路の一里塚たらしめたいと思ふのである。

(1) Sombart, Die Drei Nationalökonomien, SS. 1—5., 譯本、二—六頁。

(2) a. a. O. S. 6., 同上、七頁。

(3) a. a. O. SS. 6—7., 同上、七—八頁。

(4) a. a. O. S. 5., 同上、五—六頁。

(5) a. a. O. SS. 5—6., 同上、六頁。

(6) 土方成美、「經濟學總論」(昭和三年) 第一章第一節。

第三章　積極的見解の概説

第一節　經濟學認識論における「現實主義」

經濟學の對象規定の混沌狀態に處して、私どもは如何にせば合理的なる途を見いだし得るであらうか。私はこの際私どものなすべきことは、結局、一個の歷史的・社會的な存在としての經濟學が實踐的に何を目途し、如何なる世界について、如何なる處理方法を以て、如何なる順序において、研究をなしてゐるか、換言すれば、斯學の現實の性格を、虛心坦懷に考察することにのみあると思ふ。いふまでもなく、私どもが經濟學認識論を云々するにあたつては、決して、

「經濟學そのものの création を試むるものではない。カント以前にも既にケプラー、ガリレイ、ニュートン等ありて自然科學は確立して居た。而もカント起つて自然科學は初めて論理的に立證せられ基礎づけ begründen られた。今此の如き意義に於て」、私どもは「經濟學の論理的立證を」試みやうとしてゐるに過ぎない。[1]

經濟學は、敢へて經濟學認識論の援をかりることなくして、既に存立してゐる、

自ら進行してゐる。私どもが認識論をやるときは、たゞこの經濟學の存立を前提とし、これが科學としてもてる價値性を問題とするのみ。しかしながら、このことが必ずしもつねに意識せられてゐるわけではない。

理論構成においては、一般的に、然りであると思ふが、科學論の態度にもまた、私が假りに、論理主義と名づける傾向と、現實主義と名づける傾向との二者がある。もちろんこの二者は、私どもが傾向とか態度とかについていふ他のすべての場合におけるとおなじく、個々の學者または學派において、はつきりと分れて顯はれてゐるわけではない。兩者はつねに、ある度差をもつて、並存し交錯しあつて顯はれてゐる。しかも私どもは、個々の學者または學派について、それが原則として、この二者のうちのいづれを採つてゐるかを、大體において、判定できると思ふ。

前者は觀念論的または形式主義的とも稱し得ると思ふが、かゝる科學論においても、固より存立してゐる科學を全然無視するのではないけれども、理論のある階段以後においては(それがいづれの階段からであるかについては、論者によつて異なるであらうが)、科學の現實的存在形態(その現實の認識目的・對象・方法・體系、要するに、それの性格)に即して云々するよりも、むしろ、原則的には、形式論理の奔放なる使用・放恣なる展開に依據して、現實に存せざるやうな科學を――この非現實性はおそらく部分的であらう、且つそこに論者による度差があらう――頭の中で作りあげて、かゝる架空的なものについての論議によつて、現實に存立してゐるところの科學の本質を明かにし得、且つこれを基礎づけ得たりとするのである。かゝる科學論は、その論議が、形式的に如何に精緻であり、內在的な論理的矛盾がないにしても、それは科學の眞實の內容に眼を蔽ひ、または積極的にこれを排除することとなつて、結局、それは科學論としては、單に不生產的な冗言のほかの何ものでもあり得ない。

經濟學認識論においても、かくのごとき論理主義・形式主義がかなりに支配的なのではあるまいか。たとへば、嚮に私どもが見たところの左右田博士の理論は、これに對して往々「論理主義」Logismus なる刻印が打たれてゐる[2)]ことによつても察せられるやうに、觀念論的色彩が、きはめて濃厚である。(それは博士の哲學的立場がドイツ西南學派のそれを基礎としてゐることの當然の歸決である。貨幣概念をもつて斯學の對象構成の契機とするといふやうなことは、斯學の現實に深く喰ひ込んで考察を進めてゆく場合には、到底滿足できないことであらう。

科學論における私が現實主義と稱した傾向は、存在論的または內容主義的ともいひ得べきものであつて、科學が「歷史的社會的に存在してゐる一つの客觀的なる現實の存在であることを承認し」、「歷史的社會的存在としての學問について」[3]、すなはち實踐概念としての學問概念の分析をなしてゆくものである。もちろんこの傾向においても、學問をそれが事實上存在する形態のもとに理解するといつても、必ずしも文字通りに現存せるものをその現狀においてのみ取りあつかふといふのではない。ある場合においては、それがあらうとする傾向またはあるべき理想的狀態において取りあつかふ。がこのことは、決して、文字通りに假空的な科學の種類または性格を取りあつかふことを意味せずして、科學の本質上まさに必然的に然かある筈の狀態において、(この場合現實の事實について、といつても敢へて不當ではない）、その內容に充分に立ちいつて論ずることを意味する。かゝる態度にして、はじめて、科學の性格を充全に理解し、斯學を完全に指導し、それをしていよ〳〵豐饒ならしめ得るがごとき、眞の意味における科學論を齎し得るのである。何故ならば、私どもは、この立場においてのみ、その現實の性格における科學を論議の對象となし得るのであり、觀念主義的立場におけるがごとくに、存在せざる・架空的なものについて如何に論議を盡くすとも、何らの實益をも齎し得ないからである。

しかも科學論において、現實主義的立場をとることは、決して論理の權威を無視することを意味しない。私どもの推理が、どこまでも正確であり、且つ完全でなければならない。たゞ概念の觀念性にのみ注意して、概念が現實の事態としてもつ事態性を忘却しないやうに心しなければならないのである。これを要するに、論理主義的立言の上に現實主義的立言が優位してゐることと、科學の論理を、それの現實の態容のうちに存するかぎりにおいて追求すべきことと、現實を容認し、現實に卽しつゝ、論理の自發自展を調整すべきこととを强調したいのである。

これを經濟學認識論についていへば、知識の王國における一つの自足完了的・自律的一領域をなしてゐる經濟學の事實そのものにのみ、私どもの論議の支點を求めるべきであつて、實踐的な經濟學的勞作の內容に充分に喰ひこみ、決して、一般的な上位命題や、形而上學的思辯や、あるひは假想的な經濟學やを對象として云々してはならない。

しかもこの現實主義的・存在論的立場において、經濟學認識論を樹立してゆくにあたつて、私どもが何らの故障も澁滯もなく、仕事を進めてゆくことができるかといふに、それは、決して容易な仕事ではないのである。

何となれば、まづ第一に、あらゆる經濟學者が、自らの經濟學について現實的に、認識論的反省をなしてゐるとはいへない。學者のうちには、かゝることに全く興味を有しないものもあり、また興味をもち、自らこれをなしてゐるにしても、それの成果を客觀的に明白に表示してゐるとは限らない。これらの場合においては、私どもは自ら、彼等の代理者として、彼等がなしたであらうものに可及的に近似的な形態において、彼等の經濟學認識論を確立してやらなければならない。このために私どもは、彼等の行爲からその意圖を、處置からその主義・原理を推定しなければならないが、この際一歩をあやまれば、たゞちに彼等の經濟學とは全く風馬牛の認識論になつてしまう恐れが、大いに存するからである。

また第二には、たとひ經濟學者が自らの學説について認識論的反省をなしてゐるにしても、それが單に斷片的なものにとゞまつてゐて、充分に組織的體系的でない場合もあるであらう。この場合においては、私どもは、彼のそれについての表白に、個々的論述に基いて一應の檢討をなしたうへに、さらに立ちいつて、その學説の全體を貫ける精神または趣旨に照し合はせて、これを受けとらなければならないからである。

第三には、彼等の認識論的立言がその科學的内容と具體的に合致しない場合が、往々にして存する。殊に斯學の對象規定に關して、論者が「經濟とはかくかくのものなり」といへることと、その經濟學において實際に取りあつかつてゐるところのものとが齟齬してゐる場合が、すこぶる多い。この場合においては、論者は、無意識的に、自他を欺いてゐるのである。故にあらゆる場合に私どもは、一應は、執拗な懷疑心をもつて、充分批判的に彼等のいふところに對つてゆかなければならない。彼等が何をなさうとしてゐるか、または何をなしたと稱してゐるかが、重要なことではなくして、私どもの凝視しなければならないことは、彼等が現實に何をなしてゐるかといふことである。

しかもこれらのことは、いづれも、學者のなせるところを、單にその部分部分について理解することによつてゞはなくて、彼の學説の全體系を、全體系のまゝに把握し、綜合的に理解することによつて、はじめて可能となるのであつて、そこには鋭敏な直覺力と透徹的な洞察力とがなければならない。しかもかくのごとき直覺または洞察には、動もせば主觀的・獨斷的斷定に陷るの危險が潛んでゐるのであつて、そこにこの仕事の困難性の存在が暗示せられてゐる。

それにもかゝはらず、私どもは、斯學の光輝ある獨立性の確立とそのあらゆる可能性の實現とのために、この仕事をなしとげなければならない。しかして經濟學をその歷史的・社會的現實の存在形態において把握するといつても、それは、過去において存在した・および現在において存在するあらゆる個々の學者の見解に一々あたつて見ることを意味しない。具體的には、經濟學の歷史的發展過程にあつて一等星としての光芒を放つてゐる人々の學說を選んで、これについて周到なる理解をなし、これに卽して認識論的反省を加へることを意味する。殊に經濟學の發展の現在までに達し得た最高の段階に立つてゐるところの現代の諸學者の學說が、この際私どもの關心の最も重要なる對象となるであらう。(この場合に如何なる人々を選擇し來るかについては、人によつて見解の差があるが、抽象的準繩としては、年代の古きことと同義において用ひない場合の「古《クラ》典《シッ》的《ク》な」勞作、傳統のうちに生きつゝ、それの神髓をより一層生かした人々を採り來るべきであるといふことにならう。この意味において、現實主義は傳統を尊重する傾向をも多分にもつわけである。)

(1) 左右田喜一郎、「經濟學認識論の若干問題」、全集Ⅲ、三一二頁。
(2) 福田德三、「左右田學士に答ふ」、同上全集、Ⅲ、二九一頁。
(3) 戸坂潤、「科學方法論」、九三頁。

第二節　經濟學對象論における「現實主義」

以上私は全體としての經濟學認識論」が「現實主義」の立場において、論議を進めてゆかなければならないことを述べたのであるが、全くおなじことが、それの一部分である對象論についてもまた妥當する。

前に私どもは、左右田博士の經濟學認識論を繞りつゝ、またゾムバルトの敍述を介してより近代的なる諸學者の見解を顧みつゝ、「經濟的」とは何ぞや、また經濟學の對象は何ぞやについての定說がなく、斯學において、論理的にいつて、最も先頭に決定せられてゐる筈の仕事が、なほ完了してゐないことを知つたのであつた。しかうしてこれら先人の見解の混亂の根本的なる原因は、それらが、ほとんど例外なく、觀念論的・論理主義的立場を執つてゐること、したがつて對象規定の問題の最終決定的解決の途が、現實主義的または存在論的立場にたつことにおいて見いだされ得ることが、示唆されてゐることを知つた。もし從來の諸家が、自らの最も手近にある現實──彼自身の定立してゐる經濟理論なり、彼自身なしてゐる經濟史的記述なり──を、（もし彼がそれをもつてゐるならば）

成心なしに、如實に、反省したならば、對象規定に關する混亂は、かくも激くはなかつたのではあるまいか。私どもは、その體系的著述の當初において、「經濟とは欲望充足に關する學問なり」といつてゐる學者も、その體系において彼が現實に展開してゐる理論が、本質的には、決して欲望充足 als solche に關してゐないことを知つてゐる。彼の取りあつかつてゐるものは、欲望充足であるにしても、複雜な契機によつて制約せられたるうへでのそれである。そしてその際本質的なものは、欲望充足そのものではなくして、それを制約してゐる契機自體なのである。その他、「經濟生活とは交換生活なり」とか、「經濟的とは貨幣に關することなり」とか、凡そこれらの對象規定は、そこに論者自らがもつてゐる經濟學の現實の對象とぴつたりと適合してゐる場合は、むしろ甚だ少いといはざるを得ない。この意味において、多くの經濟學者の對象規定は、無意識的にとはいへ、自他を欺いてゐることゝなる。私どものとるべき正しき態度は、現實主義的存在論的立場に立つことである。

しからばこの現實主義的存在論的立場において規定される經濟學の對象は、如何なるものであるべきか。以下において、これに關して私が、過去における未熟な思索によつて漸くにして到達しえた經濟學本質觀に基くところと、貧弱なる讀書によつて先人が經濟學についてなせることが斯くもあらうかと考へてゐることとを、統合することによつて到達し得たところの私の經濟學對象觀を、率直・端的に表出したいと思ふ。たゞし私見の基礎の一部――もちろん、それは遙かにより大なる部分であるが――となれる先人の學說の系統發生的および比較批判的な細敍は、他の機會にゆづゝて、こゝではたゞ、私見の開陳を容易ならしめ、もしくは私見を裏書すると思はれるもののみを、適宜に闡說するにとどめる。

第三節　經濟學の對象としての社會的總再生產過程

A.　學史的概觀

私が經濟學の對象たる經濟を如何やうに考へてゐるかを、端的にいふならば、それは「社會生活における物質的總再生產過程」（以下において、簡單を期するために、これを「社會的總再生產過程」といふであらう。)である。この語句の意味する内容は、次第に明白にすることとして、經濟學の長き傳統の流れにおいて、また現代の經濟學においても、ひとはその經濟學を現實に構成するとき、少くとも氣分的には、この語句のもつ意味内容が直接的にわかつてゐるのであるが、(もちろん、この際このわかり方に明暗の度差があらう。)これを認識せんするとき、すなはちロゴス的に知らんとするとき、如何なる概念をもつて左右田博士のいはゆる「中心的嚮導觀念」となすかについて、ひとによつて見解の相違が存し、しかもこの場合、甲論は乙論を喚び、乙論はさらに丙論を起すといふわけで、ますます混亂が擴大して來たのである。

前にも斷つておいたやうに、私はこゝでは、經濟學說史的に、對象規定論の發生過程を取りあつかはないで、(それについての有力なる一つの例を、私どもはローザ・ルクセンブルクの „Die Akkumulation des Kapitals, —Ein Beitrag zur ökonomischen Erklärung des Imperialismus," 1913. のうちに見いだすであらう。)たゞ私どもの問題の在處と、それの斯學における意味とを知るためにも必要なかぎりにおいて、この問題についての意識の發展過程の coup d'œil を與へておきたい。

私の考ふるところによれば、わが經濟學は、その發展史において、その研究の對象として「社會的總再生產過程」をもつといふことを、明確に意識し得たときに、はじめてそれが一つの獨自の科學として立つことが出來るやうになつた。事實としては、この意識は、大體において、いはゆる「經濟的循環《クライスラウフ》の發見」[1]によつて明徴となつたといへると思ふのであるが、この瞬間が、とりもなほさず、わが經濟學の一つの體系的な科學としての誕生の時であつた。この發見は、すなはち經濟學の對象の規定は、既にこれが發見者に先行する人々の意識のうちに潛在的に存在してゐ、しかもそれは潛在的でありながらも、これを顯在的なものたらしむべき過程を、まさに流動的な過程として推移しつゝ、フランソワ・ケネーの「經濟表」Tableau Économique の出現を迎へたのであつた。

いふまでもなく、「經濟表」には、數種のものが存在し、その間に相違があるが、その目途したところは、彼のいはゆる「生產階級」・「地主階級」および「不生產階級」の三階級より構成せらるゝ農業國において、如何やうに生產階級が土地の耕作によつて、國民の富を年々再生產してゆくか、これが階級間において如何に分配せられ、かくしてすべての階級がその消費を保證せられ、したがつて一定の大さの人口が保持されると同時に、如何やうに「生産階級」と「不生産階級」とがその生産手段を更新し、地主階級がその所得を受け取るか、かくてそれにおいて再生産が規則正しく運行してゆくために、再生産の如何なる條件と、流通の如何なる前提とを見得るかの問題を、體系的に解決するにある。いま少しくこれが内容を詳しくいへば、その第二版とも見るべきもの[2]の頭書にきはめて明確に現はれてゐるやうに、生産階級による生産的支出、地主階級の所得の支出および不生産階級による不生産的支出が、如何なる源泉をもち、如何に投資され、如何に分配され、この支出が如何なる結果を伴ひ、支出が如何に再生産され、支出相互の間には、また支出と人口との間には、如何なる關係があり、支出と農業・工業・商業のそれぞれとの間に如何なる關係があり、最後に支出と一國の富の總量との間に如何なる關係があるかを説明せんとしてゐるのであるが、（しかうして不生産階級の一構成者として、君主＝政府が算入せられてゐるがために、財政的事項もまた、この「表」においてその所を得てゐるのである。）これらの事項は、私の見るところによれば、經濟學の研究すべき課題を、ケネーの前提せるがごとき社會に關するかぎりにおいては、必要にして且つ充分なる程度において、しかもそれらが斯學の中核的な問題であることを明確にしつつ、擧げ示されてゐる。それにおいて、一つの全體としての農業國經濟におけるそれの構成部分としての各因子が、それの内部において、如何なる關聯をもつてゐ、これらの間に如何やうなる價値の移轉過程（すなはち流通過程）が存在するか、しかもこの流通過程を含みつゝ、この經濟が全體として如何やうに自己を繼續させてゆくかの過程（すなはち總再生產過程）を、「わづかな數字において[3]」表現し、一眄をもつて全機構を把握しうるやうにしてゐる。「國民經濟學ならびに資本家的經濟秩序の生れたばかりの時に、古典的な大膽さと單純さとを以て[4]」、社會的總生產の科學的研究こそ、經濟學の任務そのものであることを明確にしてゐることは、彼の天才の證據であり、彼こそ經濟學の父であつたといへるであらう。私どもはこの態度を、彼が直面したやうな組織の經濟社會以外に對しても、その精神においては全くそのまゝに、あてはめ得るであらう。こゝに彼の功績がある。

ケネーによつて、かくのごとき形式において、經濟學の核心的問題として、シュムペーターのいはゆる「それの研究が斯學の主なる仕事であり、またこれによつて獲得された諸結論が斯學の本營である」[5]ところの問題として、提起されたこの社會的總再生產の問題は、その後の經濟學者によつて、かゝる重要なる問題としては、ほとんど意識されなかつた。しかるにマルクスは、ケネーの「經濟表」を、その眞意において把握し、これが、「一定の價値量として表示されるところの一國の生產の年產額が、交換により、如何にして生產が新たに開始され得るやうに配分されるか、といふことを示してゐる。無數の個人的な交換行爲は、たゞちに、その特定的社會的な集團運動――すなはち、機能的に規定された大きな社會諸階級間の流通――において、總括されてゐる」[6]こと、およびこれこそ經濟學の眞の問題であることを明かにしたケネーの着想が、きはめて天才的であるにもかゝはらず、その說明が幼稚であり粗雜であることを指摘することによつて、自らの理論の展開の方向をはつきりと意識した。そして彼が、ケネーがなほ見ることが出來なかつたところの發展階段にある資本主義の運動について、これを「資本主義的生產の總過程」と見て、分析の步武を進めて行つたものこそ、ほかならぬ「資本論」である。

マルクスおよび彼の後繼者たちが、「社會的總再生產過程」を、その經濟理論の王座におきつゝ、その固有の遣り方において、その理論を展開して行つてゐる傍において、それより少しくおくれて、均衡論者もまた、この過程が斯學の核心的な問題を形成してゐることに着目して、その理論をすゝめてゐる。もちろんこの學派に屬する人々が、「社會的總再生產過程」といふやうな Schlagwort を用ひることは、むしろ少いのであらうが、その均衡・價格體系・靜態・動態・發展などの愛用語によつても暗示されてゐるがごとく、全體としての經濟の內部における諸因子の相互的および全體への關聯、ならびに全體の運動を、理論的に(歷史的・發生的にでなく)研究することが、その理論の「本質および主要內容」をなしてゐるのであつて、これは、別の語で表示せば、「社會的總再生產過程」の研究にほかならないと私は思ふのである。

そしてマルクス主義的傾向と均衡論的傾向とは、現代の經濟學における相對立せる主流であることは、何人も認むるところであるが、この兩者は、その立脚せるイデオロギー的基礎を異にしてゐるにもかゝはらず、研究の對象としてゐるものが、いづれも、現實的には、「社會的總再生產過程」である點において、一致してゐる。したがつて、現實主義的・存在論的立場において、わが經濟學は

「社會的總再生產過程」をもつてその研究の對象としてゐると斷定しても、決して不當ではないと思ふのである。

(1) J. Schumpeter, Epochen der Dogmen- und Methodengeschichte, (G. d. S. I. Abt. I. T.), S. 39.
(2) ケネー「經濟表」、増井・戸田兩氏譯（岩波文庫）、一七頁。
(3) Rosa Luxemburg, Die Akkumulation des Kapitals., 1923. S. 17., 長谷部文雄氏譯（岩波文庫）、三五頁。
(4) a. a. O. SS. 16—17., 同上、三四頁。
(5) J. Schumpeter, a. a. O. S. 39.
(6) K. Marx, Das Kapital, Bd. II. (Kautskys Ausgabe) S. 303.

B.　社會的總再生產過程の意味內容

しからば、この「社會生活における物質的總再生產過程」といふ語の意味する內容は、如何なることがらであるか。

この語は、いふまでもなく、一つの Schlagwort であつて、私どもにとつて本質的なものは、この語の意味內容である。要は私どもが經濟學において現實に對象としてゐることがらを、可及的に小數の語を用ひて最も適確に表現し、もつて他人に最も容易に傳承し得ればよいのである。私は、私どもがこゝに用ひてゐる表現の仕方――おそらくマルクスがはじめてなしたところの――が、他のいづれのSchlagwortよりも、遙かによりこの目的にかなつたものであると思ふのである。

がともあれ、この語の意味するところを明かにしなければならない。

1. 「社會生活における」といふ語によつて、私どもの對象が、社會的《ダス・ゾチアーレ》なものであることを意味する。これによつて、後に來るところの「物質的なる」とか「再生產」とかいふやうな語によつて、動ゞもせば示唆されがちであるところの自然科學的ならびに技術學的要素の排除の用意とする。カッセルもいつてゐるやうに、「經濟學においては、ある程度において、生產を、技術學的な看點から觀察して、恰も物財の起源を研究し、生產過程におけるそれの變遷の種々なる階段を辿り、最後にその消費を考察することが、經濟學の任務であるかのごとくに、一般的にされて來てゐる。……この考察方法は、しばしば生產過程の技術的に繼起する諸階段を、同一の順序において、經濟學のうちに引きいれ、かくて原始生産からはじめて、消費でもつて終へなければならないやうに感ぜしめたがゆゑに、經濟學の教科書の全體系を決定した。それはまた最後に、しかして何ものにもまさつて、經濟的生産過程とその諸條件と手段との全く誤れる描寫(現在もなほ經濟學において大いに支配してゐるところの)に對する起因となつてゐる」[1]のであるが、かくのごとき見地は、斯學をして、たとひ部分的にではあつても、技術學的たらしめるのであつて、その本來の認識目的に適ふものではない。

さらに「社會生活における」といふ制約によつて、私どもは、斯學の對象が、純粹に個人的な・乃至は個人心理的なあるものでないことを意味する。限界效用説が價値理論構成の過程の出發點において樹立してゐるやうな諸法則は、前經濟學的なものであり、經濟學の課題たり得ないものであつて、かゝる心理學的基礎づけと經濟學における私どもの出發點とは、全くインディファレントである。[2]私どもの經濟學は決して一つの應用心理學であつてはならない。

經濟學は、生産を取りあつかふにしても、決してこれを他の生産現象から孤立したものとして、技術的に取りあつかはず、必ず社會におけるすべての生産現象の構成せる一つの全體の一分子として、その社會生活上の意味に關して、しかしてこれに關してのみ考察する。

また私どもは、個別的な個人（より嚴密にいへば經濟主體）を取りあつかふにしても、これを孤立せる個人としてゞなくて、それらの個別的な個人の構成せる一つの全體としての社會のうちにおける一單位としての、すなはち、社會を前提とし、これを背景としての個人として取りあつかふ。（これについては、個人と社會とが相關概念 Korrelatbegriffe なることを說く左右田博士の說を參照せよ。[3]）

これを他の方面からいへば、經濟學は一つの社會科學である。何故なら、「吾人が經濟を考ふるとき、社會的なもの《ダス・ゾチアーレ》は一つのアプリオリとなつてゐ[4]、」かくして「經濟生活は社會生活の一面的解釋である[5]」からである。

2. 「物質的なる」(materiell) といふ制約をして、私どもの對象が人類社會の存續過程のある特殊な一側面であることを意味せしめる。

社會的再生產過程といふ語は、これを文字通りに解すれば、社會が自己を保存してゆく過程を、すなはち社會生活のある部面の、あるひは全體のある狀態が、またはある階段が、時間の經過とともに、漸次に、次の狀態または階段を産んでゆく生成過程を意味するであらう。この社會の時間經過的なる連續性は、異なれる諸方面に顯現してゐる。たとへば、私どもはこれを、人類の種族保存といふ過程において見るであらう。（もし社會といふ語がかゝる生物學的な方面にまで妥當することを許すならば。）人類の構成分子たる諸個人は、死亡によつて、社會から離脱してゆくが、他方では生殖行爲の結果としての個人の出生は、この死亡による間隙を充してゆき、諸個人の新陳代謝といふ現象を内含しつゝ、社會は存續してゆく。この世代が世代を産んでゆくことを、社會の再生産といふ語で表示し得ないとはいへないであらう。

私どもはまた社會的再生産を、種々なる形態における文化の生成·繼承·發達といふ事實のうちに見ることができる。これにおいて、個人または集團が、既に先人によつて産みだされてゐる文化財を基として新しきものを創造し、またこれをその後に來るものに繼承し、もつて社會生活の精神的内容を連續せしめ、且つ豐富ならしめるのであつて、これもまた、社會的再生産の語をもつて表示されうることがらの一つである。

私どもが經濟學において取りあつかふところの社會的再生產は、このやうなものではなくて、物質的な意義をもてるそれである。ところで物質または物質的なる語は頗る多義的であつて、その概念規定は重要なる、しかしながら困難なる課題であるが、私どもがこゝに用ひるこの語の意義は、自然科學におけるこの語の表示するところの分子・原子・電子・プロトンまたはそれの運動形態としての電氣・熱・光乃至はエネルギーそのもの等の das letzte Ding とは直接的に關係がない。またそれは、哲學上の物質、すなはち人間の思惟から獨立せる一切の客觀的存在といふがごとき、いはゞ高次な意義においてゞはなくて、かゝる客觀的存在のうへにきはめて多くの制約の加はつたもの、いはゞ低次なものを意味してゐる。

私どもが現實に經濟學において取りあつかつてゐるものは、それの屬性としての物理的または化學的機能の發揮によつて、人類の個人的および集團的な慾望を充足するところの客觀的存在――物財と名づけるを適當としよう――である。こゝで私が物質的なもの、または物質といふ語で表示するところのものは、まさにかくのごとき物財である。

かくいへば、汝のいふやうに、經濟學の取りあつかふものが物財であるとなすならば、それは左右田博士によつて既に完膚なきまでに論破せられてゐるところの通說――慾望充足手段↓外界財↓有形財↓生活維持手段の有償的獲得↓……といふ方向に、「經濟的」および「經濟」の概念構成をなしていつた――と何ら異なるところのない見解であつて、いまさら、しかも得々とこれを蒸しかへすことは、むしろ笑ふべきことではないか、といふ非難が當然投げかけられるであらう。

私はこれに對しては、次のごとくに答へる。然り、論者のいふがごとく、外觀的には、または結果論的には、私のなしてゐるところは、かの通說と、ある意味においては、同じであるかも知れない。何故なら、私は經濟的なものを、「物質的な」ものと解し、「物質的な」ものとは、通說にいはゆる慾望充足手段・外界財・有形財などと解してゐるからである。しかしながら私は、經濟學においては、單に「物質的な」ものを als solche に取りあつかつてゐるとはどうしても思へない。私どもが現實に經濟學で取りあつかつてゐる「物質的な」ものは、社會的總再生產に本質的にまたは直接的に――すなはち總再生產過程の不可缺なる部分としての――關係のあるものに限る。これに本質的に關係せざるものは、慾望充足手段にしても、外界財にしても、有形財にしても、經濟學には、直接的に關係がない。またいはゆる無形財にしても、あるひは經濟原則に則らざる行爲の對象となるもの、または無償的に獲得せらるるものにしても、社會的總再生產過程に直接的に干與するかぎり、それらは經濟學の領域に加はり得るのである。くり返へしていふ。私どもは、もはや各個の物財を、個別的に・孤立的に問題にしてゐるのではなくして、社會的總再生產過程の構成要素として、しかしてそのかぎりにおいてのみ、かゝる物財を認識してゐるのである。

この立言に對しては、もし然りとせば、物財ならずして現に人が經濟學において對象としてゐ、しかも現代においてその社會的重要性がますます大となりつつあるところの無形財(もしくは關係財)のあるものを如何に取りあつかはんとしてゐるのか、といふ疑問が生ずるであらう。かゝる財が經濟學の當然の對象になつてゐることはいふまでもない。かゝる財のあるものは、(なかんづく、金融經濟的な現象として)、殊に資本主義經濟において、物財の生產・流通・分配の過程をして積極的・能率的・圓滑的たらしめ、經濟全體をして動態的・發展的たらしめるための必然的なる構成部分としてそこに包含せられ、且つ高度資本主義においては、その重要性がいよいよ大となり、物財に比して遙かにより大なる能動的な社會的意味を、いな優位性をすらもつやうになつてゐる。私は、社會的總再生產過程といふ語によつて、かくのごとく、それの必然的な・契機的な分肢《グリーダー》としての關係財が、私どもの當然の對象であることを含意せしめたい。

3.「再生產過程」といふ語をもつて、私は物財の繼續的作出過程を意味する。廣き意義における社會的再生產、換言せば、社會生活の連續性は、何よりもまづ、社會の構成部分たる諸個人に對する物財の繼續的給養（通說にいはゆる「生活資料の獲得」云々はこのことを他の語でいつたのである。）を必要とする。それは社會的再生產なる語を、生物學的に解しても、文化科學的に解しても、社會の存續の最も基本的・必至的な條件である。したがつてそれは社會生活の形態または組織の如何にかゝはらず、常にいづこでも成立する事實である。しかしてこの物財の繼續的給養は、物財の社會における存在量の有限的・不足的であることの結果として、物財の反復的な作出を必然的たらしめる。このことが再生産といふ語の意味するところである。私どもは物財を現に存在せる物財としてのみ取りあつかはないで、再生産過程において在る物財として取りあつかふのである。

經濟學の取りあつかふものは、かくのごとき人類社會存續の必須條件としての物財の再生産過程である。この立言に對しては、次のごとき疑問が、容易に惹きおこされるであらう。曰く、もし然りとせば、再生産し得ざる物財は、經濟學の對象たり得ないかと。かくのごとき再生産不可能財に屬する著しきものは、土地用役と、骨董品などとである。ところで私どもが經濟學において地用を取りあつかふのは、土地の技術的意義における生産上の效用を als solche にではなくして、物財の再生産過程におけるそれの機能・意味に係はつてゞある。骨董品などがもし經濟學において闡說されることがありとせば、それは、主として、社會的總再生産過程としての資本主義における剩餘價値の分配に參與せる有産者が「贅澤な」個人的消費の對象として、かゝるものを取りあげることと、總再生産過程における原動力たる資本の投下量との間には、如何なる關聯があるかといふことについてゞあるに過ぎない。他にもこれに類する財種は多々あらうが、要するにかゝる財は、その存在量からいつても經濟生活の大勢に關係がなく、且つその經濟生活に對する意味がきはめて非機能的な・消極的な、いはゞ低次な・副次的なものたるに過ぎないので、經濟學の對象規定に關するかぎり、それは本質的な問題を構成しないのである。

4. 「總再生產過程」といふ語をして、さらに、私どもの取りあつかふものが、一つの全體としての社會經濟であることを意味せしめる。私どもは經濟學において單一なる・または一種類の物財の單なる存在を取りあつかはない。またかゝる物財の繼續的作出を als solche には取りあつかはない。私どもはすべての物財の相纒綿して作出されてゆく、またこの作出に參加するところの全過程を取りあつかふ。しかもそれを單に技術學的見地より見たる全體としての過程として取りあつかはない。私どもは、これを一定の社會における一切の物財の、すべての繼續的な再生產過程の總體として見る。それは總體なるがゆゑに、これらの諸再生產過程の空間的連續性(共存性・相互依存性)と時間的連續性(繼起性)とを含意し、また作出の結果たる生產物および物財作出の條件たる生產財の社會の內部における流通過程の全體と、その機能發揮（換言せば、生産的および家計的消費）の全過程とをも意味する。總再生産過程はかくていはゆる生産と流通と消費とを綜合せる總過程である。そしてそれの進行過程が、前述したやうに、社會における・社會による・社會に對する繼續的な物質的給養を意味し、社會存續の具體的なる最基礎的な條件である。この總過程における人口の總生産力と人口の總消費力との相互關係の總體の栖の半面をなすところの、全體としての社會における人間と物財の夫々の側における新陳代謝および發展の總體の機構のうちに含まれてゐる一切の理法の解明こそ、わが經濟學の研究目的なのである。

この際特に强調しておきたいことがある。それは、「社會的」「物質的」「總」「再生産過程」の、この四つの事項が、一つのものに結合してゐて、はじめて私どもにとつて、この際、意味をもつてゐるといふことである。私がいまこれらの契機を逐次に説明し來るに際し、一を説明するにあたつて常に他のすべてを前提として説明して來たことによつても、これが知れやう。これを孤立的に考へることは、私どものいまの仕事に、何らの本質的聯關をもたない。相互に補完し合つて一つの概念規定的契機をなすと考ふべきである。そしてこの總過程に參與するかぎりにおいて、しかしてそのかぎりにおいてのみ、如何なる現象も斯學の領域に入つてくる。たとへば、人口の現象は、生物學的にも、人種學的にも、衛生學的にも、風土學的にも、はたまた社會學的にも取りあつかひ得るが、この社會的總再生産過程に關するかぎりにおいてのみ、それが經濟學的理論構成の一つの對象となり得るのである。

この際私どもにとつて肝要なことは、全體性(Ganzheit)の概念である。私どもが經濟學において對象としてゐるものは、一個の全體としての社會的再生産過程である。それの諸部分現象について云爲するときにも、(經濟學上の諸モノグラフィーにおけるがごとく)、私どもは、この總再生産過程が該部分現象の背景に在ることを前提としてゐる。(それについての意識に明暗の度差はもとよりあらうが。)この全體性を意識することが、明確であればあるほど、その立言は妥當的となる。しかしこゝに一つの重大な問題がある。それは總過程といひ、全體といふときに、この總過程または全體を、いづこで劃すべきかといふことである。これについては、私は、一般的・抽象的にいふ限りにおいては、單に總過程または全體といひ放しておいてさし支へなく、理論なり記述なりの展開の過程の各階段において、それぞれ、適宜にこの全體または總過程の限界を劃すればよいのであると思ふ。すなはちそれは方法なり、體系なりの問題である。

そして斯學の發展史上において、この總再生産過程を、その思想展開の中核または嚮導原理となしたものは、その創始者としてケネーを、その中興の祖としてマルクスを、しかして現代までの最高發展階段の實現者として均衡學派を見いだし得ることは、前に述べたとほりである。

C. この概念を採る理由

以上において私は、經濟學の對象規定のためにもつとも適當であると思はれる「社會生活における物質的總再生産過程」といふ標語の意味内容を簡單に敷衍して來たのであるが、もとよりこれが一つの Schlagwort である以上、斯學の對象をより明快に表示し得る他の語を發見または鑄造することの可能性は大いにあらうと思ふが、私どもに本質的なことは、その意味内容である。そして私は今までの自らの經濟學に關する理論構成の實踐と、これに對する認識論的反省とによつて、經濟學の對象規定について到達し得たところは、まさに右の標語によつて表示せられてゐるところの內容である。

私の看取しえたところによれば、左右田博士によつて痛撃せられた諸見解やその他の多くの學者の對象規定が共通にもつてゐるところの缺陷は、この「社會的」「物質的」「總」「再生產過程」の四つの制約のいづれか一またはそれ以上を無視しつゝ、なかんづく「總」なる制約を意識し得ずして、さらにまたこの四者の渾然たる統合物をもつて概念規定のモメントとしないで、「經濟的」または「經濟」の概念規定をなした點にあつた。

そして私自らが、經濟學の對象をもつて、「社會的總再生產過程」なりと斷定しうるに至つたのは、單なる獨斷的な放恣的な思ひつきによつてゞはなくして、經濟學が現實に何を對象としてゐるかについて、成心のない反省をなすことによつてゞあつた。私の把握するところでは、經濟學がその諸部門において、殊に理論經濟學において、本質的には、「社會的總再生產過程」を取りあつかつてゐることは、私どもの反省によつて明かとなることであり、「經濟」または「經濟生活」はその組織・型の如何をとはないで、かゝる全體的過程であることをその根本的事實としてゐる。

しかしてかくのごとき「社會的總再生産過程」をその對象としてゐる科學は、わが經濟學以外には決して存せず、したがつてこの領域に關する一つの自足完了的・自律的なる科學としての經濟學は、科學の世界において、一つの獨立的市民としての生存權・市民權を充分にもち得るものである。

「社會的總再生産過程」なる概念は、上に述べたやうに、斯學の對象の規定における中心的・嚮導的概念であるとともに、さらにまた、斯學がかゝる對象について理論を構成し、または歴史的記述をなしてゆくにあたつても、これが實踐の手續に對する嚮導者としての役割を演じてゐる。他の機會において述べたやうに、方法は要するに思惟における・思惟による抽象であるが、たとへば理論構成についていへば、「總再生産過程」を想起するとき、そこに諸多の契機《モメンテ》および要素《エレメンテ》の包含せられてゐることをたゞちに意識し得べく、これらにつきて、合目的々に抽象を施してゆく方途がそこに暗示せられてゐる。これに反して、私どもが、たとへば貨幣概念を嚮導概念となすことによつて、たゞちにかゝることを暗示せられ得るであらうか。

殊に斯學の體系に關して考へるとき、「社會的總再生産過程」なる概念が、たとへば理論構成上のその嚮導的役割を演じ得ることが、一層明確に認め得るであらう。理論構成にあたつては、私どもは、單純なものから漸次に複雜なものへと進まなければならない。[6] これについて私どもはまづ最單純な總再生產過程の本質的契機を把握し、この契機に、複雜なる諸制約を、次第に添附してゆくことによつて、經濟學理論の展開に一元的な指針を與へ得るであらう。この點について、この見解が、少くとも、たとへば左右田博士における中心的嚮導觀念たる「貨幣概念」に比べて、その「嚮導性」の能力において、はるかに優つてゐると思ふのは、必ずしも私の獨りよがりのせいではないであらう。知らず、左右田博士は「經濟的＝貨幣概念に係はる」と斷定したのちに、如何やうにしてこの貨幣概念を、斯學の方法のうへに、また體系のうへに、利用しえたであらうか。

さらに私どもが經濟生活そのものを考ふるとき、たとへば、經濟生活を如何なる方向に導いてゆくべきかを考へ(政策)、乃至は經濟生活の人生における意味・價値を追究するとき(經濟學形而上學)、「經濟とは貨幣概念に係はる」といふやうな標語を用ひて、問題の在處と、これが解決への途の方向とを即座につかむことが出來るであらうか。これらの問題についても、私は「社會的總再生產過程」なる觀念の方が、はるかにより效果的であると思ふ。もとよりそれは絶對的にではないにしても。

(1) Gustav Cassel, Theoretische Sozialökonomie, V. Aufl. S. 19.

(2) J. Schumpeter, Wesen und Hauptinhalt der theoretischen Nationalökonomie, 1908, 木村・安井兩氏譯本、五二六―八頁。

(3) K. Sodt, Geld und Wert, SS. 83―6., 全集、II、二七五―二八〇頁。

(4) W. Sombart, Die Drei Nationalökonomien., S. 210, 譯本、一七六頁。

(5) 左右田氏、前出。

(6) 拙稿、「經濟學體系論」三七四―六頁。

第四節　社會的總再生產過程と經濟價値論並びに理論經濟學體系論との關係

A.　價値と社會的總再生產過程

前節において私は、わが經濟學が現實的に對象としてゐることがらを、端的に、率直に表示する標語として、「社會的總再生產過程」といふ語を用ひたことを述べ、且つこれが妥當性の證明とをなした。繰りかへしていふ。その理論的部門たると歷史的部門たるとをとはず、わが經濟學の對象としてゐるところのものは、「社會的總再生產過程」なる語によつて表示せられるを最も適當とする。

しからば經濟學の對象をかくのごとくに解することと、經濟價値論との間には、如何なる關聯があるであらうか。卒然としてかゝる問題の提起をなす所以のものは、價値論は、いふまでもなく經濟學において、（殊にその理論的部門において）、中心的な地位におかれてゐ、（中心的地位とは如何なることを意味するかについては、拙稿「價値論と方法論との交涉」經濟學論集、第六卷第二號―昭和十一年二月刊、三八―四〇頁參照）、この意味において、それは私どものもつ經濟學の精髓をなし、その問題提起および解決を、いはゞその學問的運命を決定するものであり、したがつて經濟學認識論的な論議をなすにあたつては、一應この問題に觸れざるを得ないからである。

この問題について、私は、從來の諸學派の經濟價値論を通觀し、その間の決して決着點に達しえざりし論爭に鑑みて、少しくその出發點を變へることによつて、より妥當なる價値論を積極的に立て得、またそれの必然的な結果として、かの古くより存在してしかも常に更新せられる價値論爭の調和を計りうるの途を發見しようと試みた。その結論として到達し得たものを、「價値論と方法論との交渉」において開陳しておいた。これにおいて私のとつた根本的な立場は、本論文において、經濟學の對象規定についての私の積極的見解を述べたときにとつたのと全く同じ立場、すなはち現實主義的・存在論的立場である。

　私の考ふるところによれば、異なれる諸學派の價値論において、價値の體現者としての財の本質として規定してゐるところのものは、これを表示するために用ひし語に差異があり、その契機が往々氷炭相容れざるやうな觀を呈してゐるにもかゝはらず、價値の本質は、各學派に屬する人々が現實的に立てゝゐる經濟理論から(それは價値論の延長乃至は敷衍であるがゆゑに)逆に推論して、「社會的總再生産過程」を空間と見るときのこれが構成部分としての場にあたるところの關係であるといひ得る。そして「社會的總再生産過程」といふ一つの全體の構成的部分としての經濟現象のかゝる全體のうちにおいて占めてゐるところの廣さ——これがすなはち經濟價値の大さである。これを、具體的に、ある大さにおいて、且つある形相において、身を以て表現してゐるものが、すなはち經濟學にいふところの財である。この見解の詳細については、前記拙稿(殊に七二—五頁)を參照せられたい。

私の價値本質觀は、おそらくは、未完成なものであらうが、ともあれこの問題においても、方法論的反省をなすことによつて、この困難にして、しかも重要な問題の解決の鍵が見いだされ得るのではないかと思はれるのである。

B. 社會的總再生産過程と理論經濟學の體系

科學の體系とは、一般的にいつて、科學において私どもがそれの對象に科學的操作を加へて得たる成果としてのもろ〳〵の知識を、有機的・統一的に配列したる狀態をいふ。(詳しくは、拙稿「經濟學體系論」、殊に三五三—五頁を參照せられよ。)

さて私どもの研究對象であるところの「社會的總再生産過程」、換言せば、經濟は、歴史的存在として、時處の異なるに應じて特殊的な制約を受け、夫々の時代と地域とにおいて、異なつた形態において顯現してゐ、乃至は異なれる組織をもつてゐる。これらの異なれる諸形態・組織の經濟について理論を構成するにあたつて、私どもは、最も單純なる組織の「社會的總再生產過程」から始めて次第に複雜なる組織の「社會的總再生產過程」へと進んでゆかなければならない。私はこの見地から、理論經濟學においては、「經濟一般」、「交換經濟」、「自由主義的資本主義經濟」、「獨占資本主義經濟」および「團體經濟」の五つの型《タイプ》の經濟を、この順序において、且つこれらをそれぞれ歷史的な特殊的制約を受けてゐるところの「社會的總再生產過程」と目するといふ點に重心をおきつゝ、分析してゆくことが、合理的であるとの結論に達した。[1]

さて私どもは前にいつたやうな推理をもつて、經濟的現象とは、「社會的總再生產過程に直接的・本質的に干與する現象なり」と規定し得たのであつたが、改めてこゝにいふまでなく、經濟的現象のすべてが、經濟學のうちにおいて、事實上取りあつかはれてゐるのではなくして、それらのうちの或る選ばれたもののみが、そこに取りあげられてゐるのである。いひかへれば、經濟的現象と經濟學において研究の對象となる現象との間には、何らかの限界があるのである。しかもこのことは全體としての經濟學の各部門についていへる。今これらの部門を歴史的部門と理論的部門に分つて考へるに、その何れにおいても、かゝる選擇が、意識的にまたは無意識的に行はれてゐることを、私どもは認めざるを得ない。かくてこの場合、そこに如何なる選擇原理を立つべきかといふことが、きはめて重要な問題となる。實をいへば、まさにここにこそ、方法論の中軸をなす課題が存するのである。

　この原理は、經濟學の歴史的部門と理論的部門とにおいて、相異なれることは、容易に察せられるのであるが、歴史的部門についていへば、史實としての諸現象に對して、リッカートのいはゆる理論的に價値に係はらしむること(thoretische Wertbeziehung)といふ原理[2]によつて、經濟史的生成過程においてそれの占むる意味を標準として一定の選擇を行ひ、かゝる意味が妥當するもののみを、經濟史學の研究對象とし、かゝる意味の妥當せざるものは、たとひ經濟的なる現象であつても、これを研究對象のうちに加へない。

さらに理論的部門についていへば、私どもがこゝで取りあつかふ現象は、定型的なるものである。私どもは、たゞ定型的なる諸現象の間に存する定型的關係についてのみ理論を樹立してゐ、しからざるものは、これを偶然的なものと見なして取り扱ひの埒外におく。この點につき、カール・メンガーの次の言葉は、後行する人々、殊にマックス・ウェーバーやシュムペーターやゾムバルトよりも、もつと早期に、且つ一層素朴的端的にこのことを表現してゐるやうに、私には思はれるのである。

「具體的な諸現象がきはめて多様的であるにもかゝはらず、上つ面だけ考へてすら、個別的現象が、それぞれ、特異な・爾餘のすべてのものとは異なつた現象形態を表示するものではないことを認め得る。經驗の吾人に教ふるところは、むしろ、一定の諸現象が、その精確さには程度の差こそあれ、反復して現出し、事物の變遷において反復するといふことである。吾人はこの現象形態を典型（Typen）と名づける。同様のことは、具體的な諸現象の間の關聯についても妥當する。これもまた夫々の個別的な場合において完全な特異性を示さない。吾人はむしろ、それらの間に、程度上の差こそあれ兎に角、規則的に繰りかへして生じてゐる、ある一定の諸關係（たとへば、それらの繼起における・發展における・共存における規則性）を容易に觀察し得る。この諸關聯を典型的と名付ける。たとへば、購買・貨幣・需要と供給・價格・資本・利率等の諸現象は、國民經濟の典型的現象形態であるに對して、供給の增大の結果としての商品の價格の規則的なる低下・流通手段の增大の結果としての商品價格の上昇・著しき資本蓄積の結果としての利率の低落等々は、國民經濟學的諸現象間の典型的關係として現はれる。(3)

前に私が理論經濟學において取りあつかふべきものとしてあげた五つの經濟は、まさにメンガーの意味における「定型的な」經濟であつた。すなはちそれらにおいては、「社會的總再生產過程」が數多の要素《エレメンテ》(概念・事實・乃至は假定の形において)が結合せられたものとして表示されてゐるのであるが、もちろん單にかゝる諸要素が漫然と集結してゐるのではなく、理論の展開の當該階段が要請するところを滿すやうな、この意味において、必然的・本質的な諸要素たるかぎりにおいて、結合せられてゐるのである。かくてそれらは單なる要素《エレメンテ》ではなくて、契機《モメンテ》である。(モメントとは事物の單なるエレメントに對する概念で、それがなければ全體が存立しないやうな・しかも全體から離れては無意味になるやうな分肢《グリーダー》をいふのである。)私どもは、この意味におけるもろ〳〵の契機の複合體としての諸種の型の、すなはち本質的定型としての社會的總再生產過程を、いまや、眼前においてゐるわけである。

これらの本質的定型としての各種の經濟について、これが社會的總再生產過程であるといふ點に着目して、それの本質的契機について、理論を構成してゆくことの成果の集積が、すなはち、私どもの理論經濟學の體系の展開を意味する。

私どもが最初に取りあつかふところの「經濟一般」は、過去および現在において現實的に成立してゐる・また將來において生るゝ可能性のある一切の型の經濟の歷史的特殊性を捨象したときの、すなはち抽象的・一般的なすがたにおける「社會的總再生產過程」である。それにおいては、如何なるモメンテが如何なる相互關聯において、一つの全體を形成しつゝ進行してゆくか、そこに如何なる理法が支配してゐるかを知らんとするのである。けだしかくのごとき一般性・抽象性における「社會的總再生產過程」の本質的契機が確實に把握せられてはじめて、私どもは、それぞれの歷史的特殊性において、それがもつ理論を樹立し得るのである。

私は前に述べた拙稿「體系論」において、まづこの「經濟一般」、いひかへれば、一般性・抽象性における「社會的總再生產過程」の諸契機は何か、またそれらの間に存する諸關聯は何かについて略述した。そしてしかる後に「交換經濟」・「自由主義的資本主義」・「獨占資本主義」・「團體經濟」の四つの定型についても、それぞれの契機的な・中核的な問題が何であり、したがつてそれらについての主要的理論が如何なるものであるかを、それらを「社會的總再生產過程」として見つゝ、展開していつた。それはもとより極めて大ざつぱな素描に過ぎないけれども、これによつて理論經濟學上の基本的な個々の問題の態樣と、それの全體系內における在處とを知ることが出來ると思ふのである。

こゝに私にとつてきはめて重要な問題が一つ殘つてゐる。それは、「經濟學の認識對象は價格經濟である」といふ學說である。かゝる學說は、私が拙稿「價值論と方法論との交渉」[4]において指摘したとほりに、種々なる亞種をそのうちに含んでゐるのであるが、概していへば、價值論に關しては、價格の背後にありとせられてゐる價值には觸れないで、それを不可知な(unbekannt)ものとし、經濟理論の論理的出發點を價格に求める。理論經濟學の體系に關していへば、私のいはゆる「交換經濟」についての分析から始める。いまこゝでは、かゝる學說の一例として――殊にそれについては、著者自らの認識論的反省が充分におこなはれてゐるといふ特徴をもつてゐると思はれるものとして——シュムペーターの見解を見ることゝする。

彼によれば、經濟學の唯一の認識目的は、「價格が何であるかを說明し、且つ或る種の形式的な運動法則を導出する」[5]ことにある。「我々は「經濟社會に存在する」財貨そのものではなくて寧ろそれらの諸關係を、さうして特定の財貨の諸關係をではなく寧ろ財貨一般の諸關係、より適切に云へば財貨數量一般間の諸關係を取扱ふのである。[6]」この諸關係より成る一つの總體がすなはちいはゆる經濟均衡であるが、この均衡の問題は經濟學（それは靜學と動學との二つに分れるが、いづれにしろ）にとつては中心的なものであり、基礎的なものである。[7] これを要するに、シュムペーターの理論は、「交換經濟」における諸財の價格のうちに存する函數關係の分析を、その任務となしてゐる。單にシュムペーターのみならず、いはゆる均衡論者と稱せられる・價格論の價値論に對する優位、いな進んでは代置をさへ主張する人々は、すべて同樣の見解をもつ。私はこゝに、この見解に對して、上記の拙論において價値論に係はりつゝ述べたところと、原理的には全く同じ基礎の上に立つてゐるところの一つの・しかも根本的なる疑問を呈しないわけにはゆかない。

シュムペーターは次のごとくいつてゐる。

「完全な交易經濟に於ては、あらゆる財貨は與へられた各時點に於て他のすべての財貨に對して或る確定せる……價格或は一層適切には……交換關係 Tauschrelation に立ち、換言すれば、或る一定の價格を以て賣買されることが出來る。この場合我々がこの交換關係の助けを藉りてすべての經濟的諸量を交代的に相互から導出し得るのは明かである。

「しかしながら交換關係は常に必ずしも存するものではない。卽ち孤立經濟のうちには、また交易經濟に於ても事實上見出されるところの孤立經濟的諸要素のうちには存在しない。それにも拘らず既に出來上つてゐるこの〔交換關係なる〕用具を斷念する必要のないやうに、或は我々の成果の普遍妥當性を斷念する必要のないやうに、我々は交換關係が缺けてゐるところでも、之を補ふに次の假定を以てしよう。卽ちすべての經濟行爲を交換行爲と解し、且つ何等の交換關係も存しないところでも宛もそれが存するかのやうに經濟が行はれると假定すること、之である。このことは決して一見して考へられるほど逆說的ではない。ひとは一切の經濟行爲が我々にとつては經濟的諸量の變動に外ならぬことを注意すべきである。勞働を例へばパンと交換するものは彼の所有する兩財貨の數量を變更するものであり、同じことは一匹の獵獸を打ち殺す孤立經濟人についても妥當する。蓋し彼は彈丸または勞働力の存在量を減少し食糧品の存在量を增加するからである。かやうにして交換なる圖式《シェーマ》はあらゆる經濟行爲に適用せられ、なほ進んではそれ以上に及ぶ。……交換關係の記述に當つて孤立經濟に適用されない假定はいかなるものと雖も使用しない、といふ點に注目するならば、我々は我々の進み方の正しいことが判るのである。この場合には……孤立經濟でも交易經濟でも――少くともかくする限り――同一事が起ることが理解される。さうして最後に、我々の見解の齎す諸成果がぴたりと〔現實に〕適合するならば、我々は自己の見解に滿足を感ずるであらう。

「かくして交換はいはゞ經濟的體系《システーム》を包む括弧であり、他の比喩を用ふればその電線である。總ての純經濟的なるものが交換關係のうちに存するといふことは今迄の敍述の後では最早自明の理であり、しかもこのことは既に述べたやうに孤立的個別經濟にも社會的國家にも妥當する。[8]」かくて、「我々の諸定理、何にしても我々の體系の基礎が大體に於て、また少くとも本質に於ては、經濟の如何なる狀態に對しても妥當し、特にまた『交易なき』『封鎖的』又は『孤立的』經濟にも當嵌ることは、我々の極力闡明につとめたところであつた。……〔かくて〕我々は〔我々の〕說明を經濟學の核心とよぶ權利があると考へるのである。[9]」

私は、しかしながら、シュムペーターのこの論理には服し得ないものである。彼が例として引けるパンと勞働との交易は、明かに個人對個人の間の交換であつて、社會的な事象があり、それについていへることが、そのまゝ、一匹の獵獸を打ち殺す孤立經濟人について、決して妥當し得ない。何故なら、後者の場合は、人間對自然の間の、いはゞ技術的な現象であつて、そこに財貨の數量の變更があつても、經濟學的に私どもが云々するかぎりにおいては、それの生成の契機が交換經濟におけるものとは本質的に異なつてゐ、この契機そのものこそ、まさに經濟學の中心的關心事なのであるからである。彼が「交換關係が缺けてゐるところでも、之を補ふに次の假定を以て」し得る云々といへるとき、彼のなしてゐることは單なる擬制または比喩に過ぎず、「交易經濟」または價格について展開した理論を、强行的に「孤立的經濟」に當嵌めるとしても、それはきはめて表面的に可能なるに過ぎない。それはどこまでも比喩のみ。かゝる無雑作な「妥當」のさせ方または「當嵌」め方は、「現實に」「ぴたり」と合致し得ないものである。シュムペーターは、この可能性を「極力闡明につとめた」といつてゐるけれども、それが als ob にでなければ幸である。經濟を社會的なものと解するかぎり、孤立人「經濟」といふものはあり得ない。孤立的經濟は、故に、孤立的・封鎖的な「團體經濟」と考ふべきであらうが、これと交易經濟との間には、「社會的物質的總再生産」であるといふ以外には、共通的な契機——もちろん經濟學的な——をもたないのではなからうか。そしてそれらにおける價値の量は、全く異なつた機構のもとにおいて、決定せられると見るべきではなからうか。

　價値論に關しては、私は前記の拙論において、價値の本質または本體の追求の念慮を放棄して、經濟理論の出發點を價格に求めようとする説では滿足し得ないこと、およびその理由として、價格は飽くまでも「交換經濟」を前提とし、これを背景とするかぎりにおいてのみ成立し、妥當するものであるが、私どもは、「交換經濟」以外にも、種々なる亞種をもてる「團體經濟」の存在してゐることを明白に知つてゐるのであり、したがつて「交換經濟」の價格を内包しつゝ、これらの「團體經濟」にも妥當するところの經濟價値の本體を追求せざるべからざることを述べておいた。經濟學において、價値論に對して論理的にアポステリオリであるところの他の諸理論についても、全くおなじことがいへる。

私は、かくして、經濟學の對象が單に「價格經濟」であるとは思ひ得ない。價格經濟は、理論經濟學の體系的展開のある特定の階段における、しかしてその階段においてのみの對象であるに過ぎない。私どもは、單に「交換經濟」乃至はまた資本主義經濟の諸契機的關係の分析・諸法則の發見のみならず、あらゆる組織の經濟についての特殊的諸法則の發見または諸理論の構成をもなさなければならない。またたとひ充全的に體系的でないにしても、現に私どもがこれを實踐してゐる現實の事態を率直に認めないわけにはゆかない。私はこゝにエンゲルスの次の言葉を想起する。曰く、

「經濟學は最も廣い意味では、人間的社會における物質的生活資料の生産および交換を支配するところの諸法則に關する學である。[10]」

「吾々が經濟學について今までに有するもの（エンゲルスによれば、それの最頂點をなすものが、いふまでもなく、マルクス經濟學である――筆者。）は、殆ど專ら資本主義的生産樣式の發生および發展に限られてゐる。すなはちそれは封建的な生産諸形態および交換諸形態の遺物の批判を以て始まり、資本主義的諸形態によつてそれらが置き換へらるべき必然性を證明し、然るのちに資本主義的生産樣式およびそれに對應する交換諸形態の諸法則を、その積極的方面において、すなはち、その方向へこれらの法則が一般的な社會的目的を推しすゝめる方面にむかつて展開し、そして、資本主義的生産樣式の社會主義的批判、すなはち、それの法則の否定的方面への敍述を以て、およびこの生産樣式がそれ自らの發展によつて自らを不可能にするところの點へ向つて進みつゝあることの證明を以て終つてゐるのである。」しかして「異なれる人間的諸社會において、諸生産物が生産せられまた交換せられるところの、およびそれに對應してつねに生産物が分配せられるところの諸條件と諸形式に關する科學としての經濟學――この廣義における經濟學は、これから作られなければならない。[11]」

私はエンゲルスのこの言葉に贊せざるを得ない。私どもの經濟學における研究對象は、「社會的總再生産過程」である。そして理論經濟學としては、その理論展開の各階段において、それに對應する特殊相における「社會的總再生産過程」を研究する。この過程の一特殊相でしかあり得ないところの「交換經濟」乃至は「價格經濟」のみが、斯學の對象であるのではない。もちろん私どもは、交換經濟乃至は資本主義經濟としての「社會的總再生産過程」の研究が最も重要な部分であり、(その理由については、拙稿「體系論」三七三―四頁參照)、全體系の最も主要な内容であることは否定し得ないが。

(1) 拙稿「經濟學體系論」、三七八頁。
(2) H. Rickert, Geschichtsphilosophie, S. 332 ff.
(3) C. Menger, Untersuchungen über die Methode der Socialwissenschaften, etc., 1883. SS. 4—5, 岩野・竹原・長三氏譯本、二七頁。
(4) 拙稿「價値論と方法論との交渉」、五七―六三頁。
(5) J. Schumpeter, Wesen und Hauptinhalt, etc., 譯本四九頁。
(6) 同上、一二〇頁。
(7) 同上、序言、一五頁。
(8) 同上、四六―七頁。
(9) 同上、五〇九頁。
(10) Friedrich Engels, Herrn Eugen Dührings Umwälzung der Wissenschaft., XI. Aufl. S. 149, 長谷部文雄譯「反デューリング論」(岩波文庫)下卷、五頁。
(11) a. a. O. S. 153., 同上、一〇頁。

筆の末に

私はこゝにこの拙き論文の末尾に少しく私事を書きつけることについて、讀者の寛恕を乞ひたい。

過ぎ去りし日のことどもをいまふりかへつて見ると、私がこゝに論じたやうな事柄に興味をもつに至つたのは、十有五年の昔、東京帝國大學經濟學部に學びし頃のことに屬する。そしてそのときかゝる問題についての勞作として私の最初にとりあげたものは、ほかならぬわが左右田先生の「經濟哲學の諸問題」であつた。また私がこの名著を組織的に讀むことの機縁をつくつて下さつたのは恩師土方成美先生であつた。かうして私は貧弱なる理解力をもつて、遅々としてゞはあつたが、„Geld und Wert" や "Die logische Natur." や「文化價値と極限概念」やを、次から次へと讀み耽けつていつた。そして三年生のとき、經友會の雜誌「經友」に、大膽にも、「極限概念としての貨幣概念」といふ、わけの分らない、いまから考へると、それこそ冷汗ものの論文を載せていたゞいたのであつた。それ以後における私の學問的遍歷は經濟哲學的領域に屬してはゐなかつた。少くともそれを興味の主なる對象とはしてゐなかつた。しかも一旦植ゑつけられたものは、爾後における私の思索の方向において、意識的にまた無意識的に、指南車の役を務め、反省のよすがとなつたことは、なんといつても否定し得ないところである。がこの過程は、他面からいふと、却つて左右田學說そのものへの批判または反逆とであつたのであつて、貧弱ながらも、經濟學上における私の讀書と思索との進行は、次第に左右田學說からの離脫を結果した。その形式主義または觀念論的立場を揚棄して、現實主義または存在論的立場をもつて優位または置換せしむることを、正しき態度であると考へざるを得なくなつたのである。

私はかくのごとくにして、左右田先生によつて、眼を開かれて學問の世界に入ることゝなつたのであり、しかも、他の方面のことはひと先づ措いて、少くとも經濟學認識論に關するかぎり、全部的に、あるひは根本的立場において、先生に追從してゆけなくなつたのであるが、先生より蒙つた學恩の多大なるを常に自覺してゐるものである。しかも御生前においてつひに個人的に接するを得ず、いまこゝにくだらないものを書くに際しても御批判を仰ぐことが出來ないのである。先生のあまりに早かりし死は、わが國のみならず、世界の經濟學界および哲學界の遺憾事であるが、私個人にとつてもまた然りである。私はいま、本郷通の古本屋の店頭において、あこがれの「經濟哲學の諸問題」の初版をはじめて自己のものとなし得たときの感激と、薄暗き舊法經三十四番教室に「テレオロギー考察」を講ぜんとして登壇せられた先生の溫容にはじめて接せしときの心のおのゝきとを追懷しつゝ、天離かる南の國に、この筆をとつてゐる。何らかのかたちにおいて、左右田先生の學恩に對して感謝の微意を表しようとは、私の長年に亙る念願であつたが、いまやつとそれを、かくのごとき姿において、果し得たのである。

〔昭和十一年六月十七日拂曉〕

銀行の創設信用と物價

北山富久二郎

目次

一　貨幣購買力理論の成立
——價値論の補完と動態論——…………1
二　資本蓄積過程に於ける物價水準…………17
三　創設信用の必然…………36
四　銀行信用の作用としての動態物價構成…………53
五　結語…………83

一　貨幣購買力理論の成立

――價値論の補完と動態論――

貨幣理論に於て其の中核を形成するものが、貨幣價値理論即ち貨幣の價値に關する理論である、乃至あるべきである、とは今日貨幣學界の支配的見解である。然し其の所謂「貨幣の價値」,,Wert des Geldes" なる概念に如何なる意味內容を盛るべきかに關しては、必らずしも明確にして且定まれる學說が學界に確立してゐるとは云ひ難い。比較的今日多數說と看做し得るものは、それを商品一般に對する「購買力」"purchasing power" の意に解し、其の大さは具體的には、一般物價指數の逆數として與へらるゝとなす考へ方である。從つて「貨幣の價値」の理論は「購買力の理論」であり、具體的には「物價水準の理論」となるとせられ、結局貨幣價値理論の具體的內容は「貨幣數量說」(廣義)によつて示される、乃至貨幣數量說そのものに他ならぬ、といふ推論に歸着するやうである。

然し此の問題に對する貨幣學界のかゝる支配的傾向に對しては加へらるべき多くの批判があり、少くともそれが許多の疑問を容るゝ間隙多き推論であることは、少しく省察をめぐらすならば、何人にも容易に氣付かれることであると思ふ。

第一に、物價水準の逆數として示される所謂「購買力」は果して貨幣の「價値」であるか。それを「價値」なりとする時、其の「價値」概念には、價格の「原因」、又は「實體」としての「力」が考へられてゐるのであるか。換言すれば物價水準の「逆數」に過ぎぬ「購買力」が物價水準の決定者であるとする考へ方（それを「價値」なりとすれば必然的にかくなる）は、循環論法に陷ることなしに、支持し得るか。最も端的な云ひ方をすれば、「物價水準」と「購買力」との區別の據り所如何、である。これは所謂「貨幣の價値」の本質に關する問題であるが、現在それへの囘答として我が學界の共有するものは極めて貧しく、且明らかに謬れる見解以上のものではない。

第二に、事實上「貨幣價値理論」として提供されてゐる支配的學說は、廣義の「貨幣數量說」卽ち數量說の諸類型であるが、それが貨幣の「價値」の決定に關する理論であるとするならば、理論經濟學に於ける「價値の一般理論」卽ち普通に所謂「價値論」ともそれは如何なる關係に立つのであるか。換言すれば、かゝるものとしての貨幣價値論は一般商品價値論との關係に於て理論經濟學の體系上如何なる地位を要求し得るものであるか。「商品一般の價値は價値論で、貨幣の價値は數量説で」、といふやうな考へ方が全く粗雜にして支持し難いものであることは、呶々を要せずして明かである。前述の如く數量説の説く貨幣の「價値」とは物貨水準以外の何ものでもないから、價値理論がもし貨幣交換の社會に於ける交換比卽ち價格の説明原理の究明に關するものであるならば、物價の説明原理としての數量説が、價値論の外に之と竝んで存立の餘地なきことは始めより明かでなければならぬ。少くとも數量説的立場の支持者が、自己の理論の立脚地を、右の如き價値論との研究對象上に於ける「分業」によつて確立することの出來ぬことは疑ふ餘地がない。數量説に對する通常の批判と反駁は、主として內在批判の埒外に出てゐないが、數量説に對して先づ向けらるべき最も重要な批判の矢は、それではなく、却て其の立脚地と、それが貨幣價値の理論であることによつて定めらるべき課題設問の特質を明確にすることにあるであらう。

これ等の問題に就て筆者が抱懷する異論と其の論據とは、今簡單に述べ難いが（其の一端は、拙著「物價水準の理論」――改造社、現代金融經濟學全集、第三十一卷として刊行――中に或る點まで明らかにして置いたから、參照を乞ふ）、要約すれば左の諸點に歸する。

一、貨幣論の中核を形成する理論とは、具體的には「物價水準の理論」でなければならぬ。その限りでは學界一般の傾向に反對せぬ。

二、然し、物價水準の逆數によつて示される貨幣の「購買力」は、嚴密に云へば、貨幣の「價値」ではない。「價値」の語を言葉の最も嚴密な意義に解する限り、價値は本來、唯、「社會的秤量を經たる價値」の體現者たる、一般的等價商品（＝價値尺度機能の負擔者）にのみ之を認め得るに過ぎぬ。換言すれば「商品價値」以外特に「貨幣價値」なるものを認むべき理由は全く存しない。故に嚴密な意味で「價値の理論」が、商品價値論以外に之と竝んで、「貨幣」に關して特に存立すべしとは、それを可能と解すると必要を說くものとを問はず、共に全く根據なき臆見以外の何物でもない。

三、ところで、貨幣の「購買力」とは勿論貨幣の「價値」ではなく、商品一般によつて測られた「價格」である。換言すれば、「物價水準」とそれをして或る大さたらしむる「力」としての「購買力」とを概念上遊離することは不可能ではないが、「購買力」の大さは物價水準を離れては規定せられないから、物價水準（逆數）と購買力との區別は何等概念上に於ける區別が可能であるといふ以上の意味を有するものではない。少くとも購買力の大さによつて物價水準の決定を説くといふことは明々白白の循環論法である。

四、だから問題は、「物價水準の理論」が「價値·價格の理論」と竝んで、存立の餘地を如何にして許容せられるか、であるが、それを解く鍵は、一は貨幣形態の發展といふ歴史的事實と一は經濟靜態と動態乃至發展的經濟といふ學的方法に對する省察である。

五、即ち貨幣形態の發展は、價値尺度機能と流通手段機能との統一物であつた貨幣(商品貨幣)をば一般的等價商品·金と紙幣·預金貨幣等の所謂名目貨幣即ち單なる流通手段(正確には客觀化、形體《コーポラリゼーテツト》化せる流通手段機能)とに夫々分化せしめた。現在我々が貨幣の「價値」に關する理論從つて物價水準の理論に於て直接對象とする「貨幣」とは、實は「完全な貨幣」ではなく、云はゞ其の「半身」たる流通手段機能の客觀化せるものに過ぎぬ。所謂「名目貨幣」とはかくの如きものに他ならぬ。而して名目貨幣即ち流通手段は「價値なき貨幣」であり、それは唯、「購買力」をもつだけである。然し其の「購買力量」が直接には「價値量」によつて規定せらるゝことなしとするも、何等かの方法で價値量として規定せらるゝのでなければ、流通手段が流通手段としての機能を果すこと自體も可能ならざる筈である。何となれば、商品流通の一般方式 W—G—W は具體的には $W_1 \to G \to W_2$ であり、それはまた $W_1 = G = W_2$ たることによつて始めて實現せられ得ること、商品轉形の媒介者が社會的價値の體現者(貨幣)であるか單なる名目貨幣(流通手段)であるかを問はざる必須の要請であるからである。

六、そこで躬自ら價値の一片をも含むことなき「名目貨幣」は、兌換を通じて「代理」する金量によつて(兌換券の場合)、又市場に於て物價水準の與へられた高さに應じて購買可能なる一般商品量によつて、其の價値量としての規定をば間接的反射的に受くるの他がない。本來「內容不定」の名目貨幣が價値量としての內容を定めらるゝ上に於ける二つの方途―「金標章」と直接的「商品標章」とは、兌換券にあつては、複本位制に於ける二つの價格標準の交互作用以上の、本來的矛盾を形成し(金本位制に於ける對外價値の安定と對內購買力安定との二つの目的の間の決定的矛盾――其の兩立が絕對的に不可能である根因はかゝる機構に潛むものである)、「純粹紙幣」卽ち不換紙幣制下に於ては單に「商品標章」としての規定のみが支配する。(不換紙幣の「純粹性」と、其の統制管理の或る點までの可能及び必要の根據。猶不換紙幣はこの意味で本來「商品弗」(Commodity-dollar)的でしかあり得ぬ。「商品弗制」を望ましき通貨政策の目標と考へてゐる此の說の主張等は何等それに氣付いてゐないが、實はアメリカの貨幣は其の爲めに特殊の政策の遂行せらるるまでもなく、ルーズベルトの金本位停止と同時に、一九三三年春以來、根本的には、此の意味で商品弗制となつてゐる。我が國其他の不換紙幣國亦然り)。

七、然し貨幣(流通手段)の購買力が諸商品によつて、一般物價水準の高さを通じ、間接に價値量としての確定を受ける、それなくしては名目貨幣の一圓、一弗は全く「內容不定」である、とすることは、錯倒せる認識ではないか。貨幣は本來異質的な諸商品を無差別にして等質共通の量として測定する等價商品として發生した。然るに今や貨幣(名目貨幣)は、一般商品の等價であるどころか、却て其の購買力の大さは價値量としての通用 Geltung を一般商品によつて測られる。それは明らかに等價形態と相對的價値形態との錯倒である。だが此の錯倒は決して「認識の錯倒」を意味するものでなく高次現象に特有な事實のそれにもとづく必然の結果であること、かくの如き名目貨幣が貨幣學者の思想の產物ではなく、全く客觀的歷史的發展の結果たる高次の貨幣形態として成立せるものであることから何人にも明らかでなければならぬ。流通手段機能の分化就中其の等價商品よりの一應の獨立化(不換紙幣の成立——猶こゝに「一應の」といふのは、國內經濟に關する限りといふ意味である。金の世界貨幣性の全的否定は、資本主義機構の下では、もとより起り得ぬ。不換紙幣制は本來「國民主義」を特質とする)は「金」といふ資本主義社會の歷史的な公分母を否定した。それと同時に商品界は、之に代る諸「重要商品」の一群の不完全代位を或る點まで暗默裡に案出し發見しつゝあるとも、根本的には、「自律的」な共通尺度を喪失したことに變りはない。價格標準に於ける貨幣と商品との地位逆轉は其の產物に他ならぬ。

八、それにしても、物價水準の理論に價値論と並んで存立の餘地と且必要とが生ずるとは、これだけのことでは到底論證せられない。假令貨幣形態發展の結果として、それ自ら價値なき「貨幣」が成立したとて、其の購買力が物價即ち平均價格の逆數に外ならぬ限り、價値・價格の理論以外に、「物價水準の理論」が成立つ理由はない筈である。相對的交換比卽ち個々の價格の決定が價値・價格の理論によつて說明せらるる以上、個別價格の單なる「平均」の結果に過ぎぬ「物價水準」に闘して、特殊の經濟理論の成り立つ餘地はない筈である。この點は如何？

九、この種の犀利な疑問は、一・二の先人の提出したところであるが、明らかに我々の理論の進歩に多大の貢獻を生む機緣となるべき價値高き「疑ひ」である。然し其の結果、物價水準＝購買力＝貨幣價値の理論が「成立せぬ」と結論せられたことは(主としてアンダースンを指す)、が切角其の入口まで近づいた、豐穰な學問的フィールドに、自ら耕耘の犁を入れずして之を放棄したと等しい。簡單に云へば、價値論は靜態理論である。靜態に於て價値と價格との乖離は存しない。個々の價格は全價格の完全な標本《エキザンプル》である。それは一般的均衡の假定下に成立する均衡價格であるから、此の場合、個々の價格はそれ自體平均値である。特に、「平均物價」に特殊獨立の意味を認むる餘地なく、また價値論の他に物價水準の「理論」が存立する餘地なしとしなければならぬのはこれが爲めである。

然しながら、もとより靜態の假定下に說かるゝ價値・價格の理論は、其のまゝ資本主義社會現實の物價運動の全き說明者たり得ぬのは云ふまでもあるまい。物價運動の現實と其の說明原理たる價値論との間には極めて大きな距離、溝渠が橫はつてゐる。換言すれば價値論は、吾人が眼前に見る物價現象の究極の說明原理ではあるが、それだけで其の說明を完ふし得る如き、自足完了性はもつてゐない。此の溝渠間隙は當然埋められねばならぬ。それを埋むることによつて、價値論の補足者となるものは、價値論の靜態假定に反して、動態過程を直接の對象とする理論でなければならぬ。一は均衡狀態の完全に確立せる世界に於ける價格構成を說くに對し、これは運動過程にある價格卽ち不均衡物價――價格差を其の課題とする。一は價値が價格を決定する場合の理論である、これは價値と價格との調整せられざる不一致、卽ち二者の「乖離」を說く、云ひ換へれば逆に價格が價値を決定する場合の理論である。價値論は動態理論の形に於てのみ其の補完者を必要とし、其の補完者たる理論は動態理論としてのみ存立の餘地を許容せられるのである。而して物價水準の理論とは卽ちかくの如き課題によつて價値論の補完者たるべき動態物價の理論に他ならぬ。

一〇、物價水準論として從來壓倒的重要性を認められ來つた貨幣數量說は、其の如何なる類型にあつても、かくの如き物價水準論の課題に鑑みて、決して眞に目的に適合せるものではなかつた。それ等が提起せる設問の、粗雜であり反體系的であつたことは、個々の數量說が含む內在的矛盾を離れて、是非共批判さるべき、一層重要な數量說の難點であるが、多くの論者は殆ど誰も此の點に介意してゐない。それは簡單に云へば、數量說が卒然「物價水準の變動を決定するものは何か」との設問に出發して、物價水準の決定要因を本來「中立的」な貨幣數量にありとし、商品の流通過程が宛かもそれ自體切り離されて孤立して存し、物價水準の變動がそこでの商品量と貨幣量との單純極まる對置から說き得るかの如き、擬制的見地から一步も出てゐない、出ることを欲しない、點にある。それが終始靜態の圖式と明々白々の循環論法から脫し得ない最深の原因である。

一一、我々は、そこで、流通過程の媒介手段に他ならぬ「貨幣の數量」と、それによつて媒介せらるゝ商品取引量との一面的な對置を排して、經濟動態の總過程をそれに代え、動態過程を物價水準論の直接の對象であると確定することによつてのみ、同種の誤謬を繰り返へすことを免れ得る。物價水準を前提することによつて物價水準の構成を說き、購買力を前提して購買力の決定を說く「矛盾」が、論理の矛盾に非ず事實の矛盾にもとづくものであると斷じ得るのは、唯物價水準(購買力)の「運動」(運動と矛盾――「事實に於ける循環論法としての運動」)を、卽ち其の「循環變動」を研究對象とする時だけであるからである。それ自體「價値」をもたぬ「名目貨幣」に於ける等價と相對的價値形態との「事實の錯倒」も、それが特殊の購買力理論を要求するのは、其の運動過程に關聯してであり、動態否一般に均衡過程（猶均衡が完全に成立せざる）に於ては、假令等價商品・金が躬自ら流通手段たりとも（從つて兌換券流通の場合も）、諸商品の物價水準によつて測らるゝ流通手段の購買力と、貨幣商品・金自體の價値とは乖離する（貨幣の價値と貨幣の價値との乖離）。換言すれば貨幣商品が等價商品としての、價値尺度としての機能を完全に發揮するのは唯靜態、均衡狀態に於てに止り、物價の運動過程にあつては、完全嚴密には「等價」は存し得ない。金自體がよし流通手段たりとても。

一二、そこでかくの如き反省にもとづき、我々は物價水準論に於て、第一に、動態の總過程を問題とすべきである。商品流通過程のみが孤立的に觀察せられることなく、その把握は商品の生産過程、消費過程、貨幣自體の流通過程（金融流通）との有機的一體性に於てせられねばならぬ。少くとも商品市場が金融市場と切斷された形で把握されるのではなく、有機的關係に於て二者が同時に考察せられるのでなければならぬ。從つて第二に、商品市場の貨幣流に自《オ》ら金融市場のそれとの連鎖が與へられ、「貨幣」を單なる流通手段として規定するに止めらるることなかるべきである。生産過程に於て貨幣は「貨幣資本」であり、消費過程にあつては「未消費餘剩」(購入餘力 unspent margin)乃至「現金殘高」(cashbalance)である。而して金融市場に於ては「貸付資本」である。少くとも「貨幣」は流通手段としてのみならず同時に貨幣資本、信用手段と規定せられて考察の對象とせらるるのでなければならぬ。この場合貨幣資本として貸付けらるゝ貨幣と交換手段として流通する貨幣とはもとより同一物である。金融市場に於て貸付資本としての資格を與へられたものが、貸付けられて企業家の手に入れば(貨幣資本として)生産資本又は流通資本の用を生じ、生産要素の提供者に支拂はれては貨幣所得として家計に流入し、そこで止る限り未消費餘剩乃至現金殘高であるが、それが消費財の購入に用ひられれば流通手段となり(一般的には商品市場に入ることによつて流通手段となる)、蓄積せられれば「繰越購買力」として貨幣資本に還元し、再び金融市場に還流して貸付資本の姿を回復する。種々の「貨幣」概念はかくの如き貨幣乃至購買力の「回流」(circuit)過程に於ける經過的な形態に對するものとして綜括せられ、總觀せらるべきである。商品市場の貨幣と金融市場のそれとの間に範疇的に懸絕せる區別が存するのではない。否二者を絕對的に隔絕しては、物價水準の動態は説明せらるゝに由がないであらう。一方より地方への流入と流出乃至還流は啻に現實であるのみならず、我々の問題に於て是非共捨象し去られてはならぬ事實である。

一三、蓋し物價水準の動態なる現象は、要すれば、個別價格水準間の不均衡乃至不均衡の持續、所謂部門的物價水準 (sectional price-level) の變動に於ける time-lag――就中消費財價格水準と資本財價格水準との間のそれ、を内容とするものであるが、此の最後の場合に於ける不均衡は、正に金融市場と商品市場との間に於ける貨幣流の「干滿」乃至「交流」の攪亂と不可離の現象である。何となれば資本財と消費財との價格水準間に於ける均衡の攪亂は、資本蓄積率の變化によつて惹起せらるゝが、二者の間に於ける不均衡の持續は、資本蓄積の二つの部分過程たる貯蓄と投資との不一致に際してのみあらはるゝものであり、而して後者の不一致は銀行信用の「作用」に他ならぬからである。

一四、我々はかくて所謂動態過程に物價水準論の固有の對象を發見するのであるが、狹義の動態過程とは換言すれば資本蓄積の具體的現實的展開過程に對する別名に他ならぬ。資本蓄積の具體的進行は周知の如く恐慌の回歸を其の途上に必然的な一齣として含んだ波狀運動乃至螺旋運動の形をとる。「景氣循環」乃至景氣波動とは此の進行過程を一個の運動と擬制せる命名に過ぎぬ。資本蓄積過程に於て「貨幣」は必然的な前提であるが、其の必然性は勿論流通手段の資格（交換手段、購買力の負擔者、社會生產物への參加手段等々の本質的には異名同義の諸規定下に於けるそれ）に於てではない。それは先づ「繰越された購買力」（"suspended purchasing power"）としてゞあり、更には「創設された購買力」（"created purchasing power"）としてである。再生產の均衡下に於ける資本蓄積の展開に際しては、購買力が「繰越」さるゝことを以て足りるが、それが「波動的」(schwellenweise) 展開を呈する場合（現實は常に然り）卽ち狹義の動態は創設購買力の添加を必須の動機とする。前の場合は唯貨幣資本乃至貸附資本としての貨幣の必然を前提するのみであるが、後の場合に要求せらるゝものは「短期銀行信用」の添加に他ならぬ。貨幣資本と銀行信用の資本蓄積過程に於ける役割はかくの如く段階的である。物價水準の動態は直接には後の場合に關する現象であるから、當然その理論は「貨幣數量說」ではなく「銀行信用說」となるの他ない。この過程を分折することが本論文の主たる目的である。

註 (1) Foster and Catchings; Money. p. 212. a. S. f.

二　資本蓄積過程に於ける物價水準

狹義の動態過程分析の出發點は、資本蓄積が、直線的に、攪亂を蒙ることなく、圓滑に進展する、「擴大再生産の均衡」でなければならぬ。そこで先づ此の場合から觀察しなければならぬ。擴大再生産の均衡の條件は、それを全面的に檢討すれば極めて複雜になる。例へばマルクス資本論、第二卷、第三編、殊に第二十一章(邦譯)はそれを充分に明らかにしてゐる。然しこゝでの議論には差し當り、商品側の、技術的な更には質的な、均衡諸條件は全て滿されてゐるものと前提し、單に其の貨幣的條件のみの考察に注意を向ければ足りる。

總じて資本形成の起點(それは勿論資本蓄積の源泉と嚴格に區別しなければならぬ、貨幣的觀察に於ては剩餘價値の源泉といふ如き實體的な問題には始めから接觸し得ない)は所謂「貯蓄」乃至「節約」("saving")であるが、その媒介者は貨幣資本であり、蓄積の結果は資本財の增加といふ形態をとる。貯蓄によつて形成の起點を與へられ資本財の形で蓄積される資本が、其の形成の過程に於てとる經過的、機能的な中間形態(假の姿)が卽ち貨幣資本であると云ひ直しても同じである。

貨幣資本は資本蓄積の單なる媒介者として、即ちそれ自體蓄積の目的物となることなく、唯貨幣形態での循環をつゞけ、蓄積の結果は必らず資本財の増加といふ形をとつて進行する。それは商品の流通過程に於て、流通手段が商品轉形の媒體であり、商品の經過的な形態であるのと同様である。この點よりしても、貨幣資本による蓄積過程の媒介が圓滑に行はるゝ限りでは狹義動態の展開はなく、本質的に靜態的な過程が與へられるに過ぎぬことが判る。即ち貨幣資本が蓄積過程の中立的な媒介者たることから、積極的な要因に轉化せらるゝことによつて蓄積過程が狹義動態の波動的展開を示すと云はなければならぬが、それは後の問題である。

流通手段が貨幣資本に轉化するためには、第一にそれが家計に流入して所得貨幣となり、第二にそれが消費せられずに「繰越」されねばならぬ。即ち最終消費者が其の未支出餘剰(現金殘高)の一部を消費財購入に充用することを「差控える」ことが其の前提をなす。通常「貯蓄」又は「節約」の語によつて表現するところは即ちそれである。然し屢々用ひられる貯蓄の概念には必らずしも明確でないものが含まれてゐるから、此の用語の正しき意義に就ては二・三の注意が必要である。

第一に貯蓄又は節約なる語に伴はれ易い貯蓄者の欲望との葛藤、其の征服といふやうな心理的乃至道徳的要素がこゝでは直接關係ないことは勿論である。貯蓄は個人の消費節約の積極的意思なくしても優に成立する。資本蓄積は失業者指數の増大する不景氣過程に於てよりも大衆の消費が増大する好況過程に於て増進することは明かな事實である。[1] 社會全體として一期間の生産が消費に超過する時は貯蓄ありと見る。それは抑も個人主觀の問題ではない。

次に貯蓄は資本形成過程の起點であるが其の全部をなすものではない。資本形成の過程は購買力の繰越のみによつてはもとより完了せず、「繰越された購買力」が具體的に資本財へ轉形を了する爲めの豫備的段階としても、更に資本財生産への充用が必要である。卽ちそれは「投資」(investment)せられねばならぬ。私經濟的には貯蓄と投資とが嚴密に區別せられ難い場合が尠くないが、[2] 此の過程を勿論混同してはならぬ。蓋し前者は貨幣の貨幣資本への轉化を、後者は貨幣資本の資本財への再轉化を、夫々意味する別箇の過程であるのみならず、また貯蓄の總額と投資の總額とは現實には常に必らずしも一致しない。其の不一致こそは後述の如く狹義動態の中核をなす問題で物價理論の最も重視すべき一點だからである。それは交換が貨幣の介入によつて販賣と購買に分裂し、この分裂が商品市場に於て販賣と購買との不一致の基礎條件となることが動態論一般に於て抽象を許されざるのと同じである。其の捨象と共に「動態」の生命は喪はれ終るからである。

第三に、貯蓄の存否は社會全體として論定せらるべきものであるから、購買力の「繰越」即ち差控えられた消費財購入への未支出餘剩充用の高も當然社會全體として計量せらるゝことを要する。特定經濟主體の繰越購買力が他の主體によつて消費財購買に用ひらるゝ限り、何等資本の形成が實現せられぬのはもとより、社會全體としても貯蓄の增加は存しない。經濟主體間に其れに對應する資本の客觀的な成立を缺いてつくられた「債權」が殘るのみである。かくの如く繰越購買力は資本財の生產に充用せらるゝことを、即ち貯蓄は投資を、豫想し、投資せられて始めて貯蓄の效果が客觀的に實現するのであるが、然し貯蓄は必らず何人かによつて資本財の生產に用ひられなければ成立せぬと考ふべきではない。貯蓄自體は購買力が單に繰越されただけで充分成立する。繰越購買力が直接何等の充用をも見ぬ時は單なる「退藏」の場合であるが、此の如き貯蓄と投資との切斷を意味する退藏は、恐慌過程の説明に際して重要な因素たること何人も知る如くである。要するに貯蓄の概念は單に貨幣所得の一部が消費財の購入に充用せられない、といふ消極的規定を以て足りる。それは購買力の繰越、詳しく云へば「一期間に於て生産せられた價値以下の消費が行はるゝ場合」簡單に云へば、一期間の生産が消費を超過すること、これである。[3)]

註(1) 巨大所得者が所得の大部分を消費し切らずに蓄積する事實を想起しなくとも、かく云ひ得る。コールは勞働者大衆の貯蓄が社會全體としては重要な意義をもつが、それは大衆の消費の増大と共に始めて可能になる、と論じてゐる。(G. D. H. Cole; Wage and Employment. 國際勞働局東京支局編「一九三一年の失業」四八―九頁)。

註(2) 森川太郎教授、金融經濟總論、一六四―五頁、及び一七二―五頁參照。私經濟的見地に於ては貯蓄と投資とが往々同一の意味のものとして混同せられ易い例として、個人が銀行其他の金融機關に對して預金又は貯金をなす場合を擧げ、節約より投資までの全過程は貯蓄と投資の二過程に分たるべきであるが、それが忘れられ勝ちであると云ひ、更に貯蓄の結果が他人に移轉されて消費目的に用ひられた場合には、原貯蓄者の債權は、それに對應する實質的價値が缺けてゐることを注意し、結局資本財の生産に用ひられて始めて貯蓄の效果が實現すると論ぜられる。同教授の所説に格別の異論はない。唯資本形成過程の前半たる貯蓄過程の獨立化、卽ち退藏に於ても貯蓄は存立すると見、かく見ることは退藏現象の重要性より必要であると附加し

度い。投資は貯蓄に於て豫想されるだけであり此の豫想が必ずしも實現せられないことは、貯蓄の結果が其のまゝ投資せらるゝ場合よりも動態問題にはより重要である。勿論教授も同見と考へる。

註(3) ロバートスンが、其の特有の "Lacking" (saving と大體同じ) の概念を規定して「一期間内にある個人が生産した價値以下を消費する場合」としたのは、此の點より注意を要する。即ち曰く「或る人が與へられた期間内に、期間内の彼の經濟的產出物の價値以下の消費をなす場合に、彼は "Lacking" しつゝある、といふことになる」(Robertson: Banking Policy and Price-Lvel. p. 41) と。貯蓄を一期間内に於ける或る個人の生産と消費との差と解するのでは、本文に述べた如く、全體としての貯蓄額の算定從つて客觀的な資本形成の論定に困難な結果になる。勿論貯蓄は個人によつて行はれるが、生産の消費に對する超過の存否は社會全體として論定せられねばならぬ。ロバートスンは此の矛盾を避ける爲めに "Lacking" に對し、"Dis-lacking" なる概念を導入した。即ちある個人が彼の一期間の經濟的產出物の價値以上を消費する場合を云ふ。社會全體としての "Lacking" (又は "Dis-lacking") の大いさは、全ての個人の積極的、消極的な貯蓄の總計として與へられるから、これならば其の算定に誤算は生ぜぬ。猶彼の "Lacking" なる概念に就ては後述する。

總所得中消費財の購買に向けられる部分と資本財の購入に向けらるゝ部分との割合が一定であれば、當然消費財價格水準と資本財價格水準との均衡は維持せられる。換言すれば總所得中貯蓄せらるゝ割合が一定であり、且貯蓄總額が投資せられて資本財生産に用ひらるゝ限り、即ち貯蓄と投資が一致する限り、資本蓄積と併行して物價水準の安定が維持せられる。かくの如き場合には擴大再生産が均衡を得て展開せられるであらう(其れが含む矛盾と、結局の不可能に就ては後に述べる。)均衡狀態に於て資本財價格と消費財價格との差は利子の大さに等しい。

何となれば均衡狀態に於て價格は生產費(生產價格)に一致するが、其の場合消費財の價格は本源的生產費等しき資本財の價格に對し正に資本財が完成消費財に轉形せらるゝに要する期間の貨幣資本の用益の價格、即ち利子に相當する大さの開き(積極的)をもつ筈だからである。それは本源的生產費等しき現在財の價格と將來財の割引かれた現在價格との比較(ボエーム・フイワツシヤー)として考へれば一層明かであらう。今本源的生產費を等しくする消費財と資本財の價格を夫々K及びPとし、利子をZとすれば、三者の關係は次の如くである。

$$K=P+Z \quad \text{or} \quad Z=K-P$$

利子Zはウイツクゼルが自然利子、ハイエツクが均衡利子、ケーンズが正常利子と呼んだものに相當する。結局利子Zは消費財と資本財との「價格差」として規定される。此くの如き觀點から一定時點に於ける高次の生産財より最後の消費財に至る各生産物相互間の價格關係を、消費財が其の全生産期間の各時點に於てもつ價格の相互關係と考へる「價格の時間的均衡組織」(das interporale Gleichgewichtssystem der Preise")の觀念は、ボエームに淵源しハイエックによつて復活せられた考へ方である。[1] それは兎も角、消費財價格水準及び資本財價格水準間の均衡の維持には利子Zの不變が當然前提せられる。逆にZは兩價格水準間の均衡下に於てのみ一定であり得る。然るに貨幣資本に對する需要は消費財價格と資本財價格との相對的割合に變化なき限り、唯市場金利の函數である。貯蓄の大さも亦同じ條件下に於ては原則として市場金利の高さに依存する。かくて消費財と資本財の價格差に市場金利の大さが一致することが、換言すれば市場金利が自然利子から乖離せぬことが、貯蓄と投資とを合致せしめる爲めに必要にして充分な條件であるといふことになる。

註(1) Hayek: Prices and Production. p. 26.

蓋し市場金利の大さが價格差に等しき場合には、新たな投資の爲めに貨幣資本の需要增加が起ることもなければ、また消費者支出の一層の切詰によつて繰越購買力を、卽ち貯蓄を增加しようとの動機も與へらるゝことがない。結局一期間に成立する貯蓄卽ち生產と消費との價値に於ける差が新投資の全てをなすからである。故に擴大再生產の均衡は貯蓄と投資の一致を、それはまた市場金利が價格差に合致することを條件とする。これを他にしては蓄積と安定物價との兩立は存しない。ウイツクゼルが「貨幣的原因による攪亂作用さへなければ平均物價水準は不變でなければならぬ」となした時彼が想定せるものは此の種の均衡狀態であつた。卽ち彼の所謂自然利子(natürlicher Kapitalzins)とは貸附資本に對する需要と貯蓄せられた手段の供給とが正に合致せる場合の利子を指し、而して金利(Geldzins)の高さが自然利子に一致する時貨幣側要因の攪亂的作用存せず、物價水準は安定を維持すると結論したのである[1]。

ウイツクゼルは、市場金利が自然利子から乖離すれば、それは貸附資本に支拂はるべき費用が消費財と資本財との價格差と等しくない場合であるから、貯蓄と投資の均衡が破れて價格の變動が起ると、論じた。例へば市場金利が自然利子よりも低ければ、資本財の消費財に對する價格差が貨幣資本の用益の價格より大であることを意味するから、資本財生産を有利に導き、新投資を助長し、貨幣資本への新たな需要がつくられるが、反面に於て貯蓄の利益其の吸引力の減少によつて供給は減少する。自然利率が一定である限り金利はやがて高められて二者の乖離は消失する[2]と。かくの如き命題の意義に就ては直ぐ後で論ずる。

註(1)(2)　K. Wicksell; Geldzins und Güterpreise. S. 93 ff.

貯蓄率が一定であり、且繰越された購買力の總額が投資せらるゝ場合に物價水準が不變であることは一應問題なしに明かであるとしよう。では貯蓄率が變化する場合は如何？　消費財價格水準と資本財價格水準との均衡は當然破れざるを得ない。假りに貯蓄率卽ち總所得中繰越さるゝ購買力の割合が増加した場合をとれば、貯蓄の増加分は消費資料の購買に向けらるゝ購買力卽ち「消費者支出」"consumers' outlay" を犧牲にして成立するものであるから、其の全額が新投資に向けらるゝ限り、直接の結果は、消費財價格の低落と資本財價格の騰貴でなければならぬ。然し貯蓄率の變化に相應した生産の變化を介して結局に於て實現せらるゝ結果は如何？

第一に資本財價格の騰貴は新投資の結果が資本財の増加となつてあらはれるまで續く。然しそれが市場にあらはれれば舊水準に復歸するであらう。而して新投資額は生產要素の價格として夫々の所有者に支拂はれて所得貨幣となる。然し其の金額は舊價格水準に於て消費財の賣殘りとなる部分、又は新投資の結果たる資本財の增加分の、何れか一方を購買するには充分な額であるが、兩者を併せ購買するには當然不足である。そこで資本財が舊價格水準以下に低落しないならば、勢ひ消費財價格が低落せねばならぬ。消費財價格の低落は資本財價格との間の價格差Zを縮少する。それは自然利子の低落である。貯蓄率の增加が慣習の變化たる客觀的根據をもつものであるならば、其のまゝ新均衡の出發點となるであらう。然しながら勿論かくの如き自然利子(從つてそれと一致すべき市場金利)と消費財價格の低落と共に貯蓄率、新投資、資本財生產の增加が兩立すべしと期待することは非論理的であり、少くとも非現實的である。消費財價格の低落の反動として、また購買力の繰越によつて消費財生產から遊離された生產要素が資本財生產に充用される半面として、消費財生產がやがて縮少され、結局的には騰貴せる資本財價格と共に、一時低落せる消費價格も舊水準を回復するから物價水準は一時的攪亂を經過すれば不變である、と說くならば、矛盾は一層大きくなる。限られた生產要素の下で擴大再生產を說き、消費財の減產と資本財の增產とを兩立せしめなければならぬ點に於て。

要するに、貯蓄率が不變ならば物價水準の攪亂は始めから存せず、それが變化すれば、消費財、資本財間の相對的價格の變化を通じて物價水準に變化が起るが、貯蓄率の變化が永續性ある慣習的變化である限り、變化せる物價水準は其のまゝ新たな均衡の出發點となる。何れにしても不均衡狀態の持續、物價水準の不安定は起り得ないといふことだけは認め得る。しかもこれ等の二つの場合に共通な前提は貯蓄せられた結果が悉く投資せられ(資本財生產に用ひられ)、投資せらるゝものは全て貯蓄の結果であるとしたことこれである。換言すれば一方に於て貯蓄の不胎卽ち退藏と貯蓄以外の源泉による貨幣資本の供給が共に存せずと前提せることとである。市場金利の自然利子への一致は此の假定の下に於てのみあり得る。それは卽ち、銀行が原貯蓄者の繰越購買力を資本財生產者に移轉するだけの、所謂媒介信用の機關としてのみ機能することを、また貨幣資本が常に唯「繰越購買力」たる限りに於て、資本形成過程の中立的媒介者たるに止ることを、假定せるものである。云はゞ擴大再生產の考察は貨幣側要因の「不作用」の前提下に於てせられたに過ぎぬ。然る限り、物價水準の把握は結局均衡物價としてのそれ以外には出で難く、純然たる靜態過程即ち單純再生產過程に於けると本質的に異るなき結果に到達するのが當然である。自然利子と相關的な價格は本來自然價格に過ぎぬ。ウイックゼルの金利(Geldzins)と物價(Güterpreis)との關係に關する考察が、それだけでは何等物價水準論そのものの建設を意味するものとならなかつたのも其の爲めであつた[1]。

唯、資本蓄積と安定物價水準との兩立の貨幣的條件が貯蓄と投資との合致にあり、市場金利の自然利子への一致にあることを明らかにせる半面に於て、二者の不一致と乖離に擴大再生產の攪亂的展開と不均衡物價の持續を必然ならしむる「貨幣的」作用を歸屬するの他なきことが明かになる。云はゞそれによつて動態物價論展開の出發點が、それに必要な階梯が、提供せられる點に其の效用を認むべきである。故にウイックゼルの研究の效用は勿論更にそれが展開せらるることを要請する。

註(1) ウイックゼルが動態問題の入口まで達してそこから進まなかつたことは、他の見地からハイエックも認めてゐるところである。Hayek: Geldtheorie und Konjunktheorie. S. 60—1.

擴大再生産の挫折なき展開の爲めに要求せらるゝ非貨幣的諸條件が如何に現實には滿され難いものであるかに就ては、資本蓄積論の諸研究によつて充分明かにされてゐる。[1] こゝでそれを繰り返へすの要を見ない。然し本書で取扱はるべき範圍内の問題に限つても、それが非現實的な條件の下にのみ可能とせらるるものたることは全く明白である。貯蓄と投資とは勿論決して常に一致するものではない。二者の一致の爲めには、銀行が單に貯蓄せられた繰越購買力の移轉媒介のみを機能とすることを要し、かく假定することは、キャナンの所謂"cloak-room banking"即ち「手廻品預り所」式業務にて近代的銀行業の本質的限界があるとなすことになるからである。

註(1) 例へば、ローザ、ブハリン等の資本蓄積論。

ところで二者の乖離は、一は貨幣資本の退藏によつて、一は貨幣資本の添加によつて、起ると先づ云ひ得る。前者は繰越購買力の一部が退藏購買力となり貯畜者が退藏者となる場合であるが、投資によつて資本財生産に充用せられ、生産原素所有者の所得となつて再び商品市場に回歸する貨幣流は、退藏者の手許で遮斷せられる。"unspent" margin の一部が "unspendable" margin に轉化せられるのである。後者は反之貨幣資本の流れが回流過程に於て、銀行の創設信用(當座預金の創設と無準備銀行券の發行)によつて膨らまされる場合であり、何人によつても貯蓄せらるゝことなくして貨幣資本が成立する場合である。創設購買力が貸附けられて一期間の貸附資本額從つて新投資額は貯蓄額以上となり、貸附られた創設購買力は生産要素の所有者に支拂はるゝ所得貨幣を增加し、また消費者支出及び未支出餘剩を增加する。前の場合には回流過程に於て貨幣流が自らを短縮し後の場合には增大する。かくの如く其の作用は正に相反するが、それだからと云つて、我々は貯蓄と投資との不一致に退藏と銀行信用との「二つ」の原因があると斷定すべきではない。

　退藏は景氣波動を前提する現象であるが銀行信用の添加はそれを説明する動因である。退藏と云ひ銀行信用の擴張と云ひ、無原因に發生するものでないことは勿論であるが、退藏は景氣波動を前提することなしには考へ得ず、銀行信用の擴張はさうでない。縮少再生産は擴張再生産過程に包攝さるる一齣として しか現實には存し得ない。退藏を流通速度の減少として把握し、流通速度の變化に物價變動の説明契機をもとめんとする、アフタリオン流の貨幣自體價値説乃至貨幣需要説(第四章參照)と、それと親近の關係に立つケムブリッヂ現金殘高説とに共通な循環論法性はこの點に於て全く明瞭になる。ピグーの心理説的、流通速度説的景氣論(Industrial Fluctuations)に於ては、一層それが致命的明瞭さを以て暴露された。流通速度は流通手段としての貨幣に關する規定である。退藏を總過程に於ける貨幣回流(前述)の問題とする代りにかくの如く一面的に取扱ひ、しかもそれを以て景氣變動を説明せんとするに於ては、自ら課題と手段とを全く埋むべからざる距離に懸絶せしむるものである。流通手段の回轉數の增減それ自體が景氣過程の一現象に過ぎぬこと、從つてそれによつて景氣過程の一齣を説明し得ても其の全過程を説明し得ざることは始めから明かである。かくて結局資本蓄積の波動的螺旋的展開の起點としての、貯蓄と投資の不一致に關しては、それを惹起する要因は銀行信用の擴張にのみ歸着する。

擴大再生産の均衡を貨幣數量の一定と共にゑがいたウイックゼルの圖式はそれ自體としても矛盾を含む。第一に資本蓄積率は決して一定ではあり得ない。然るに、第二に、貯蓄率が増加してしかも流通貨幣量が増加しなければ、物價水準と利率とは共に低落するの他がないことは前述の如くである。貨幣量の増加は擴大再生産の均衡の爲めにも當然必要な條件である。だがマルクスの如く、それを金生産の増加にもとめるのでは毫も問題の解決とはならぬ[1]。それは唯問題をそのまゝ殘すだけである。蓋し云ふまでもなく、物價水準の安定を前提する限り、金生産に必要な生産手段、勞働力が更にそれに對應する流通貨幣をもとめるからである。金鑛の採掘は其の結果として成程貨幣數量を増加するであらう。然し必要は出發點に於て、卽ち採掘に着手せらるゝ時に、前拂の爲めに存するのである。結局擴大再生産が要求する流通貨幣量の増加は商品側に無關係に獲られねばならぬ。それは信用によつてつくらるゝ以外にはない。

卽ちこゝで必要なのは「貨幣」量の増加ではなく、單に購買力の、流通手段の増加である。それは資本蓄積の行はるゝ社會に於ける物價の「均衡」。物價水準の「安定」にとつても亦銀行信用の必然を意味するものである。創設信用の支持なくしては蓄積率の増加と共に物價の均衡は破られ、物價水準の低落は免れぬ。然る限り資本畜積自體も亦重大な障壁に衝突するの他はない。こゝに擴大再生產に於ける物價組織の間隙 (flaw of price system) がある。かくて擴大再生產の均衡的展開自體が、實は銀行信用による流通手段の、卽ち購買力の創設を要求するといふ「矛盾」せる結果に到達する。蓋し流通手段が信用によつて創設せらるゝことによつて、物價水準の低落は喰ひ止め得るが、それは貯蓄と投資の一致を破つて得られたものに過ぎぬから、擴大再生產の圓滑なる展開は今度は其の點から破れざるを得ない。結局資本蓄積と安定物價との兩立は全く矛盾せざるを得ず、擴大再生產の均衡的展開の條件を追求すれば論理的にも波動的展開の必然に歸着する。

註(1)　例へば宮川實、擴張再生產（大阪商科大學編經濟學辭典、第一卷三三九頁）を參照。

註(2)　前述の如く、消費者支出の一部分が、貯蓄→投資→生產增加となつてあらはるゝ過程に於て、生產に參與する者の所得となつて再現するが、其の額は貯蓄率の引上によつて減少した購買力を補ふ爲めか、生產高增加分に對する有效需要を形成する爲めか、何れか一方には充分であるが、兩者を同時に滿す爲めには不充分である。これを「價格組織の間隙」と呼んだのはマーチンである。(P. W. Martin: The Limited Market.

かくて擴大再生產も亦、物々交換、自然經濟の矛盾せる假定下にのみ圓滑な無限展開を期待し得るに過ぎぬ。矛盾はどこまでも持ち越されるだけだ。我々はこの種の人爲的な假定を棄て、狹義動態過程を對象とし銀行信用の介與を始めから認めて議論しよう。

三　創設信用の必然

だが其の前にもう一つだけ果して置かなければならぬ準備過程がある。それは抑も銀行の創設信用機能を全的に否認せんとする見解に對する處置である。短期信用による購買力創設の可能を多少でも疑問視する見解が今日猶存することは、まことに不思議なことであるが、事實である。即ち否定説の代表者と看做さるゝものは、就中キャナン[1](Cannan)、リーフ[2](W. Leaf)ライシュ[3](R. Reisch)等である。リーフ氏の如き、實際家[4]が銀行の信用創設機能を否定したことは否定説に重みを加へた點で大きな意義をもつたが、其の反對説は必らずしも烈しいものではなく、又多少不明確な議論でもある[5]。ライシュの議論は、キャナン教授と共通するところが多い。故にこゝではキャナンの見解を顧みることにする。

註(1) Walter Leaf: Banking. 1926.

註(2) Cannan: Money. Its Connexion with Rising and Falling Prices. 1918.

——: Modern Currency and the Regulation of its Value. 1931. 2nd impr. 1632.

註(3) R. Reisch: Die 'Deposit'-legende in der Banktheorie. Zeitschrift f. Nationalökonomie. Bd. I. 1930.

註(4) 周知の如く、氏はウエストミンスター銀行頭取の現職に於て前掲書を書いた。猶實際家の反對の例としては、フオスター・キヤツチングスの擧げてゐる例に、紐育、ギヤランティー・トラストの副頭取フランシス・シツソン氏(Francis H. Sisson)がある。然し氏は一方に於て「銀行も政府も信用を創設することは出來ない。信用は企業及び商業活動の産物であり、かゝる活動の性質によつて制限せらるゝものである」と創設信用を頭から否定しながら、同時に他方では「銀行家は是非共信用總量の擴張を抑制しなければならぬ」と云ひ、又「銀行信用の擴張阻止を目的とする銀行政策を必然ならしむる條件」に就て云々してゐるといふことであるから、リーフ氏以上に明らかに矛盾した議論である。(Foster and Catchings: Money p. 390 參照)

註(5) リーフ氏は、「銀行の貸出能力は預金者の任意に預入るゝ預金の高によつて嚴重に制限せらるゝものである」、「銀行は自ら借りる高以上に貸す能力はもたぬ――それどころか實際には(受け入れた預金の一部は之を準備金として保留しなければならぬから)銀行は自ら借りることが可能である限度一杯に貸出を行ふことも出來ない」と云つて、銀行の業務は全然媒介信用の範圍以上に出で難いと斷定した。然し同時に、「銀行が流通信用の數量を無限に增加することが出來るといふ意味で……銀行を信用の創造者であると云ふのは誤である」と云ひ、創造信用の可能が單に無制限でないことを主張するに過ぎぬ如き表現をもなしてゐる。(Banking: pp. 101—3)

キヤナンの反對論は、少くとも其の語調に於て、最も猛烈をきはめてゐる。彼の反對の直接の的は「銀行預金が物價に影響ありとなす學說」であり、これを「物價の銀行預金說」と名附けた。而して彼によれば、「貨幣に關する近代の凡ゆる謬見中最も頑張なものの一である」[1]ところの、この銀行預金説に對する攻撃の一部として、銀行信用説は論難せられてゐるから、勢ひそこまで追隨して遡らねばならぬ。即ちキャナン教授によれば——

預金者は「銀行に金《カネ》をもつてる」と考へ、「似而非經濟學者」は「銀行に巨萬の金《カネ》が寢てゐる」と語る。然し「銀行の貸借對照表を一覽すれば、銀行に金が寢てゐるといふやうな觀念が如何に明かな出鱈目であるかが直ぐ判る」[2]。銀行は受け入れた貨幣を貸出し、其の一部分を準備金として保持してゐるに過ぎぬ。銀行の業務は媒介信用であり、それによつて金利の鞘を稼いでゐるだけだ[3]。も少し悧巧な「銀行預金論者」は、さすがに銀行が札や鑄貨で一杯になつてゐるとは思つてゐないが、彼等の基礎とする觀念は更に一層誤つてゐる。それは銀行に民衆がもつてゐる貸方勘定が購買力であるといふ觀念であり、從つてもし貸方勘定の總額が增加すれば、財貨及び勞務の購買に用ひらるゝ力即ち購買力の總量が增加したと考へることである。彼等は一度創設せられた附加的購買力がやがて用ひられると、通貨數量の增加と全く同樣に、それは物價引上の作用をもつと假定してゐる。然し銀行預金が通貨の價値即ち一般物價水準に何等の變化を及ぼすことなしに、其の總量を增減し得ることは次の諸點から明らかである。[4]

（一）簿記の方法を改めて、二重計算を省き又は一層增加すれば、それだけのことから預金總額はいくらでも變化する。

（二）銀行の行ふ投資は預金者の代理に過ぎぬ。預金者が預金を下げて自ら直接投資を行へば、（預金引出によつて銀行が手離す證券を、預金者自らが買ふ場合を考へよ）、社會全體の通貨總量にも、證券相場にも何等の變化は起らぬ。

（三）銀行は預金利子を多少引上げ、又は貸出條件を寬大にすることによつて、それまで銀行を通さず個人間に於て直接的に行はれてゐた貸借を、銀行に引きつけることが出來る。貸手は銀行預金者となり、また借手は銀行から借りるやうになる。其の結果預金と借出は共に增加する。

銀行預金の數量變化が通貨數量の變化と同じ影響を物價水準に及ぼすと想定することが全く出來ないことは、これ等の事實に直面すれば自ら明かな筈であるのに、かゝる謬見の勢力を得たのは、――キャナン敎授の想定によれば――大戰中愛國心の支持を受けた爲めだ。[5]戰時中の物價騰貴は財政インフレーションに伴ふ各國通貨の減價に基くものであつたが、自國通貨が減價しつゝあると考へることは何人も愛國心から好まなかつたので、銀行預金と貸出の增加に物價騰貴の原因を歸したのである。もし世界大戰さへなかつたなら、銀行預金論者はとつくの昔に姿を消してゐたに違ひない。[6]「然し戰後銀行預金說の僥倖は忽ち消失した。今世紀の三十年代に於て、如何なる似而經濟學說も此の說以上に首尾の惡い目に遭つたものは少い。物價は曾てと同じく通貨と共に變動し、銀行預金の增減とは全く無關係であることを、示し續けたからである」[7]。

大體初期の銀行預金論者は單純に全ての銀行預金を物價に影響あるものと考へてゐた。然しそれならば郵便局貯蓄銀行に於ける同種の預金を、また更には信用組合、住宅組合等に於ける預金を何故に除外するのか。それ等を除外したのは、さうしなければ、この學說の結果が餘りに馬鹿々々しくて何人にも受取れなくなる爲めであつたに違ひない。それはとりもなほさず、銀行預金說が、まだ銀行に預金勘定などもつたことのない若い學生だけを相手にすることによつて、維持せられる學說であることを、自ら語るものである。預金部から政府に貸付けられる金《カネ》が、悉く全國の大衆の手によつて預入れられたものではなく、其の他に一部分、預金部長（“post-master general”）によつて創造されたものを含んでゐる、それだから物價を騰貴する效力をもつと云つたら誰にも信ぜられる見込はなかつたらう。銀行の支配者は極めて神祕な方法で預金を創造する力をもつてゐるといふ話なら信ずる學生にも。[8] だから銀行預金說は修正が不可避となるに及んで、彼等の領土を廣げる代りに、退いて戰線を短縮するといふ以外に道がなかつたのである。

米國學派は定期預金を早くから預金貨幣中から控除して、預金とは小切手を振出し得る預金("checkable deposits")の意と解してゐた。英國でも當座勘定("current account")に限ることになつた。然し此の境界線も支持し難い點では前述の總銀行預金說(銀行以外の預金を除外する)に於けると變りはない。小切手を振出し得るといふことは、預金の引出しに小切手といふ特殊樣式を用ひるか、口答で用を便ずるか、の技術に關する瑣末な差異に過ぎぬ。當座預金以上に小切手を振出した預金者は小切手が銀行に提示されるまでに、自己の通知預金勘定からそれだけ當座勘定に振替えて置けばよい。もし現金で買物をするなら通知預金を引出すだけである。二者の間に、一は物價を變動せしめ、一は無作用である、といふやうな差が如何にしてあり得るか。小切手による場合に、二ペンスの印紙税の要るだけが差である。米國の定期預金(" time-deposits ")は三十日の豫告期間を要求する預金であるから、それから推せば、英國の貯蓄銀行預金は悉く「要求拂預金」(" demand deposits ")中に加へらるべきである。「時間」の差は結局無力な差別標準に過ぎぬ。[9] 英國の通知預金に於ても、一般に其の豫告期間(一週間)は嚴格に固執されてゐない。又もし出納掛がそれを固執すれば、來週の引出を豫告すると同時に、それを引當に一週間の期限で貸付を受けることも容易である。[10] 論者の中には、預金勘定は投資を目的とし、當座勘定は支拂を目的とする、二者の性質は異る、と云ふものがあらうが、現在預金勘定などを投資目的で利用してゐる者は殆どない。昔はあつたが、さういふ「お婆さん連」はもうとつくに死んで終つた。現在では將來の不時の必要に充てる爲めに保持され、當座勘定が一時的に增加し過ぎれば、其の一部分を預金勘定に振替える。かくして生じた場合が多いのである。[11] 投資に適當な金額となり、又其の機會が來るのを待つてゐる預金勘定もあるにはある。然しかゝる性質の預金は當座勘定にだつてある。當座勘定に利子さへ附せば、英國の預金勘定といふ制度はなくても差支ない。かくの如き場合に預金勘定の全部が當座勘定に振替えられたら、急に貨幣が增加して、物價に大變動が起る、と期待すべきであらうか。[12]
かくの如く、當座勘定と預金勘定との間に境界線をひいて、後者は貨幣であるが前者は然らず、と區別するのは、普通銀行の預金と貯蓄銀行のそれとを區別して貨幣と否とに分つと同じく、必然性なき斷定である。同じ論理を貫くなら、當座勘定中にも本來貨幣であるものと然らざるものとの區別を必要とするに至るであらう。かくの如き戰線短縮は、結局銀行預金(銀行の債務)又は其の一部が貨幣であり、其の増減が物價に影響ありとなす考への、完全な抛棄に向つての、一歩前進を意味するものでしかない。[13]

註(1) Edwin Cannan: Modern Currency and the Regulation of its Value. 2nd Impr. 1932. p. 88
註(2) Ibid., p. 89
註(3) Ibid., p. 90
註(4) Ibid., pp. 91—3
註(5)(6) Ibid., p. 94
註(7) Ibid., pp. 94—5
註(8) Ibid., pp. 96—7
註(9) Ibid., pp. 98—9

註(10) Ibid., pp. 99–100
註(11) Ibid., p. 101
註(12) Ibid., p. 102
註(13) Ibid., p. 103

キャナン教授の預金貨幣説及び創設信用論に對する論難が如何に猛烈なものであるかは、以上によつて充分讀者に傳え得たことであらう。然し勿論「語調の强烈」と「論理の尖鋭とは常に必らずしも併行するものでない。キャナンの反駁論もそれを分別して受けとらなければ教授の努力に功罪何れを歸すべきかを判定し誤る虞れがある。それを徹底的に批判して居る暇と且恐らく必要もないが、反批判として提出せらるべき主なる抗議を要約すれば左の諸點に歸着するであらう。

(一)　キャナンは預金貨幣説と創設信用説とを混同し、少くとも二者を明確に區別してゐないが、ある種の預金が貨幣(正確には勿論流通手段)であるか否かは「質」に關する靜態的問題であり、創設信用の存否は「量」に關する動態的問題である。現金の受入れによつて成立した當座預金が現金に代つて流通手段の機能を果す限り、それを銀行劵などと共に流通手段と認めるのは當然である。此の場合社會の通貨數量には變化が起らぬから、それを以て現金總量に附加的な流通量の增加分となせば二重計算になるのは勿論明である。それに氣付かぬ者はキャナンが架想した「似而非經濟學者」だけであらう。而して如何なる範圍の銀行預金が流通手段と看做さるべきかは、夫々の預金が現實に現金の代りとして支拂に用ひらるゝか否かで定めらるべき問題で、同じ種類の預金中にも然るものと否とがあり得ることは明かである。然し夫々の國の預金制度と支拂慣習の實際上、自ら預金種類によつて大體二者を區別し得ることも事實である。少くとも現金を引出すことなくしては、換言すれば預金のまゝでは、支拂に用ひらるゝことなき種類の預金(定期預金、通知預金等)に就ては、流通手段機能の代行が始めから問題にならぬ。小切手乃至傳票様式を用ふるか否かは此の點で重視される理由があるのである。銀行以外の預金、貯金等はもとより、銀行預金中から「貨幣」に非るものを除外するのは恣意によるのではない。

(二)「物價に影響ある預金」といふ觀念も雜薄で明確なものではない。現金受入れ預金でも支拂に用ひられれば、卽ち流通手段機能を果す限り、現金の代りをなすのであるから、物價に影響あること現金が然るのと變りはない。然し、銀行預金が現金の一部に置き換えらるゝものとしてでなく、附加的な量として物價に積極的作用を及ぼすといふ意味に於てであるならば、其の時始めてある種の預金が流通手段であるか否かの「質」の問題の他に、「量」が問題となる。この場合流通手段となる全ての預金をそれに數えることは勿論出來ぬ。創設預金こそは彼の云ふ附加的な預金通貨であるが、キャナンはかく區別して創設預金の問題に立ち入ることを極力避けやうとしてゐるものの如くである。現金＋當座預金總額＝流通々貨總量　とすれば誤であるが、現金＋創設預金＝流通手段總量又は同じことであるが、現金＋當座預金總額－銀行の支拂準備金＝流通手段總量　であると論ずるだけである。しかも流通手段の總量が其のまゝ物價に關係があるのでないことは誰しも知つてゐることである。存在量に就て流通手段量を先づ確定することは活動態の流通手段のみが物價構成に關係をもつと論ずることを防げるものではない。キャナンが質の問題と量の問題、又媒介信用と創設信用とを、ごつちやにして議論を進めたのは、それを精密に區別して議論しては、創設信用の物價水準に對する能動的作用を全的に否認する彼の反駁が、

「誰にも信ぜられる見込がなかつた」からでもあるのか。少くともかゝる分折と銀行預金の限定は、添加的購買力の確定の必要に基く當然の措置であり、それを「銀行預金說」の全的拋棄への一歩前進を意味する戰線短縮と見るのは觀者の僻目である。彼の反駁は、「まだかくの如き分析などしたことのない『誰か』(まだ銀行に預金などもつたことのない「若い學生」とても、これ位の分析は例外なしに、したことがあるであらう)を相手にすることによつてのみ維持される」、種類のものでなければ幸である。

(三) キャナンは銀行は媒介信用のみを營む、信用の「創設」は不可能である、と頭からきめてゐる。それは銀行預金は全て現金又は社會の既存購買力の姿を變じたものに過ぎぬといふ意味であるが、銀行預金は全て本質上何人かの任意的(自發的)貯蓄に淵源し、銀行は唯かくの如き個人の繰越購買力の保管と移轉のみを業とするものであるとなすのは、結局前節の所說の如く "cloak-room banking" 論を相距る一步(其の一步は單なる「保管」の他に「移轉」を認める點)であり、明らかに非現實的な銀行機能觀である。「繰越購買力」に非る「創設購買力」の現在は極めて簡單に實證し得る。

例へば、「ある種の銀行預金が現金で引出さるゝことなくして、優に支拂に用ひ得る」事實、換言すれば、「銀行が預金として受け入れた現金の一部を他に貸出し得る」事實、がそれを證明してゐるではないか。もつと簡單には「預金が全部現金によつて準備せられてゐない」といふ事實がそれを示すと云つても同じである。[1)]

勿論銀行信用による創設購買力の設定は、預金形式に於てのみならず、發券方法による銀行券形式をとつても成立する。其の實證は全く必要なき程周知の事實である(無準備銀行券の存在――全額準備の不必要)。單に創設信用の可能乃至其の實在を實證して、否認論を顚すだけなら、何人も知り過ぎる程知つてゐる、この簡單な事實を指摘するだけで充分である。[2)]

註(1)　ナイサーは、「小切手預金(Scheckdepositen)が一〇〇パーセントの現金準備をもつてゐないといふ事實だけでも、銀行信用が通貨創設の性質あることを證明してゐる」と云つた。Hans Neisser: Der Tauschwert des Geldes. 1928. S. 54—5. 又 Hayek: Geldtheorie und Konjunktheorie. 第四章第五節 (S. 88-92) の添加信用に對する實際的、數字的說明は、要約すると結局右の三點に歸着せしめられるであらう。

註(2)　預金準備率二割、出發點の現金受入預金一〇〇、とすれば、銀行は八割卽ち八〇を貸出し、二割(二〇)を準備金として保留しなければならぬ。これだけを獨立に考へるから、リーフの如く(前掲)「創設」はもと

より受入れた「全額」さへ貸出し得ない、との議論が生ずるのである。

然し貸出された購買力八〇の回流の行衛を最後までつきとめれば如何？　勿論其の回流の結果を論定するには種々の假定が必要であり、現實にはもとより一樣な結果を期待し得ないが、貸出された購買力の一部は銀行に再び預金となつて環流することだけは疑ない。この過程を繰越し追及すると、個々的に見れば受入現金の一部貸出であるが、それにも拘らず、銀行預金の總額は出發點の受入現金一〇〇を超過するといふ結果に到達する。

も少し簡單な考へ方は、貸出が當座預金の設定といふ方法で行はれると考へることである。これによれば、第一回の貸出と共に預金合計は一八〇となり、其の場合の現金準備（二割）は三六で足りるから、現金八〇中の八割（六四）が更に貸出に運用し得るものとして遊離される。此の過程を無限に繰返すことは、結局無限等比級數の總和をもとめる計算問題に歸着する。（$a+ar+ar^2+\cdots\cdots+ar^{n-1}=a\frac{1-r^n}{1-r}$　從つて無限等比級數の總和は $\lim_{n\to\infty} a\frac{1-r^n}{1-r}$ 故に、$r<1$ なるときは $a\frac{1}{1-r}=\frac{a}{1-r}$ となる）

だから一層簡單には、受け入れた現金を悉く準備金として、其の上に當座預金を設定すると考へれば、成立する預金總額の極限が直ちに到るのである（準備率二割の假定の下に於ては五〇〇$\left(\frac{a}{1-r}=\frac{100}{1-0.8}=500\right)$。猶、櫛爪明男氏、貨幣論、一九六頁以下參照）このことから當然次の結論が生ずる。卽ち流通手段が全て小切手となれば（準備率零）預金は無限に設定し得ると。勿論それは、技術的な可能に就てだけの話である。且その意味に於ても銀行が一つだけしか存在しないと前提（單一銀行の假定）しなければ無限創設の可能は結論し得ない。況やかくの如き亂暴な銀行經營が現實にあり得ないことは云ふまでもあるまい。現實に於ては勿論銀行經營は技術的可能よりも「經濟的」可能の限界內に制約せられる。然し我々が論證しなければならぬのは、何も銀行信用の無限擴張の可能ではない。銀行併存の事實の下に於ても全國の銀行が協調を保つことによつて、信用擴張に技術的制限は何等存せざることを確かめれば足りる。然る限り、「經濟的」條件がそれを許す場合に、經濟的に可能な（有利とする）範圍內に於て銀行が信用擴張に自ら赴く傾向の存することを論定し得るであらう。然も資本蓄積の進行と共に、銀行が信用擴張によつて利益を得る機會は、常に、又は繰返し與へられつゝあるのが現實である。（それに就ては後節參照）。

かくの如く、銀行信用の購買力添加作用を否認することが、非現實的であるのは全く明瞭である。然しかくの如き見解は、それが資本蓄積との關係に於て重大な矛盾に逢着すること、換言すれば、かくの如き斷定は結局資本蓄積の進展、擴大再生產の展開を否定しなければならぬ結果となることに於て、更に一層重大視せられねばならぬ。勿論否認論者はそれを意識してゐないが、論理上さうならざるを得ず、この點に於て否認說の缺陷は致命的である。

蓋し銀行信用による添加的購買力の設定なくしては、物價水準の果てしなき低落を伴つて蓄積增加が展開せらるゝと期待しなければならぬ。それは既に大きな矛盾である。物價漸落過程に於て擴大再生產の强化があるといはなければならぬのであるから。更にもしかくの如き假定下に資本蓄積の進展をゑがくならば、消費財價格と資本財價格との鞘寄せによつて、平均利潤乃至自然利子（前述Z）は急速に零《ゼロ》となるの他ないであらう。この假定の下では、利潤率乃至利子率の低下は、資本主義生産に不可避な結局に於ける（長期的）傾向としてゞはなく（この差異は極めて重大である）、單に一期間の蓄積が忽ち直面すべき絶對的障害を意味するものと結論せられねばならぬ。此の障害に直面して次の生産期間には蓄積率が低下せられるか、然らずんば價格差Zの減少の障害を犯して更に蓄積増加が續けられるか、であるが、何れにしても資本蓄積は全く購買力の不足といふ單なる「貨幣的」條件（の不備）のみの故を以て忽ち行詰るべき必然の運命下にあるものとしてゑがかれる。それが此の種の擴大再生産である。

　購買力の、卽ち流通手段の不足は市場金利の昂騰と兩立する筈である。それが此の構圖では自然利子が急速に零となる（又は零に向つて突進する）過程に於けるものとしてゑがかれてゐる。それは第二の矛盾である。それよりも貨幣的條件の不備によつて資本蓄積が忽ち行詰るとする結論は一層注目に値する第三の、そして最大の矛盾である。銀行信用の介與を認めない論者の到達すべき擴大再生産の姿はそれ以外にはない。それは資本主義生産の「寓話」化である均衡擴大再生産説の「作り替え」に過ぎぬ。銀行信用説を根據なき銀行學説の「傳説」“Deposit-legende”（前掲ライシュの反駁論の題名）なりとする反駁者が、實は自ら寓話の作家であるに過ぎなかつたことを知る。銀行信用の作用を過大視する見解（例へば其の創設が無限に可能であるとか、其の統制が任意に可能であると假定する如き、現實の銀行政策が物價水準の上にもつ影響力を過大視する如き）を「偏貨幣的」の意味に於て、「貨幣的」學説と呼ぶのが通常の例であるようである。然し銀行信用の介與を認めない學説も亦、資本主義生産の現實としての擴大再生産に關する限り、全く同じ程度に「偏貨幣的」學説である。添加購買力の否認の結果、流通手段の不足といふ消極的な「貨幣的」條件のみによつて、利潤率が零となり、資本蓄積の進展が、擴大再生産の展開が、忽ち不可能に陷る、と結論する點に於て。二者の差は、偏倚が積極的であるか消極的であるかの差だけである。擴大再生産の展開に添加信用の介與が必然であることを論定し、銀行信用の作用を正當に評價して樹てらるゝ「貨幣的」理論は、だから本來其の形容詞を除かれてよいのである。

四　銀行信用の作用としての動態物價構成

もとより資本蓄積の進行に、「貨幣的」障害がそれを阻止する力をもつであらうとは、他愛なき夢である。他面擴大再生産の均衡も亦蓄積率が變化すれば——「新」貯蓄が行はれれば、——不可能であり、前述の如く購買力の添加を要求せざるを得ぬ。然し勿論銀行信用によつて購買力が添加せらるゝ限り、其の結果は均衡の實現に非ずして、「時間的に引き延ばされた不均衡」となるの他ない。現實に於ける蓄積過程、再生産過程の、展開が波狀運動として顯現することと、銀行信用が其の過程に介與することとは、共に必然であり、不可分である。かくて問題は、擴大再生産の波狀展開の「姿」が本質的に銀行信用の作用であることを論證することだけに歸着する。物價水準の「動態」は、乃至動態物價の構成は、それに係はつて解明せらるゝであらう。

そこで以下出來るだけ簡單に結果を要約しよう。

先づ、我々が前節に於て、其の必然であり、且現實であることを確かめた添加信用が、銀行業務の實際に際し、如何なる金融技術的方法に賴つて行はるゝか、は今第二義的な問題でしかない。[1] また一國の支佛用預金總額中、其の幾何が添加信用の結果であり、創設購買力をあらはすか、を如何にして具體的に算定するか、及びその困難[2]も、我々が今係つてゐる理論の問題には相關するところなしとし得る。我々の關心は專ら其の作用にそゝがれる。

註(1)　創設信用は、出發點となる貸出需要の性質就中起因、貸附方法、設定せらるゝ預金の種類等と全然無關係ではあり得ないとは誰しも一應考へるところである。それは誤ではない。然しそれでは逆にそれは
(一)、銀行業務の特定技術に關するか、
(二)、個別的に決定し得るか、
と問へば、忽ち複雜な問題に逢着する。何人かの「貯蓄」の結果によつて、銀行の手に入つた購買力を貸出す場合、即ち移轉信用に際しても、貸出の技術に格別の差異はない。故に「貸附の振替え」といふ方法によつて成立する當座預金を全て直ちに創設預金となせば誤に陷る他ない。今こゝでこの問題に深く關與してゐる暇がない。H. Neisser, A. Hahn, R. Stucken, W. Röpke. 等の景氣論乃至銀行信用に關する著書に讓る。讀者が一層容易に手にし得る文獻としては、高田保馬教授、景氣變動論（日本評論社版、經濟學全集）第六章、第三節に、優れた敍述を見出されるであらう。

註(2)　「創設信用」論を通俗的に強調し、その流布に貢獻し（過ぎ?）たハートリー・ウイザースは曾て英國主要銀行の預金中 3/4 までを創設預金なりとした。(H. Withers: The Meaning of Money. p. 63) またフォ

スターが米國預金の八〇%以上をそれに歸した（Money. p. 29）ことも周知の如くである。然しかゝる概算にどこまでの根據ありやは疑はしい。貸附の振替によつて成立した當座預金を直ち創に設預金と見るの誤は前述（前註）の如くである。而もそれが支拂に用ひられて消滅しても、他の企業者の手から當座預金として銀行に環流した場合、後の當座預金は直接には受入預金であるが前者の置替え持續に過ぎぬ。貸附の振替によつて生じた預金がかくの如く順次移轉せられて間接的な姿をとる時、それをつきとめることさへ實際には不可能に近い。それをつきとめ得たとしても、それが直ちに創設信用の高さを示すものとはならぬ。かゝる煩鎖といふよりも不可な方法によらずに、現金準備を超ゆる當座預金額を算定する方が遙かに簡單である 時點に關する問題としてならば、勿論それで充分に答へられる。然し或る「期間」に關する場合には猶困難が殘らう。一期間の「貯蓄」によつて成立する預金の高が確定せられない限り、この意味での「創設信用」の大さを確定し得られない。

添加信用の第一の作用は投資を貯蓄に超過せしめ、以て物價水準の低落に支柱を供することである。銀行信用によつて作らるゝ購買力の添加なき限り、投資せらるべき貨幣資本の供給は、貯蓄高によつて制約せられ、投資の増加は消費財の購買に向けらるゝ購買力を減少することによつて、換言すれば、消費財價格低落の犠牲によつてのみ可能となる。從つて此の犠牲が結局資本財價格、資本財生産、貨幣資本需要の高位を維持し難くする。（かくの如き物價組織の「間隙は購買力の添加によつて埋められる。添加作用によつて消費者支出を犠牲にすることなくして先づ貸附資本の供給が増加せられる。附加せられた貸附は資本財生産者の手から、(現實には附加的貸付の要求者は商人、消費財生産者、資本財生産者の何れでもあり得るが、其の何れであつても、結局資本財生産の擴張が消費財の増産及び商人のストック増加の起點となるから、便宜上始めから附加的貸附の請求は資本財生産者によつて發せられると考へてよい)、生産費として支拂はれて、勞働者其他の貨幣所得、消費者支出の増加を結果する。貯蓄の强化によつてなされた資本財の生産増加に於ては、(資本財の増産から結果せらるゝ)生産要素所有者の所得流は、貯蓄によつて遊離された消費財流又は資本財増加分の何れか一方のみを購買するに充分であつたに過ぎぬが、銀行信用は此の兩者何れをも賣殘りなしに購買せらるゝことを可能にする。かくて貯蓄によつて投資増加が支へらるゝ(貯蓄額＝投資額)限り、避くべからざる物價水準の低落が銀行信用の購買力の添加作用あるによつて(貯蓄額＜投資額; 又は貯蓄額＋添加信用＝投資額)、回避せらるゝのである。

否其の直接の作用は當然物價水準に對し低落阻止以上に及ばねばならぬ。何となれば、一部消費財流の購買力からの、貯蓄によつて生ずる遊離が、この場合には存しないからである。即ち資本財の増産に際し所得として各生産要素の提供者に歸する購買力は、銀行の附加的貸附に發足する限り、差當り對應する消費財流を缺いてゐる。消費財價格は騰貴しなければならない。かくの如き消費財價格の騰貴は、其の半面に於て、「貨幣」の、より適切には、消費者支出の、實質價値を自動的に切り詰める作用をもつものであり、これ所謂「强制節約」(erzwungenes Sparen)の現象である。これは創設信用の直接的作用として第二に擧げねばならぬ重要な現象である。

蓋しこの强制節約乃至「强ひられた貯蓄」こそは、銀行信用の擴張によつて惹起せられた購買力の添加に、更に第二の信用擴張を結合する紐帶となり、銀行信用の擴張を一つの「自動運動」として展開せしむる媒劑となるものであるからである。

貨幣所得の回流は創設購買力がそれに加はることによつて膨脹し、最終消費者の購買力を、それに對し賣らるべき消費財流に超過せしめる。其の超過は、現金殘高の變化がなければ、添加信用の大さに相當するものと看做し得る。全體としての所得者は、消費財價格の騰貴を通じてそれだけ自ら生産せる價値の消費を自動的に抑制せしめられるのである。所得者は貨幣所得の全額を消費に振向けて然かも自ら生産せる價値の全部を消費することは出來ぬ。換言すればこの場合貨幣所得の一部を自發的に「繰越購買力」に轉化することなしに、無意識的且必然的に消費の差控えを要請せられるのである。個人は其の期間の貨幣所得の全部を消費財の購買に支出しつゝ、確實に「節約」しつゝある。

それは何故であるか。彼等の購買力の自發的「繰越」を俟つまでもなく、所得構成の出發點となつた銀行信用の擴張によつて云はゞ事前にそれだけ「前借」されて終つたからである。創設購買力は、かくの如き直接的な結果までの段階に於ては、常に「前借購買力」として機能する。消費者個人の意識的、積極的消費抑制なくとも、現實に自己の生産せる價値の全部を消費し得ない限り、一種の貯蓄がある。任意的自發的貯蓄に對應して、强制的、自動的貯蓄と呼ばるゝ所以である。二者を併せて廣義の「節約」乃至「貯蓄」と見れば、貨幣資本は常に貯蓄によつて供給せられ、貯蓄と投資とは如何なる場合にも一致せざることなく、資本の具體的な形態(資本財)に於ける形成(Kapitalbildung)は常に貯蓄卽ち生産の消費超過によつて可能にせらるゝと云ひ得るであらう。然し任意節約の場合には投資にそれが先行し、强制節約の場合には投資がそれに先行しなければならぬ。前者に於ては、資本財形成は貯畜の結果であるが、後者にあつては却つて貯蓄が投資の結果である。銀行信用の擴張卽ち創設信用は、だから投資が貯蓄に先立つて存する場合である、と定義してもよい。

此の場合投資に際して行はれる生産要素の購買は、販賣によつて先行せられざる購買であり、其の時用ひらるゝ購買力は先行給付を缺いて成立した購買力である。「賣」と「買」とは完全に分裂してあらはれる。現實の蓄積過程に於て、自發的消費節約乃至"Waiting"と暗默の裡に行はるゝかくの如き大衆への强制課徵とは、大いに其の役割を異にせざるを得ない。後者は景氣過程に於て景氣利潤源泉としてあらはれる。其の意義は現實的にも極めて重大である。[1]

註(1) 任意節約と强制節約とを包括する組織的な節約概念の精密な分析を試みた者はロバートスンである。H. Robertson: Banking Policy and the Price-Level. 3rd. Impr. 1932 Chapt. V. "The Kinds of Savings")
彼は "saving" なる語に含まれる意識性を除く爲めに、"lacking" なる語を以てそれに代え、其れを單に

"going without" を意味するものとした。而して普通に所謂 "saving" を "spontanious lacking" と呼び、其の他に「自動的なるもの」"automatic lacking" と「誘導せられたもの」"induced lacking" とを區別した。前者は大體普通に所謂「强制制約」に當るものと見てよい。然し彼は彼が「自動的切詰 "automatic stinting" と呼んだ現象から間接的にそれを説明し、而して自動的切詰とは、(1)個人が手許金の減少、即ち「退藏の解除」"dis-hoarding" を實行する場合と、(2)創設購買力が政府又は個人によつて支出せらるゝ場合との、二つの原因によつて起る、としたから、强制節約論者が普通に關説する場合よりも、自動的な節《ラツキング》約は包括的となつた。日々市場にあらはるゝ財流と貨幣流との均衡は何れの場合にも破れ、貨幣流は附加的な部分を含むことゝなるから、財流の一部は附加的貨幣の所有者の獲得するところとなり、殘餘の消費者は、然らざる場合に享受した筈の消費の一部を奪はれる結果になる。自動的切詰は個人の消費が其の期間の產出物の價値以下に低下せしめられる場合に "automatic lacking" を含むと説明された。(p. 47—8)

更に彼は自動的 "stinting" 及び "lacking" の反對の場合を "automatic sprashing" (自動的超過消費) 及び "automatic dislacking" であるとした上、全ての個人が同時に適當な割合で現金殘高を減少(dishoard)すれば、相互に自動的切詰を課することゝなるから、自發的な退藏解除に含まるゝ意識的な dislacking は正しく相殺されて實現せず、結局 lacking 及び dislacking の何れもが、何人にも存せぬ結果となる、同樣に全ての個人が同時に適當な割合で手許金を增加しても、其の爲め何人も實質所得を喪ふことがないことを指摘した。(p. 48—9)。

誘導的な場合 ("induced lacking") とは自動的な節約が起つて實質所得が減少した爲めに、現金殘高(手許金)をある水準まで高めんとして、各人が其の期間の產出物の全價値を消費することを抑制する場合を稱したのである。即ち半自發的半他動的な場合である。全く自動的な場合とこれとを併せ呼ぶ必要のある場合には、彼は「賦課せられた節約」"improsed lacking"なる語を用ふべしとし、財政インフレーションの課税的機能は此の二つを含むことに注意を喚起した。(p. 49)。其の區別と命名は確かに煩鎖であるが、精密さは高く評價されねばならぬ。且彼が、生産期間及び所得回流の周期を日數で計算し、現金殘高の增加と減少(hoard及びdishoard)節約と其の逆(lacking及びdislacking)を日々の財流乃至產出物の價値との比較に於て論じたのは其の概念規定に齊合な方法であつたと云ひ得る。

然らば一期間の全體を視界に置けば、やがて所得構成に後れて增加せる消費財流があらはるゝことによつて前の强制節約とは逆に、消費者に自動的超過消費を可能ならしめ、其の間に全體としては相殺が成立つと、期待し得るか。否。それは價格が需給の全能な調節者としての機能の發揮を許容且保證せらるる限りに於てのみ期待せらるゝものに過ぎぬ。それは靜態の假定下にのみ許さるゝ推論である。今我々が視てゐる、否正確には、將に一歩をそこに踏み入れたばかりの、世界は、それと本質的に異つてゐる。もし銀行信用の擴張が一回限りで絶たれるならば、早晩かゝる過程があらはれるでもあらう。然し正に强制貯蓄なる現象がそれを決定的に不可能に化しつゝあるのである。

消費財價格の騰貴は資本財生産擴張のよき誘因となり、新な貸付資本の需要を喚起し、第二の創設信用を促進する。もし第二の銀行信用の擴張が行はれれば、其の直接的結果は、消費財價格の低落ではなくて、更に其の騰貴である。かくて第一の添加作用によつて惹起せられた物價水準の「一時的」不均衡は其のまま否擴大されつゝ持ち越される。强制課徵を「相殺」する過程は、ずつと後になつて、即ち信用擴張が限界に達し、「反動」として其の收縮過程が開始せらるゝに至つて、消費財價格の漸落を通じ始めて實現せらるゝに過ぎぬ。それがかく遲れてあらはるゝ時、最早其の「相殺」が完全なものであるといふ保證は全く存しない。動態過程に於ては、「對應」はあつても、「相殺」は本來存しない。强制貯蓄は結局「課徵」の性質を以て終始すると云はねばならぬ。かくて先に、信用擴張の「直接的結果」と見て置いた消費財價格の騰貴は其のまゝ持續され、その修正がひきつゞいてあらはれることはない。新なる軌道上の運動がそれと共に始まるのである。

かくの如く、銀行信用の擴張によつて消費財價格の低落は阻止されるのみか積極的に騰貴せしめられる。而してそれが更に資本財生産擴張、即ち信用擴張の因となる過程に於て、價格は需給の調節者たる役割を、形式的には何等捨てるものでない。しかも其の結果が不均衡の調整と逆に進むのは何故であるか。それは物價水準が信用によつて「膨らまされ」(inflated)て、企業者の、また信用授與者の、信賴し得る指針ではなくなつた爲めに他ならぬ。然も「價格經濟」に於て生產計畫の直接的な據り所は、第一に價格水準の高さであり、其の動向に對する可能な限りでの見透しである。此の意味では、原理上、價格が需給の調節者たることは如何なる場合にも喪はれない。

だがそれに信賴して行はれる生產計畫が均衡の實現に有效であるか否かは、物價水準自體の性質によつて異らざるを得ぬ。添加信用の介與なくして成立する物價水準は原理上かくの如き期待をあざむくものではない。然し信用によつて「膨らまされた」物價水準は最早同じ效果をもち得ない。それは價格水準自體が本質的に均衡價格乃至靜態價格と異つたものとなつてゐる爲めである。より適切に云へば、物價水準が「虛僞」のものとなつたのだ。これが創設信用の第三の作用である。全ての俊敏な企業家と愼重な銀行家がそれに依賴して行動した結果が、後から悉く「錯誤」であつたと論證せらるゝ時(而して其の時になれば誤謬は智者を俟たずして明瞭になるが、前には何人にも知られなかつたのである)錯誤の原因は客觀的な指標自體の裡に含まるゝ「虚妄性」(Fälschung)[1]にあるといふ他はない。

かくの如き價格構成の虚僞乃至僞瞞は强制節約現象の半面たる高き消費財價格に始まる。卽ち物價水準の虚妄性と動態性は、創設信用の作用である。消費の自發的抑制によつて、換言すれば任意貯蓄によつて支持せらるゝ投資増加の際に不可避な、前述せる如き物價組織の間隙は、銀行信用の擴張によつて埋められるが、其の代償として是非共價格社會が支拂ふことを要求せらるゝものは、かくの如き價格構成の虚妄化現象なのである。それは擴大再生産の展開が結局回避し得ざる矛盾である。

註(1) Hayek. a. a. O. S. 76.

價格構成が僞妄的なものとなれば、價格差卽ち利子も亦當然さうなることを免れ難い。消費財價格の人爲的な(信用によつて惹起せられた)騰貴は、資本財との價格差(Z、第一節參照)を擴大する。これを自然利子と呼ぶべくんば(ミーゼス、ケーンズ、ハイエック等多くの論者はかゝる場合にも依然自然利子、正常利子、均衡利子、等の名で呼んでゐるが、動態に「自然」利子は存しない。勿論不當な稱呼である。然し他に適當な稱呼がないことも事實である。こゝにも動態への接近が均衡的概念の適用によつてなさるゝことの矛盾と其の避くべからざる擬制があらはれてゐる）、自然利子は人爲的に高められる（この矛盾を注意せられよ。「人爲的に高められた自然利子」！）。即ち創設信用は市場金利を常に自然利率に比して低からしめる。[1] これが第四の作用である。かくて金利は其の自然率より乖離し、銀行が課する利率は何等貸附の、また貸附資本の需給の、信頼し得る調節者ではなくなるのである。かくて銀行の貸附利子は自ら過大の貸附需要を其の窓口に牽きよせる。金利は貨幣資本の用益價格であるから、價格構成が虚僞的となればそれが然るのも不思議でない。

註(1) 多くの論者は此の明白な「矛盾」の表現を避けんとして、自然利率「一定」の假定下に於て、銀行信用の添加が市場利率をそれ以下に引下げると説明してゐる。従つて市場金利を創設信用の結果「人爲的」に引下げられた利率であると云ふ。例へば、Mises: Geldwertstabilisierung und Konjunkturpolitik. S 57 ff. 然し

かく見ることに根據は格別存しない。自然利率を以て貯蓄（任意的）の供給と貨幣資本の需要（投資）とを均衡せしめる利率であるとした出發點の定義を忠實に守らうとの意味以外には。然し均衡狀態を前提する此の定義を固執することと、銀行信用の擴張が論者の期待する作用を以て導入せらるべしとすることは、明らかに矛盾する。信用擴張の誘因が「新結合」（シュムペーター）に結びつけられようと又論者の所謂「經濟外的」な突發的變動によつて與へられると論ぜられようとも、此の點では、差異はない。貨幣資本に對する新需要にさそはれて銀行信用の擴張が行はれるのであれば、需要それ自體の起因如何に係らず、金利が積極的に引下げられると論ずる餘地はないからである。却て新需要の成立は、貯蓄と貨幣資本の需要とを均衡せしむべき自然利率を、以前のそれより昂騰せしめると論ずべきである。故に強いて創設信用の作用をば、金利を積極的に自然利率以下に低下せしめる點にあると結論せんとすれば、始めから動態過程を前提し、從つて添加信用の不斷の介與を前提して、沈滯過程に於て市場金利の自然利率以下に下ることが、貨幣資本に對する新需要を創造するとでも說く（例へばカッセル）外ないであらう。

故に我々は自然利率を一定と前提し、其の以下に金利が低下すると論ずる必要を見ない。創設信用によつて銀行の貸附利子は引下げられないが、消費財價格の騰貴によつて資本財との價格差が擴大し、この價格差（卽ち均衡概念を以て擬制すれば自然利子）に比して金利が相對的に低過ぎる結果があらはるゝに過ぎぬ。換言すれば、銀行が此の價格差まで均衡の實現を期待すべくんば、金利を引上ぐべきにそこまで引上げない、といふだけのことである。否正確にはそこまで金利を引上げ得ないのである。何となれば價格差の擴大が貸出擴張の結果なのであり、金利を引上げても貸出擴張と同時に價格差は更に擴大するからである。（後述）。

かくの如く、信用擴張の、單に一時的直接的結果に終るべかりし不均衡は、强制貯蓄に於て、物價の人爲的騰貴に於て、金利の自然率よりの乖離乃至自然利率の人爲的昂騰に於て、全く新しき運動の展開に結びつき、「それ自らの擴大再生產」の出發點となる。それは信用擴張が信用擴張の自動的展開の動因となるといふのと同じである。消費財の騰貴が價格差を增大し、價格差の增大が投資を有利に導き、投資の增加が强制貯蓄の增加を、消費財の騰貴を、支援する。「物價が高いので物價が上る」のである。これは全く事實に於ける循環論法の虛僞だ[1]。物價の騰貴は市場心理と樂觀に導くが、樂觀は銀行からの新規の借入を助長し、新規の借入は(所得流の增加、强制貯蓄の强化を通じて)販賣を促進し、販賣の促進は當然更にまた一層の樂觀を煽る。この全循環は、從って「景氣」は、銀行信用の本來的な不安定性に基くものであり、即ちその自己發展の作用に他ならぬ。こゝに到つて信用擴張の「作用」も一應完結する[2]。

註(1) 信用の運動は擴張の場合にせよ收縮の場合にせよ自己發展的であることを、事實に於ける循環論法の虛僞として指摘したのは、ホートレーである。Hawtrey: Trade and Credit. p. 14, 93, 97.

註(2)　銀行信用の擴張が繼續せられざるを得ぬ所以を、こゝでは極めて簡單に述べた。現實に於ける其の過程は勿論複雜で遙かに多くの他の要因の介在を認めねばならぬ。例へば流通信用との關係は其の一である。現實の生産擴張に際して、擴張せらるゝものは銀行信用だけではない。流通信用（手形信用又は帳簿信用）の膨脹がある。後者は前者と有機的な關係にあり、一の膨脹が自ら他のそれを導く。販賣增加傾向に應ずる爲めの手持品增加の必要に際して、小賣商は卸賣商から追加的帳簿信用を仰ぐことが出來る。卸賣商は製造業者に手形信用を許容をもとめることが出來る。製造業者も其の負擔の一部を原料商又は原料製造業者に轉嫁し得る。然し結局最後のものは銀行に新規貸出をもとめる他はない。又賃銀俸給等の人件費の調達には流通信用は全然用ひられぬ。故に追加注文に際して一部分流通信用に依賴し得る立場にある業者も、人件費的費用は銀行信用に賴る他なく、物件費的費用も結局は何人かによつて銀行の添加的貸出を仰ぐ以外に調達され難い。(Foster & Catchings: Money. p. 266—7)　更にまた價格騰貴に際しては銀行は確かに信用擴張によつて利潤を獲得する。銀行は其の打算上信用擴張傾向に赴くことを避け難い。堅實な銀行がかゝる際に顧客を拒絶することは單に彼を同業者の窓口に赴かしめるだけであり、利得の機會を態々他人に讓るだけに過ぎぬ。かくの如き顧客と銀行との信用擴張に於ける利益の一致が、それを「圓滑」に進行せしめることも事實である。其他信用擴張傾向の說明はどのやうに複雜にすることも可能であるが、其の根本的な構造は、本文に述べたところより以外には出でない。右の二つの補足的說明も、物價騰貴が共に出發點になつてゐる。

銀行信用が自動的に擴張を續ける限り、不均衡物價は決して根本的に整調せられず、却て擴大持續せられる。それが持續せらるゝ限り、貯蓄(任意的)が投資の高を決定する代りに、投資(信用によつて附加された)が貯蓄(强制的)の大さを決定する。又自然利率が市場金利を支配するのではなく、自然利率自體が市場金利によつて(貸出增加——價格差の增大、を通じて)間接に定められるのである。全て正常狀態に於けると逆の過程があらはれる。これ等の現象は全て一面に於ては信用擴張の結果であり、又景氣を構成する諸現象であるが、而もかくの如き正常的關係の錯倒の中に信用擴張の自己發展の有限性が、換言すれば恐慌の必然が、既に含まれてゐるのである。

第一に、消費財價格の騰貴は前述の如く强制貯蓄と併行して始めて存立する。これが景氣の根本支柱であり、それは生產要素の提供者がその所得の價値を完全には實現し得ざることによつて成立つ現象である。其の擴大累積がやがて行詰るのは當然である。第二に、全循環は「時間的要素」“time factor”の介在による乖離作用を其の根幹として成立つてゐる。强制貯蓄と消費財價格騰貴の實現がさうである。新資本財の生產によつて成立する所得流は同じ時に自らに對應する消費財流を缺いてゐる。換言すれば賃銀の支拂は生產物が完了して市場に到達する以前に前拂される。賃銀支拂の時とそれに該當する財貨の販賣との間には時間的距りがある。現在の購買力乃至消費者支出は現在の財流と相表裏せず、消費者支出は一つ前の生産期間に於て生産せられた財流の購買に向はしめられる。これが前述の如く强制貯蓄の祕密であり、消費財騰貴の原因であるが、實にこゝに信用擴張の繼續を必然にし、又恐慌を可能ならしむる因子が潛んでゐるのである。

蓋し强制貯蓄を實現せしめる所得流と財流との間の time-lag は、之を逆に財流の側から見るならば、附加的生産物が市場に齎らされた時、本來それを購買すべきものとしてそれに對應する所得流が全然存在せず、既に前期生産物の購買によつて消費されて終つてゐることを意味するからである。勞働者の需要が彼等の生産しつゝある財貨に對してではなく、既存の財貨に向はざるを得ないこと、彼等の生産しつゝある財貨は次の生産過程に於て受取る賃銀によつて購買せらるゝの他ないといふことは、もとより單純再生産に於ても存する。然し同一スケールの生産をくりかへす單純再生産に於てはこのことが均衡の破壞に結びつくことは決してあり得ない。動態に於て始めてそれが起るのである。問題は賃銀の總額と財流の全體との關係に於てゞはなく、銀行信用によつてつくられた添加購買力の變形たる添加的所得の流と、附加的生産物との關係に於て發生するのである。即ちある期間の附加的生産物は次の生産期間に形成せらる附加的所得によつてのみ購買せられることが出來るといふ點である。それは勿論次の生産期間に於ても添加信用が繼續せられねばならぬことを、もしそれが絶たれる限り生産物の賣殘りと價格水準の崩落が、不可避であることを、意味するものでなければならぬ。

云ひかへれば、銀行信用が積極的に收縮せらるゝことを俟つまでもなく、單にその擴張の繼續が中止さるゝことによつて、「過剩生産」が必然的になることを、それは意味する。この意味での「過剩生産」は銀行信用の自己發展の停止の結果であつて其の原因ではない。もし銀行信用が商人によつてストックの增加の爲めに利用せらるゝ場合(現實には極めて普通の場合である)には、附加的生産物は直ちに流通界にあらはれないから、附加的財流とそれに對應する所得流の間の、時間的齟齬は一層擴大される。ストックの出來上つた集積をはかすだけの爲めにも、信用擴張はながく繼續せらるゝことが必要である。其の停止は忽ちにしてストックをダムピングの爲めのストックに轉化する。

註(1) Foster & Catchings. ibid, pp. 273—5.

第三に、全ての景氣利潤は各價格水準の變動の間の time-lag によつて成立する。それは包括的に生產費水準が販賣價格に後れるといふ言葉であらはし得る。生產費の構成要素として重るものは賃銀と金利である。賃銀水準は生產の擴大につれて次第に高められるが、その引上げは失業常備軍の壓力下に於てせらる る以上、商品價格の騰貴には到底及ばない。フイッシャーは其の time-lag を「乘り遲れた汽車を徒步で追ひかけてゐるやうなものである」といふ適切な比喩で表現してゐる。[1] かくの如き賃銀騰貴の「後れ」は景氣利潤の最も重要な出所を示すものであるが、同時にまた景氣利潤をやがて消滅せしむる原因ともなるものである。かゝる事情の下に於て勞働者は生產物の全部を買ひとることが出來ず、其の過少消費の必然がやがて過剩生產を表面化させずに置かぬからである。それが覆はれてゐるのは、銀行信用擴張の繼續が、ストックの增加と生產過程の延長(迂回的生產)とを支援してゐる限りに於てである。

次に金利も亦信用擴張の進展に應じて漸次引上げられる。然し金利の構成も物價構成に對して時間的「遲れ」をもつ。それはある金利の下に於て擴張せられた信用が、購買力の回流過程に於て常に一層物價を引上げる作用をもつからである。換言すれば添加信用は消費財と資本財との價格差をして、信用擴張が行はれた金利よりも大にするからである。價格差と金利が一致せぬ限り金利の高さはそれに均衡的な物價水準の高さと同時に存立することが出來ぬ。常にある時の金利は前の創設信用によつて決定せられた物價水準と均衡的であるのが精々である。其の限りでは金利は貸附需要の促進者となつても制動機とはなり難い。

好況期の現實に於ては、資本財價格の騰貴、重要原料品(就中著しき例として鐵)の價格が極めて活潑な急騰を示す。然る限り消費財と資本財との價格差は增大するどころか減少する。それは資本財就中重要原料がストック增加、投機需要、によつて大いに支持せられるからである。この場合に資本財生產擴張が有利であるのは勿論消費財との價格差ではなく、自らの時間的價格差の增大の故である。即ち將來の騰貴見越の故である。それにしても金利の騰貴が其の制動機となり得ぬことに變りはない。高利潤時代に生產者は一%や二%の金利引上を何等苦痛とせぬ。騰勢の急な商品に於ては、却て「逆金利」の現象が普通にあらはれ得る(物價水準の昂騰によつて測られる貨幣單位の購買力減少が同じ期間の金利の大さを超過し債權者は利子と共に元金の返還を受けて、却て實質的に損失を蒙る場合)。だが此の過程にはやがて終局が來る。

貸出の擴張は漸次銀行の準備金の減少を結果する。銀行は勿論準備率がある限界以下に低下することを放任して置くことが出來ない。其の限界線は或る程度まで可動的なものであるが、其の伸縮性には勿論限度がある。最後の生命線以下に引上げらるゝことは死力をつくして拒否せねばならぬ。金利は始めは徐々に後には急激に引上げられる。信用擴張が中止せられ、回收が强行される。それによつて先づ傷手を蒙るのは商人である。卸賣の利潤總額は主として資本の急速なる回轉によつて積み上げらるゝことに依存してゐる。其の一回轉に於ける單位利潤率は勿論生産者とは比較にならぬ程低い。金利引上げは此の低い利潤率を容易に喰ひつくす。[1] 卸賣商からの追加注文が止まれば生産者の生産廣張も終焉する他ない。かくて過剰生産が爆發し、物價の崩落が起る。此の最後の過程は直接準備金の減少に起因する。然しそれは更に遡れば金利が物價水準に應じて引上げられぬことに基くものであるから、金利の物價に對する time-lag

を本質上恐慌(潛在)的現象であると斷定しても、必らずしも不妥當ではあるまい。

註(1) Hawtrey : Currency and Credit. 3 rd Ed. p. 24—6.

最後に、信用擴張がいつかは不可能になり、中止せらるゝ瞬間があらはるゝことは、本來信用擴張の自動的發展性自體から明なことである。信用擴張によつて膨らまされた物價は、後に遅れてあらはるゝ生產物に對應する購買力の「前借」によつて支持せられた物價である。かくの如き購買力の流れと財流との間の「ずれ」と共に、物價水準の維持には信用擴張の繼續が絕對に必要であること既に述べた如くである。貯蓄率の變化は慣習の變化であるから持續的であるが、添加信用の場合には人爲的に繼續せられねば物價水準は到達した高さを維持せられぬのである。然も銀行信用が同じ大さを以て繼續的に擴張せらるゝことでは必ずしも充分でない。添加信用が猶滿期となつて銀行に回收せられざるに先立つて、次の創設か行はるゝ限り、新貸付は加速度的に增大せざるを得ない。出發點の擴張率をrとすれば、同じ擴張率を維持する爲めに、新たに添加せらるべき信用量は第n回目には最大限 $r(1+r)^{n-1}$ となり、添加信用量は幾何級數的に增加せねばならぬ。銀行の支拂準備率は急速に低下する[1]。信用擴張と從つて物價水準の騰貴に必らず終末が來なければならぬことは全く明かである。

註(1)　銀行の準備金の減少は、現金殘高の增減及び其の作用の包括的な分析によつてのみ其の實相を明かにすることが出來る。それを最も精密に研究してゐるのはホートレーである(Hawtrey: Trade and Credit. Chap. V. p. 82 a. s. f. 及び Currency and Credit. p. 53. a. s. f.) 今詳細にそれを論じてゐる暇がない。

故に「銀行信用の根本的缺陷は、勞働者を雇傭し產業の齒車を動かし續ける爲めに流通購買力が正に最も必要な瞬間に於て消失する、といふ點にあり[1]」、換言すれば、「銀行信用は擴張が全體として經濟界に最も有害な時に於て最もたやすく擴張され、また全體としての經濟界にとり、信用擴張が最も望ましい時に最も收縮せられ易い[2]」ことにある、と非難されることには充分理由がある。然し資本主義生產の埒內に於て、この種の「非難」は何等「建設的批判」の意義をもち得ない。銀行信用の添加なくして現實の蓄積、擴大再生產の展開は存し得ない。而して蓄積過程の進展と共に物價水準の「虛妄性」と「僞瞞性」自體の擴大再生產も亦恐慌の瞬間までつゞけらるることを不可避とする。結局信用擴張の作用は、恐慌に於て其の最後的完成を收獲する。「事實に於ける循環論法の虚僞」は其の瞬間に至つて剩すところなく暴露せられ且强力的に修正せられるのである。動態物價はこの全過程に於て展開せられる創設信用の作用に他ならぬ。

註(1)(2) Foster & Catchings. ibid, p. 247：249

然し恐慌による「虚僞」の修正は勿論其の決定的停止を意味するものとはなり得ない。それは唯前恐慌的過程と正に逆の形に於ける「循環論法」の始點であるに過ぎぬ。銀行信用の擴張過程と對應する信用收縮過程が、卽ち物價水準の低落に於ける虚僞を中核とする不況沈滯の過程が恐慌後續期に於て展開せられる。この二つの對應する過程は一の「波動」の全波長を構成する各〻半に過ぎぬ。そこであらはるゝ物價運動は、本質的には既に說明せるところの「裏返し」である。例へば原料品卸賣價格が低落の先端を切り、賃銀水準の低下がこれにおくれ、金利も恐慌直後一旦急激に低下せられた以後は大體物價水準の低落に後れて漸落する。總じて生産費水準の低下は販賣價格水準の低下に後れ勝ちである。生産條件にめぐまれざる企業は消極的《マイナス》の景氣利潤を得て整理せられ、生産は縮少せられる。賃銀俸給の低下が小賣價格の低落に後れる限り消費者は强制節約と略ゝ逆の「めぐみ」を受ける筈である。（ロバートスンの自動的な "sprashing"）。然し失業によつて彼等の少からぬ部分は全く分配から除外されるから、此の「めぐみ」に浴し得るものは限られてゐる。これ等の過程に於ける價格水準間の time-lag と物價水準の變動は本質上先行信用擴張の反動としての信用收縮の作用であるから、格別説明せらるべきものは殘されてゐない。且そこでの具體的な現象の主な態様は第三章に於て述べたところから、容易に要約せられ得るであらう。

以上の如き動態過程に於ける信用の作用としての物價水準の運動を、「方程式」によつて表現するなどといふことは全く出來ることではない。それは自明であらう。然しこの過程の中核をなす根本的關係を方程式にまとめて、略々それに近き結果を得ることは不可能ではない。ケーンズの「動態方程式」は此の種の既存のものとして優なるものである。

即ちケーンズは、彼が曾て發表せる現金殘高方程式とは別箇のものを、"Tre-

"atise" に於て提示した。彼は先づ社會の總貨幣所得を消費財の生産によつて得られた部分と、「投資財」の生産に基くそれとに分ち、又消費財と投資財の購買に支出せらるゝ部分に分つ。かくの如き所得の二重の分割に出發して、「社會所得のかくの如き分割の第一が第二と同じ割合にあるならば、即ち支出が經常消費と貯蓄との間に分たれると同じ割合に於て、(生産費によつて測らるゝ)産出物が消費財と投資財とに分たれるならば、その場合には消費財の價格水準は生産費と均衡を保つ」べく、二者の割合の等しからざる限り「消費財の價格水準は其の生産費と異るであらう」となし、それを次の方程式によつてあらはした。[1]

$$P=\frac{E}{O}+\frac{I'-S}{R}$$

但し、Pは流動的消費財の價格水準。Eは社會の全貨幣所得(即ち生産費總額)。Oは財貨の全産出高(基準時に於て一貨幣單位だけの生産費に相當する財貨數量單位即ちフィッシャーの"dollar-unit"と同じ單位を以て表現せられた生産高)。I'は投資財の生産によつて獲られた所得(即ち新投資の生産費。又 $E-I'$ は消費財の經常産出高の生産費に當る)。Sは貯蓄の大さ($E-S$は消費財に對する經常支出)。Rは消費者によつて購はるゝ流動的消費財及び勞働の量、を夫々あらはすものとされた(2)。

そこで先づ$\frac{E}{O}$は生產物單位當りの生產費をあらはす。また$I'-S$は新投資(の生產費)と貯蓄との差であるから、貯蓄が新投資と等しい時は零となる。新投資が貯蓄を超過する場合即ち銀行信用による貨幣資本の添加的供給が存する場合には積極《プラス》的となる。更に貯蓄が新投資を超ゆる時、即ち信用收縮によつて貯蓄の一部が相殺せらるる場合、又は退藏(hoard)によつて貯蓄の一部が投資されない場合には消極《マイナス》的とならねばならぬ。從つて$\frac{I'-S}{R}$は$I'-S$がプラスの場合には、消費財の一單位當りに就て算定せられた新添加購買力の大さをあらはし、マイナスの場合には、同じく單位當りの繰越購買力の差增をあらはす。換言すれば前者は新强制貯蓄を、又後者は任意貯蓄の差增を、夫々消費財の單位當りに就き算定した大さである。だからプラスの場合は消費財單位當りの景氣利潤額を、マイナスの場合には單位當りの損失をあらはすわけでなる。而して$I'-S$が零の場合は新添加購買力も繰越購買力の增加も共になき場合であり、$\frac{I'-S}{R}$は勿論零であるから、利潤も損失もない場合に相當する。

故に、ケーンズの方程式があらはすところは、第一に、新投資の全額が貯蓄によつて賄はるゝ限り、即ち銀行の添加信用が存せざる限り（I－S＝O）消費財價格水準は生産費に一致し、景氣利潤乃至動態利潤といふ意味での「利潤」は存在せぬといふことである。次に、新投資が貯蓄を超過する場合、即ち添加的購買力の回流が貨幣所得に加へらるゝ時、消費財價格水準は、單位當りの新强制貯蓄額だけ生産費より高いといふことである。簡單に云へばこの場合の價格水準は生産費と利潤（景氣利潤）との和である。第三に、新投資が貯蓄以下であれば、消費財價格水準は、生産費水準よりも、退藏强化又は銀行貸出の回收によつて結果せられた不胎貯蓄の額（消費財單位當り）だけ低くなければならないこと。

結局それは、先に展開した動態物價構成を銀行信用の作用であるとする説の一種の要約と認めることが出來るのである。[3]

註(1)(2) J. M. Keynes: A Treatise on Money. Vol, I. pp. 133 a. s. f.

註(3) ケーンズ方程式の導入は次の如くにして行はれる。先づ消費財價額（P×R）は當然消費財の購買に振り向けられる消費者支出の總額に等しくなければならぬ。然るに消費者支出は消費財の生産に於て生産要素の價格（生産費）として支拂はれる貨幣所得の總額 $\left(E\times\frac{R}{O}\right)$ と資本財の附加的生産（又は其の縮少）に於て生

産費として支拂はれる貨幣所得の添加分（又は減少額卽ち I'−S）との和に等しい。これを式にまとめれば、

$$P\times R=E\times\frac{R}{O}+(I'-S)$$

となる。この式の兩邊をRで除せば

$$P=\frac{E}{O}+\frac{I'-S}{R}$$

となり、ケーンズ方程式が得られるのである。猶ケーンズは此の方程式を「第一基本方程式」と呼び、更にそれを變形し、且他に總平均物價水準に關する「第二基本方程式」をも展開してゐるが、其の根本觀念は右の第一基本方程式に盡きてゐる。詳しくはケーンズ自身の著書を、また簡單には金融大辭典第一卷中拙稿、「貨幣數量說」の項（二九一頁）、又は森川太郎教授、金融經濟總論、（三七二頁以下）を參照せられ度い。

五　結語

要するに物價水準の動態は添加信用の作用であり資本蓄積の「現象」である。それは物價水準の「安定」が資本蓄積の「發展」と兩立せざることの「客觀的論證」でもある。貯蓄と投資を均衡せしむる金利は、蓄積率强化の過程に於ては、必然的に物價水準を低落せしむる金利であり、物價水準の安定を目指して定めらるべき金利は貯蓄と投資の不一致を避け難くする。結局貯蓄と投資を均衡せしめ、同時に物價水準を安定せしむる效果をもつ如き金利の高さなるものは存し得ぬ。それは「二者擇一」を意味するものに非ず、現實には何れも「實現せられざることを語る。銀行政策による物價の安定は全く文字通り「相對的」にしか可能でない。物價は前述の如く確かに金利の函數でありながら。（況や「計量本位制《ダビユラー・スタンダード》」又は「商品弗制」の如き迂遠且機械的な方法に對して安定の目的に於ける成功は一層約束されてゐない）。然しこのことは物價水準の「安定」が決して可能でないのみならず、擴大再生産に於て實は「望ましきもの」でもないことを意味する。對症療法としても「經濟安定」には勞働力及び生産設備の就業率と賃銀率の高位維持の方が遙かに持續的效果がある。その爲めには物價水準は高められねばならず、又高められて一向差支ない。かくの如き物價政策はもとよりさし當り「現在の銀行の政策」としては勿論期待すべからざる夢である。然し貨幣の「中立性」の維持を目指して貨幣數量を一定ならしめんとの(勿論絶對的「固定」ではあり得ない、生産の擴大に應じてそれを可動的とするのでなければ却て貨幣は「中立性」を喪失する)ハイエック一派の「中立貨幣政策」(それを單純に「自由主義的」政策であるといふのは飛んでもない誤りだ)よりは、遙かに實際的であらう。これ等の興味多き政策問題は又別の機會に論ずることとし度い。

株式取引所に於ける主力株に就て

――我が新東株上場禁止問題――

今西庄次郎

目次

一　株式清算市場投機の偏集……1
二　主力株の性質……6
三　我國の主力株……10
四　主力株と取引所の作用……21
五　新東株を如何にすべきか……25

はしがき

凡そ取引所を中心とする經濟現象には、取引所現象の外、投資、投機者の立場に於ける強弱現象がある。此兩者は勿論別個の現象であるが、實際には隨分混同されてゐるやうである。それは、主としては、一の事實にて兩現象の素材たるものあると共に、例へば取引所の或改善をなさんとせば強弱に響くといふが如く密接なる關係により結ばるゝ所もあるからに外ならない。而して其混同の形式如何と云へば、一は取引所現象に強弱現象を混へんとし、かの取引所論と題しながら末尾などに強弱論を加ふるもの其例である。他は當然に取引所現象でありながら取引所現象として取扱はれず強弱現象に屬せしめられてしまふことである。後者の例として主力株現象はその著しきものと云へやう。之は主力株に對する取引所政策は忽ち敏感に強弱に響く所に由來するものであらうが、然も主力株現象は取引所現象として重要なるものであり飽く迄無視し得ざるに於て、その混同は其意味で甚しいと云はれるのだ。しかし正しき取引所論といふ立場、殊に主力株現象の著しい我國にありては敢て夫を說かざるべからず、小論は卽ち此見地より主力株、特に我が新東株を取扱はんとせるものである。

一　株式清算市場投機の偏集

株式市場で商内される株式には諸種がある。併しその所謂銘柄は商品の夫とは趣が異る。清算商品、例へば米にしても、綿絲にしても、夫々の銘柄は、時に多少程度を大小にすることあるも、尚ほ價格は全體一様に騰落する。つまりそれらは本來一つのものだる性質を有つのだ。だが、株式の銘柄は價格上必ずしも騰落を同じくするとは云へず、同種の事業を營める會社株式は稍〻高下を同方向にするも程度を等しくせざるを通常とし、結局本質に於ては別個のものたる性質を有つのである。即ち株式取引所は商品で云へば寧ろ米、綿絲其他の綜合取引所に比せられるのだ。けれどもその本來別個の株式を多數に集めて商内せしむる所、尚ほ一面に、單なる株式の取引所と云ふべきものたらんとするのである。

斯かる事象を生せしむる基は、矢張り、取引所の投機的存在たる所にある。嘗ても述べたるが如く[註一]、取引所清算市場は、一定の機能上の必要が投機需給特に資力なき投機需給を參加せしめたといふ機能的存在たると共に、社會の投機的要求がそれ自らを滿たさんとして存生せしめた投機的の存在である。つまり前者によれば一定の必要の爲に投機を利用すべく成生せるものであるが、後者に於ては投機が自主的に行はんとせるものとなるのだ。取引所は斯く二つの力に成るとして、玆に問題となるは、兩者の强さの關係、或は換言して結合の仕方である。勿論、後者が適當に前者の範圍内にあるを上乘とするも、多くの場合、そうはゆかないのである。それには、例へば外形上、投機が前者に足らず取引所として營養不良になるやうなことも考へられないではないが、一般には凡て逆である。つまり投機的要求の取引所を存在せしむる力が强く、機能に副ふやうにといふよりも夫自身の都合に進めるのだ。而してその現はれとして、一は投機の量が機能に必要とするより概して過多となるのであるが、更にその一はそれらの投機の分配がうまくゆかず、或種の株式に偏らんとするのである。

然らば何故に、又如何なる風に投機は偏るのであらうか。抑々投機には投機として要求する所、切なるものがあり、先づ第一は出合の豐富なることである。此事は凡ての需給の望む所でもあらうが、投機需給としては、その欲望を始終滿たさんとして、又價格變動を目標とせるだけ機敏なる取引をなさんとして一層要《モト》めるのだ。次には變動の相當以上に大なることである。云ふ迄もなく、投機は價格變動を目標とし、夫の狹き所出動の意味を喪ひ、その大となるによりて益〻活動範圍を大とするものだ。次には出來得る限りその變動の客觀的なることである。客觀的と云ふのは、變動が個人或は少數の特殊家、專門家によりて惹起され得たり、又彼等が都合のよい事情の下に夫を早く知り得るやうなことなく、一般的な材料によりて生じ、且つその意味の解釋され易い(但し變動の度合まで豫定し得るものと限らない)ことにて、彼等の得喪を公平にやり度いといふ念願より強く發するのだ。以上は一般に投機の要求する所であるが、株式取引所の如く各種株式の取引對象たる所にありては、そは夫等をよく滿たす株式を選ぶこととなるのだ。而して之を對象たる株式に就て見るに、もともと清算市場に上場せらるゝほどの株式は相當に投機が加はり、或は加はるべき銘柄であるが、上の要求より見れば多くの差等を持つてゐる。技術的な點では、大會社にて株式數の多く、然も分散度の廣きもの程適ふとして、重點が配當力の規定せらるゝ所にあること申す迄もない。既にも知らるゝ如く、配當力は大體會社の經營事業界の景況と當該會社の經營態度―確實に正常な利益を目的とすると商品相場の變動に泥むもの、償却などを充分にやると然らざるもの、上手と下手、進歩的なると否、等々を含む—によるものであり、經營事業界の波瀾の多く、經營態度の所謂堅からざるほど配當力は動くわけである。從て經營態度の堅からざることは、當該事業界の動きに加重して投機的要求により適ふものとなるが、然もそれは無限であり得ない。蓋し變動の客觀性といふ要求に合はざるが故にして、同じ程度の配當力の動搖が事業界の景況の動きによるものに如かないのだ。而して事業界の景況といふ點に就て云へば、その動搖が假令等しく大であるとしても、材料が多岐に亘るものを有つほど投機に迎へられざるを得ないが、更に變動の客觀性といふ所より、それら材料が兼ねて一般、客觀的のものたるに於て一層適へるものとなるわけである。處で斯の材料の多岐にして、且つ客觀的なものの極致なる事業と云はゞ、國民經濟全般に基けるもの—如何なる事業が國民經濟全般的なるかは國によりて同じくないであらう—に外ならなくなる。要之、既記の如き要求を有つ投機の選ぶ所は、上の順序により、若し國民經濟全般的な株式があらば、殊に之に向ふことゝなり、嘗て述べた(註二)清算市場の存在は當該物件界にそのなかりし場合に存せしでもあらうより投機を多く創め行はしめるといふ夫等の多き部分も、實際には殆ど上に從はんとするのだ。需給が集まれば、商内は商内を呼ぶ形となり、間接繋ぎ的な需給を始め諸他の利用的な需給もそれに呼び寄せられる。斯くて結局、諸多の株式の株式取引所も、時の國民經濟の狀況にもよれ、云はゞ、投機の集まる或範圍の株式、就中その雲集する中心株の市場となるものである。時の國民經濟の狀況にもよれとは、景氣の上昇、好況時にありては比較的永く、反動、下落期にありては比較的短いながら、其配當力の動搖を起し、ために諸多の株式も相當に投機を呼んで、投機の或株式に偏集するの事象が、平靜、低迷期に較べて一層少くなるが、然も尚ほ其事象は喪れないことを云ふ。それは兎も角、右の中心株は、商内の多い點からも所謂株式の株式と云はれるが、尚ほその騰落が諸他の株式のそれを代表し先導せるに於て、一層其意義と地位を强めるのである。

註一　拙稿「株式取引所の機能的本質」經濟論叢　三六卷　四號　一一五頁以下
拙稿「投機と取引所」經濟論叢　三七卷　六號　八七―九〇頁

註二　右「投機と取引所」九一頁

二　主力株の性質

前段の如くにして生成せる株式の株式を主力株(Leading stock)と呼ぶべきであらうと思ふ。先づ主力株たる性質として擧げられるは商内の旺盛なる點である。よく之に關し投機株と云ふ稱呼が彼に與へられるやうだ。併しそれは適《フサ》はしくない。成る程、そこに投機需給が集中し其商盛を齎してゐるのには違ひないが、投機株と云ふのでは、尚ほ他にも存在してゐるものとの別が、假令量的な差を云ふも、決して明にされないのだ。換言すれば投機の多きは主力株生成の材料であるが、然も出來た主力株としては最早單に投機の凝り集つたが如き性質のみを有つたものではないのである。

彼の特性として擧げらるゝは、市場に於ける一般性(Generality)と指導性(Leadership)である。株式市場の株式は、金利の動きによるが如き場合を別にせば、一部分のものだけ騰貴或は下落し、一部騰貴するに他のものは下落するのが通常で、殆ど全部のものが歩を揃へて騰貴或は下落するにも夫々度合を同じくせないことは最早繰返す迄もない。一般性と云ふのは夫等の騰落に通ずることにして、即ち假令一部騰貴するものあるも上る所あり、若し他に反對に下るものあらば相殺されて動かず或は差だけ一方に動き、全部的の場合は是は申す迄もないとして、尙ほ其程度の點もそれらに機械的に正しくではないが(從て或時期に亘りて見れば之が重つて相當の開きの出來る事もある)比例するのである。淸算市場にありて投機需給を集め商內の盛なる株式は又花形株(Active stock)とも呼ばれるが、主力株も花形株には違ひなしとして、上の性質に於て單なる花形株とは同じでない。單なる花形株は原則として夫自體に騰落し、云はゞ一國一城の主たるに止まるものだ。而して主力株の此一般性を有するは、夫の投機人氣性が直接に齎すといふ所もあれ、矢張りその經營事業が國民經濟全般的な所に基くものとする。投機の作用としては、寧ろ、國民經濟一般に關聯し中々に配當力の動くものと雖も其儘にては其響きの純調ならんとするを彼等需給の雲集によりて(敢て不當に大ならしめるといふのでないが)銳敏となし些少と雖も一々明確に表現さす所に求むべきものである。

次に指導性と云ふのは其騰落が夫以外の他の株式所謂雜株に先つことである。之によつて彼の如上の一般性は諸他に後れるのではなく先に現はれるものとなる。而して先つと云つても、他との時間的間隔が短くして同時的にも見える場合が多く、從て此性質のよく窺はれるは、相當なる材料が先に横たはつてゐる(一面一般性が一寸判らぬ)といふやうな時である。尙ほ此性質に關し注意すべきは、例へば主力株の暴落が證據金代用たる雜株の處分を起し夫等の落勢を强めるが如き、又雜株の騰貴が却て主力株を上にもつてゆかんとするが如き—雜株の値上りで儲けた買力が主力株に向ふやうな場合である。單に雜株に先驅されたといふやうなのは、彼の指導性が鈍れるがためと云ふに止まる—騰落に於ける引摺り性(Dragging)は指導性に非ざることにして、指導性は彼の云はゞ力的(gewaltsam)なるに對せば飽く迄知的(intellektuell)なるものである。而して主力株の指導性を有するは、一般性に於て投機が條件をつくり、原因は經營事業よりする株式性にあるに比ぶれば、より直接的に投機の作用に歸し得るが、然もそれも投機が投機としての性質よりも、將來の價格狀態を最も進んで考慮するといふ彼の中の機能的な性質が多數その密集せるによりて最も發揮せらるゝものだと云はれるのである。

以上は一般性、指導性の摘要であるが、現實の主力株としては、理想的に國民經濟全般的たることを得ざるものあり(勿論、經營事業の外、その經營態度に就ても云はれる)、更に註一投機需給の行動には取組狀態、仕手の策動などにより實勢材料通りにゆかざることも考へられ、現はす所の性質が常に必ずしも完全でないことは斷はる迄もなからう。

或る主力株となれる株式は、それにより、一般より割高に置かれることゝなる。而して一部には、主力株の價格は一般の如くに算定せられないとなす。が、それには、彼の評價步合が低いといふことを越え、其步合が金利の動きと無關係であるといふことまで含ましめ得ない。株式の評價步合なるものは、金利と共に動くのが通常であり、唯低利廻の株式にありては性質上其動き、精確に云へば相對的動き—絕對的動きの小なるは寧ろ當然だとも云へる。併し例へば三分廻のものが二分廻となるは八分廻のものが六分五厘廻となるより低下度は大なる如く、その大いさを以ては必ずしも金利による動きの敏感さを云へないのだ—の少い事がありて、甚だ低利廻に置かれた主力株の如き後者のやうな場合が多いに止まる。尤も既述した所よりも察知され得やう如く、金利による評價步合の高下は何れの株式にも一率に響く所にして、そのやうな場合は主力株現象の意義は少くなり、從て縱令彼の動きが一般程でないとしても、主力株として多く差支はなく、唯その動ける一般の株式との間に主力株性を檢する時に、其點を考慮すればよいのだ。之に對せば、株價が配當力に規定せられるといふ關係に於ては、主力株も一般の株式と異るを得ないもので、夫に立脚すればこそ、既述した投機人氣の影響を享けながらも、よく主力株としての軌道性(Normality)を保有するものとする。

註一　拙稿「取引所の公定する相場に就て」經濟論叢　三九卷　四號　一二四—一二五頁

三　我國の主力株

我國の株式市場にも上來の主力株現象は行はれてゐる。而して其主力株としては、新東株、正しくは東京株式取引所新株式が其位置を確立して來た。之を沿革的に見て、何時頃に主力株と云ふに適はしい實質を有つたものが我國に現はれたか、更にその主力株として事實は矢張り東京株式取引所株式が選ばれて來た—時には拂込關係其他で單なる東株が其位置にあつたこともあり其新株が常に然るものとなしては不可ない—のであるが、それとしても、例へば他に旺な花形株などが現はれたために壓へられたといふやうな時期もなかりしには非ずして其消長の模様など、述ぶべき點があるが、斯かる歴史的な事實は割愛し、今は現在を中心として考論し度いのである。先づ近年に於ける其商内を見るに、

東株市場（註一）

年次	長期總賣買高	中、新東株	短期總賣買高	中、新東株
昭和元年	四七五八九九四〇株	八九二二〇九〇株	三四〇九四九二〇株	二六一八七一八〇株
〃二年	三六一三四五八〇	五〇七八六八〇	二二八四九九八〇	一七四七四八五〇
〃三年	二七八五二七九〇	四六三三三九〇	二〇〇二九五一〇	一四三二六八一〇
〃四年	二一一〇五八七〇	四二九〇八三〇	二五〇八七一一〇	一九八八八五七〇
〃五年	三一四四二八七〇	五二一八三三〇	三〇一六七〇八〇	二二二二八〇三〇
〃六年	二五四七一二八〇	五八六七五四〇	四五六八三二九〇	三二五九三三五〇
〃七年	四一九二八三〇〇	四〇〇一一九〇	五四六二七九五〇	三五八三七五二〇
〃八年	五〇八二三七七〇	三四八二三五〇	六〇五五六六二〇	三四七三九八三〇
〃九年	四九九五六〇一〇	二七四〇七二〇	五三四七〇八八〇	二一一六一一九〇
〃十年	三三八一一七八〇	二九〇六四〇〇	五九六〇六三一〇	二八七一三六七〇

全國市場（註二）

年次	長期總賣買高	中、新東株	短期總賣買高	中、新東株
昭和六年	三〇三六〇〇八〇株	七〇六八六九〇株	一三九〇〇八六四〇株	七〇一六〇九八〇株

昭和七年	四六二三六八一〇	四七八六七八〇	一六五二五二五四〇	九〇二三二一六〇
〃 八年	五七二七五八一〇	四二〇四八八〇	二一六四二九二一〇	九八五一九七九〇

進んで彼の一般性、指導性を檢討せんに、前者は、短期間にはいくらも證明し得るが、茲では一つ長年月の狀態を眺めてみる。たゞ此長期の場合には、前段に一言した評價步合の調査が意義ある仕事となり、殊に我國一部の、新東株は金利の動きと殆ど關係なしと云ふ考に照しては、それは必要な過程ともなる。處で其調査に就て最も問題となるは、拂込が途中で相違してをり、夫等を統一し得ればよいのだが、其相違による彼の相場を如何に取扱ふやである。之に關して、私は、東株の如き株價は一般と異り親株が新株によりて與へられるといふ考に基き、三七・五圓拂込後の兩者の相場關係を求め、(註三)

年次	東株市場長期先限 親東株平均相場	同 新東株平均相場	差
昭和七年	一六三・一圓	一六五・七圓	二・六圓
〃 八年	一八二・一	一九〇・九	八・八
〃 九年	一四六・八	一五六・九	一〇・一
〃 十年	一三八・四	一四九・四	一一・〇

卽ち所謂親不孝相場が强まるの傾向にあるを知るも、初めの二・六圓を昭和七年以前の開きとなし、夫を各時の親株相場に加へることにより、夫々新東株が三七・五圓拂込であつたならばありしであらう相場も定めた。尤もこの二・六圓を單に一率に加へるに就ては、各先年に於ける親株と新株相場の開きが夫々コンスタントであることが要せられるのであり、事實は大體そうなのであるが、正常を逸してゐる場合(大正十年一月、同十五年一月)だけ加減をした。尙ほ參考の爲に各先年に於ける親株と新株相場の開きを見たるに、一二・五圓拂込の時は普通二三圓位、二五圓拂込の時は一〇圓位にして、卽ち新東株の相場は一二・五圓拂込の時既に全プレミヤム(勿論可動である)を有ち、後の拂込は唯その額だけ價位を高めるものなるを知るが、之より算へても上と略〻同じき結果が得られる。兎に角、右の如くにして得たる相場と假りに前記配當率を以て利廻を算出し、其狀態を一般株式のそれに較べたるに、

年月	東株市場長期先限平均相場 一二・五圓拂込 圓	三七・五圓拂込推定相場 圓	配當率 註四	推定相場利廻	指數 註五	一般株式利廻	指數 註六
大正十年一月	七九・〇	一〇五・三	割 〇・七七〇	割 〇・二七五	九二・四	割 一・一九六	一三五・九
〃 十一年一月	一三四・六	一六〇・五	一・四〇〇	〇・三二八	一一〇・二	〇・九一九	一〇四・四

大正十二年一月	九六・二	一二六・〇	一・一〇〇	〇・三二七	一一〇・〇	〇・九五四	一〇八・四
〃 十三年一月	一〇六・二	一二九・一	〇・八〇〇	〇・二三三	七八・三	〇・九一七	一〇四・二
〃 十四年一月	一〇六・三	一二九・三	一・〇四〇	〇・三〇二	一〇一・五	〇・八五七	九七・四
〃 十五年一月	一三八・〇	一六四・三	一・四〇〇	〇・三二〇	一〇七・五	〇・七五〇	八五・二
昭和二年一月	二五圓拂込 一七七・二	一九三・四	一・四〇〇	〇・二七三	九一・四	〇・七二四	八二・三
〃 三年一月	一七七・七	一九三・九	一・〇〇〇	〇・一九三	六四・九	〇・七一二	八〇・九
〃 四年一月	一五七・五	一六九・八	〇・九二〇	〇・二〇三	六八・二	〇・六八三	七七・六
〃 五年一月	一〇三・一	一一八・八	〇・六四八	〇・二〇六	六九・二	〇・八〇三	九一・三
〃 六年一月	一〇八・五	一二一・二	〇・七三六	〇・二二八	七六・六	〇・八〇一	九一・〇
〃 七年一月	三七・五圓拂込 一八〇・二	一八〇・二	〇・七六〇	〇・一六〇	五三・八	〇・六八九	七八・三
〃 八年一月	二〇九・四	二〇九・四	〇・八四〇	〇・一五一	五〇・八	〇・五一九	五九・〇
〃 九年一月	一七四・五	一七四・五	〇・七六〇	〇・一六三	五四・八	〇・五三五	六〇・八
〃 十年一月	一四〇・一	一四〇・一	〇・六四〇	〇・一七一	五七・五	〇・五八四	六六・四

先づ彼の相場が常に通常の採算を外れた高値にある事が看取せられる。誠に主力株となしてこそ説明のつく事實と云はねばならぬ。近時絶望となつて自ら事由たるを失つたが、從來增資によるプレミヤム所得といふ事が其事由としてよく擧げられた。けれども問題の根本はそのプレミヤムの成立如何にあるものにして、右の事由の如き、精々、其高き値段にても投資的な保有が成立てるこ

とを物語るに止まると云ふべきだ。而して其歩合の推移であるが、一部の考に反し、動いてをり、其指數は寧ろ一般の株式の夫を強くせるがやうである。後者の點は、絶對的な動きが小なる事も參酌すべく、彼の歩合が金利により一般より強く動くとまでは論決し得ないとしても、それに案外歩調を合せてゐることが知られるのだ。

今、右により歩合調整の必要は免れたるが故、新東株の株價指數として先の如く推定計算したるものを用ひ(前に一寸觸れた事由により新東株の各時の相場より拂込額だけを差引いたもの、所謂プレミヤムの大いさを問題としてもよいわけだが)夫を一般の株價指數に直接に對照すれば次の如し。

年月	三七・五圓拂込新東株推定並びに現實株價指數 註七	一般株價指數 註八
大正十年一月	八〇・六	一〇〇・〇
〃十一年一月	一二二・九	一二五・九
〃十二年一月	九六・五	一〇三・三
〃十三年一月	九九・〇	一〇六・〇
〃十四年一月	九九・〇	一一一・二

大正十五年一月	一二五・八	一二七・三
昭和二年一月	一四八・一	一四二・一
〃三年一月	一四八・四	一一九・二
〃四年一月	一三〇・〇	一〇四・五
〃五年一月	九〇・九	七一・一
〃六年一月	九二・八	五三・〇
〃七年一月	一三八・〇	七二・七
〃八年一月	一六〇・三	一〇三・七
〃九年一月	一三三・六	一二〇・七
〃十年一月	一〇七・三	一一五・〇

以上によれば、新東株の一般性は長期間の時は單純ではなく、相當に大きいいそれ(Deviation)の生ずることが判る。が然も又、其關係性の存在は之を否定し得ない所があるのである。

次に新東株の指導性に轉ぜんに、日々短時期に就ては、卑しくも市場に立つ者の唯もが其存在を疑ふなき狀態にあるが、性質上、夫を數形の上に現はすことは一般性の如く容易でない。で勢ひ、其證示は少し長い時日に就てとなさゞるを得ぬが、それは先に一言せし如く、一般性の一寸外れて見えるやうな場合である。之を大きくみれば、昭和六、七、八年に亘る新東株と雜株々價指數の開きの擴大もその例と云へるが、今その間の一時期を抽いて擧ぐれば、

	新東株々價指數	前月との比較	一般株價指數	前月との比較
昭和七年八月	一一四・一		六五・八	
〃　九月	一三一・四	＋一七・三	七〇・七	＋　五・一
〃　十月	一二八・一	－　三・三	七一・一	＋　〇・四
〃　十一月	一三七・八	＋　九・七	八一・四	＋一〇・三
〃　十二月	一五七・一	＋一九・三	九七・九	＋一六・五

即ち新東株は來るべき騰貴の大半を雜株より一、二ヶ月以前に濟まし、彼等の動向を指示せる姿である。素より此種の中期的な先導は度々存するものではないが、然も右は紙數の關係よりする一例に止まる。

上來、新東株が主力株性を有せることを知つた。而して之を進んで考察する時、我國株式市場に於けるその主力株現象の非常に著しいことが云はれるのだ。主力株現象が著しいと云ふ事は、勿論その一般性、指導性の充分であるのを指しても云はるゝが、市場商内が特に夫に集中するに於て該當する言葉である。而して我が新東株は前者の性質に於て充分なるのみならず、特に商内の集中性

が甚しいのだ。一株式が全商内の二〇%（東株市場）乃至四〇%（全國市場）を吸集するといふことは―長短期市場を合しての比率で、何れも長期の四―五%なるに對し短期は四〇―四五%以上である―他國に例のない所である。實に其點を我國取引所の特質的事實として擧げ得るのだ。

そこに吾々は一歩進んで何故にそうなつたのかを究明すべきことゝなる。が、その前に見るべきは何故に新東株が主力株となつたかである。申す迄もなく、或株式の主力株となれるは、國民經濟一般の景況によつて動くと共に、其動きが好否により端的に表はれるといふものであるからであるが、新東株はそれを最も有するのだ。抑〻株式商内なるものは、株價の動搖と資金―投資並びに投機の―の多寡によるものであるが、業界の好況に向ふ時は其株價の上昇的動き、その既に頂上線にある時も波瀾的動きがあり、斯かる業界の數を加へ全面的となるにつれ、一層資金の增進も加はりて商内を旺盛ならしめるのであり、之に對し景況の反動に向ふ時は株價の下落的動きはあれ、急なる際一時的に賑ふのみにて、多くは上昇的動きの場合とは趣を異にして商内振はず、不況時に入るや株價の低迷と資力の涸渇は商内を全く萎微せしむるものである。斯く株式市場の商内は大體世の景況に比例するのであるが、我國取引所の株式組織は其關聯事業の營利的經營をなせるものに外ならず、東株はその最大なるものとして其株式の價格は國民經濟の景況を最も反影するものとなれるのだ。上に於て知るべきは、東株に其株式の賣買せられるに於て、東株の業績を規定するといふ株式商内高の中に恰も其株式の商内高も加はれる(從て兩者は循環的關係にある)ことになる點であるが、其商内高も東株の業績、價格によるといふ所より間接的に、又實際にはもつと直接に財界を見て賣買されるやうになるといふ所より、雜株との相對度は兎も角、矢張り財界一般の景況に應ずるものだ。東株以外、紡績會社の如きも我國民經濟を代表する產業を營めるものと云へやうが、包括度の及ばざる上、夫等の配當力は業界景況の外、各個會社の經營態度如何にもかゝり、例へば有力大會社は何れも配當平均主義を固持して、東株の如く經營方法の點が割合にネグレクトされるやうになれるもの―先年取引員に對する不良債權の續出といふ點から多少災ひされた―に及ばないのである。

上述したる所により新東株が主力株となれる基は大體知られたであらう。一つ殘されたる、親株でなく新株がその位置に置かれた事由に就ては、親株が清算市場一部より除かれてゐること、具體的に云へば商内の集まる機構の短期清算市場に上場せられてゐない事と新株のある限りその方が商内がし易いといふ事との結合に歸せられる。勿論前者の方が大にして、親株を短期市場に上場すれば兩者衷和、相接近するに至るであらうが、然も後者が尙は一歩力强さを維持することも疑ひない。

そこで我國に於て何故此の新東株に主力株として餘りに商内が集つたかであるが、先づ何より我が株式市場の持てる偏集的な素質を擧げねばならぬ。繰返す迄もなく、主力株現象は投機が投機として都合よく振舞はんとすることが地盤となりて成るものであり、從で我國の取引所、就中株式取引所そのものが機能的よりも投機的に出來上つて來たといふ事實は、自ら彼の偏集性に想到せざるを得ないわけである。次には我が取引所の株式會社組織も擧げられる。既に云ふ迄もなく、其株式會社組織により新東株は出來上れるのであつて、云はゞ夫は彼の生みの親であるが、其組織が彼の投機商内を增加せしめるといふに於て、それは更に育ての親ともなれるわけだ。而して株式會社組織の作用に就ては、一般にもよく知られてゐる所であるが、要するに其營利性によつて量的に投機を助長するものにして、それら増加せしめられた投機が前の偏集性により主力株に赴くのである。

註一　東京株式取引所五十年史、東京株式取引所史第二巻、及び東京株式取引所統計年報による。

註二　武田憲治郎商店調査部「大株長短期上場株詳覧」附錄による。尙最近年の資料を缺き、唯大株月報により次の數字のみが得られた。

年次	全國市場短期總賣買高	中、新東株賣買高
昭和十年中	二一四三三〇七五〇株	九〇二一五二一〇株

註三　東洋經濟株界二十年昭和十一年版による。

註四　東株市場長期先限平均相場及び配當率は東洋經濟株界二十年昭和十一年版による。

註五　大正一〇年より同一五年に亘る各一月の平均利廻を基數とした。

註六　一般株式利廻及び指數は東京株式取引所年報及び月報上のものを用ひた。新東株のそれらと比較するには多少の手入を施さねばならぬ點もあるが、玆では便宜其儘にした。

註七　大正一〇年より同一二年に亘る各一月推定相場平均を基數とす。

註八　東京株式取引所年報及び月報上のものを用ひた。尙註六に述べた事は玆にも云はれる。

四　主力株と取引所の作用

上に述べた主力株の性質といふのは、主力株と他の雜株との關係を主とし、それのみからは主力株があつてよいとか惡いとかの判斷は生まれて來ない。主力株があれば投機思惑上都合がよいといふの類は、勿論思惑上の事で取引所論の範圍でない。從て又我國の主力株現象が甚しいといふ事も直ぐには善惡は云へないわけである。卽ち主力株政策には、更にそれが取引所の作用に如何なる影響があるかを見、而して後適當なる對策を樹つるの順によらねばならない。從來我が新東株に關し、其清算取引を禁止せんとする主張が投機抑制を中心的な事由として行はれてゐるが、吾人の見る所によれば、上の學問的な過程が缺けてゐるやうに思ふ。

然らば主力株の存在は取引所の作用、詳言せば機能作用と投機作用に如何なる影響を及ぼすであらうか。先づ機能の方面にありては、註一其種類そのものには變化がなく、唯それらの程度に厚薄或は濃淡を生せしむる格好だとも云はるゝが、考察を主力株そのものが經濟上盡くす所、主力株の存在による諸他の株式の機能と分ちなせば、

前者の主力株そのものとしては、其株式の取引及び擔保流通に、正確なる市價、間斷なき市場を極度にまで有することになるが、之には、主力株の如き投

機株は投資的な保有が少く、最もその便宜を適へさせてやるべき必要そのものが普通以下だとも云はれるのだ。彼の唯一の機能と云はゞ、實に財界一般の趨勢を指示する所にある。清算市場が株價を的確に示すにより發揮する機能としての、當該會社の經營態度を敎へること、當該會社の事業界の景況を反影することの二の中、前者は主力株の會社の如きに就ては多く問題とならないに對し、後者は主力株には著しく顯はれて如上の機能となるのだ。尤も之も國民經濟一般的なるだけ、資本を具體的に指導する力は薄れるが、然もその國民經濟全體の樂悲を端的に暗示することは、諸種に利用されて利便とせらるゝ場合少からず、彼の何よりの機能となるのである。

主力株の機能としては、尙ほその商盛が各種の間接繋ぎの目的をよく達せしむるといふことがある。株式取引所に於ける間接掛繋ぎは、株式會社或は個人經營の小企業の事業危險、又大企業にて取扱商品に商品取引所を有つものにても其固定資本の部分の危險等、實に多方面の要望に應ずるものにして、從來其方面の自覺が少かつたため、利用も多くなかつたやうであるが、將來其自覺と共に利用も進められると思ふ。卽ち一部の夬を輕視する論者には强調すべき點であるが、然もそれを無條件に主力株の機能として彼に歸せしむるも又過ぎたることゝなるのだ。蓋しその掛繋ぎの對象が主力株にても充分なりとせらるゝ場合もあれ、寧ろ他の種の事業株式を選ぶをより直接的とするに、主力株がそれらに分散せらるべき投機需給を吸收せるがため、彼に赴くといふことも少くないからである。

で此處に考察を主力株の存在による他の株式の機能と云ふ點に轉ずれば、主力株の存在は夫等に向ふべき投機需給を吸集して花形株以外の取引所機能を阻害する。素よりそれが常に機能を害する程度に到るものとは限らないが、實際には多くそうならんとする。尤も其支障の程度は取引所によりて同じからず、又その小なる間は一方に生ずる主力株の積極的な機能に償はれ我慢もせられやう。要之、機能的に見て主力株の否定せられるは、當該取引所に於ける諸他の株式に向ふべき投機需給を吸集し、夫等の機能を所定度以上に害するに於てゞあるといふことになる。

次に主力株と取引所の投機作用に就て云へば、既に知らるゝ如く、取引所は投機需給を過剰に、即ち機能上必要とする以上に行はすものであるが、株式取引所に於ては其作用は取引所と云ふより主力株に置換へられるのである。申すも迄もなく、夫に於ては投機は主として主力株に集まるからだ。吾人は上に主力株が雜株に向ふべき投機需給を吸集しても、常にそれらの機能を害するとは限らぬと云つたが、それは其吸集度の少い場合もある外、多少吸集度大としても斯の雜株一般に對する投機需給の過剩たる分を恰も吸引してゐる場合もあるからである。この後の場合にありては、主力株は雜株の機能を害せず、然も夫自體機能を有つ存在として過剩投機を有用に利用するものとも云はれる。されどそれも何處迄も然るを得るものではなく、主力株の或程度以上の商盛投機は、それの投機的弊害を增長し、賭博的とも見らるゝ程に到らば、彼の過剩投機の弊は既に主力株としての機能を超越せるものと云はねばならないのである。

註一　前揭拙稿「株式取引所の機能的本質」

五　新東株を如何にすべきか

前段に述べた主力株の作用、其價値批判より我國の新東株を檢するに、それが主力株としての機能を高度に發揮し來れることが認められる。だが其一面に、諸多の株式に必要なる投機需給を吸集して夫等の機能を害せると共に、自ら賭博的とも云ふべき過剩投機に陷てゐるのであり、得(Vorteil)も大であるが、失(Naohteil)も大にして、後者の點を眺むれば新東對策の聲の起るのも理と云はるる。所謂統制經濟の進行し、其思想の浸潤するにつれ、上の賭博的な點は愈〻目障りに感ぜられることであらう。されどかの其清算上場を罷めんとするが如き主張は如何であらうか。

處で其對策を論ずる前に一應考へて然るべき事が生じつゝある。それは新東株は漸次主力株たるを、就中投機過剩狀態を喪失するに至るであらうといふ前途觀(註一)である。若し然りとすれば、別に對策を構ずるまでもなく、問題は或る意味に於て自ら解決さるゝことゝなるわけだ。惟ふに此の考が最近に懷かるゝに至れるものは、一には、統制經濟の進行により、一般業界の消長が少くなりて各種事業株の清算商内が減少氣味となり(註二)、延いて東株業績より新東株の動きにといふ常道的な方向より、更に新東株の商内は上の間接的な筋道よりも直接に財界一般を見て行はるゝが、其消長の少くなることは自ら商内高を細らすといふ方向より、彼に響くのを見たるに外ならない。併し之は主力株が財界時勢に應じた、或はそれを反影してゐるのだとも云ふべく、その響はそう意にすべきものでないやうだ。他の一は、新東株そのものに影響さすもの、就中統制經濟の進行により從來の政策的な力が强められるであらうとの豫想に基く。實際には此方が大であらう。併し、之も新東株對策と組織政策の如きそれ以外のものとの二に大別さるゝのであるが、後者は未だ間もあり、又其豫想の影響は必ずしも新東對策を放棄せしむる程とも云へず、玆に前者の新東對策が、吾々の論考に上して然るべしとなるのだ。

抑ゝ或る株式が現に主力株となれるは、然るべき事由のあることにて、從て其存在を成る可く保たしむると共に、弊害を防除するが彼に對する方策の根本でなければならぬ。其存在をなくせんとするが如き、然らざれば弊害の除かれぬ場合の話である。而して今我新東株の上場を禁止すれば如何と云ふに、恐らくは代りて或數の花形株に市場大部の投機需給が偏ると共に、夫等の投機が過剰となるものと考へられる。私は、一般に信ぜられてゐる、彼に代はる株式が間もなく産業株中より生成するであらうと云ふ考には疑問を有ち、彼の如き純な主力株的株式は容易に見出し得ないとなすものであるが、假りに産業株的主力株が生成したとしても、その産業株たるの故を以て、主力株としての意義ある方面に積極的な價値が生じやうとは思へない。然も新東株に於けると似たる弊害は依然殘るのだ。蓋し既に知れる如く、投機の偏集は我が株式市場の素質であり、投機の過剩は其株式組織に多く胚胎せるものであるからである。

右により新東株の上場禁止の意味少き事は知られるであらう。が、其處に喚び起し度いのは、新東株に就き最も問題となる過剩投機は半ば株式組織に基いてゐるといふ點にして、此點より我國の主力株問題はかの組織問題に移流するのであり、其根本的な解決法として組織を變更する事が擧げられるのだ。或は株式組織を維持するも、その資本と配當に統制を加へ低率に確定すれば、實質上組織變更に近い效果を齎すことも考へられる。處で、その事は現在の我が主力株の特質とする所に突當り、それを發《アバ》く、つまり其株式組織の結晶たる新東株が恰も主力株であるといふに於て、主力株そのものをなくするに至るのだ。斯くて此を保持するか彼を敢へて行ふかの選擇に歸するわけであり、素より新東株の如き備つた主力株は少いといふ立場からは前者が望まれるであらうが、然も組織改善の諸他の效果を考ふる時、寧ろその方に赴かざるを得ないのである。

而して右に關し一言し度いのは、我取引所の株式組織を會員組織に化するといふ場合、その手段工作として當所株、延いて新東株の上場を前以て廢むべしとの通説である。之は當所株をそのまゝにして置けば、我國の取引員の如く多く自己思惑に熱中せる所には、賣方買方に分立し、買方側に立てる彼等の間より烈しき反對を生じて足並揃はず、目的を達成し難いと云ふのが事由である。一聞尤ものやうでもあるが、注意せなければならないのは、現在夫は既に兩者の強弱對象となつてをり、その上場の廢止、特に組織變更の手段として決行せんとすれば、相場の暴落に伴ふ影響を惹起し、國家外部の強制力なくしては行はれないことである。換言せば上場禁止後は會員組織へスムースに進むかも知れないが、その上場禁止に強制力を要することは直接組織變更を行ふのと別に變らず、既に同じき強制力を要すといふならば、前以ての上場禁止を（爲して惡いといふのでないが）組織變更の手段となすが如きは何等意味なし註三と云はねばならない――即ち組織變更の手段としては成るべく影響少く、國家外部の強制力少くしてやれる狀態に先づ導くにある。そのやり方は組織問題であり註四、今は觸れない。

唯、現實の問題として見るに、我が取引所の株式組織は中々に執着せられ、其變更は種々に反對せられるのであつて容易ならぬ樣子である。尤もそれにも拘らず取引所組織の株式性は次第に失はれつゝあるを否み得ないが、その實質變化には今後に長年月を要するが如くである。斯くて其處には組織が其儘にて、卽ち新東株が存在してゐる場合に、然もその上場禁止が意味少しとせば、他に何等かの對策ありやが依然存することになるが、吾人はそれに證據金政策を擧げ度い。前記の組織變更は新東株に對する一の根本對策だとしても、それのみにては足らず、我が株式市場の偏集性是正の爲に尙ほ此證據金政策は必要とせらるゝ所でもある。玆に述ぶる迄もなく、取引所投機需給の大部分は所謂薄資投機にして、證據金の大いさ如何は彼等の量を動かすと共に、其分配をも調節するものだ。卽ちその今我が新東株に對する態度は、諸他の株式に必要なる投機需給を吸集せざる割合に定むると共に、適當に高めて過剩な投機を薄資のものより制するにある。(註五) 今日の實狀は寧ろ此方針に反し、彼の弊害を進むるが如くにもなつてゐるやうだ。若し證據金の此調節策が株式組織取引所と相容れず採る所とならずと云ふならば、宜しく國家の監督的出動を要するとならざるを得ぬ。

右に述べた所では新東株の上場禁止を單純に取扱ふたが、それは分てば二となるのだ。一は東株に於ての新東株上場禁止、他は地方取引所に於ての禁止である。而して所謂取引所株上場禁止論は凡ゆる取引所株の上場を罷めんとするもの、又所謂新東株上場禁止論は新東株だけ一切禁ずるものとなすに對し、所謂當所株上場禁止は各地取引所に於て當該取引所株の賣買を禁ずるものとせば、之は地方取引所に於ての新東株の上場は認むるものとなるわけだ。だが吾人は、上の如く、新東株の上場禁止には寧ろ消極的に立つとしても、それは東株に於ての話にて、地方取引所に於ての其上場禁止には斷然賛するものである。蓋し夫等に於ての新東株の賣買は、夫々に於ける投機需給の偏集を東株より一層極端となせる――既掲數字參照――と共に、東株に於ての新東株商内の投機化を助長せるのであり、前者の點は東株に於ての新東株賣買の殷盛に基くと云はるるとしても、第一そのやうな處に於て彼の如きの賣買をなすことは、地方取引所唯一の存在口實たる地方企業金融に資するといふより遠ざかり、單に投機賭博的な意義しか有たないからだ。卽ち私は所謂當所株上場禁止論には全面的に與せざる者となるわけである。註六

尤も當所株上場禁止論は、中心的な東株にての新東株否認を豫想してをり、殊に其論の重點は當所株といふ所に置かるゝものゝ如くである。が、それにも大した價値はなさそうだ。或る取引所に該取引所株の上場は自己會社株の擔保等と等しく宜しからずと云ふが如き考は、株式流通機關としての取引所を忘れ

た議論に過ぎず、又或る取引所株の其取引所に於ての賣買は一層其商内を投機的たらしむといふ事も、取引所株式組織の投機商内増加が當該取引所株に於てのみ可能だといふ必然性はなく、本來、其商内の大なるものを大なるだけ所謂弗箱の如くに取扱はんとし一層大とせられてゐるの事實はあるが、それも既に先述した證據金政策のとらるゝことを前提とする所には、自ら問題たるを喪ふのである。

上來新東株の處置を云ふ時は、通常その親株をも結んでの話である。例へば新東株の上場廢止と云へば親株も同じ運命に置かれるものとしたのであり、若しその切離されたるもの、卽ち新東株のみの上場を廢止し親株はその儘[註七]といふのでは、後者に我が主力株不當事實が依然行はれて意味を失ふ。併し其處には新株だけを問題として意味のある立場も無いではなく、又其立場より新東株の上場禁止說も出てゐるのだ。彼の親不孝相場を說くものの中には夫がある。[註八]彼の親不孝相場は[註九]、先にも一言したる如く、新株が直接に主力株となれるため、主力株としての高きプレミマムが彼にその儘現はれ、親株は夫によりて規定せられつゝも、一面多少の採算關係が加はり、低位に置かれるによつて生じたるものに外ならない。尤も主力株が過剰投機に陥れる場合、その爲に更に多少高められて親不孝を大ならしむる所もありて、新東株にも、其部分が幾許なりやの測定は困難としても、或程度加はれるを否み得ないが、それだけならば、前述した證據金政策等を採るに於て除かれる事であらうと思はれる。たゞ其政策も勿論主力株としての基本的な不孝部分を動かし得ないのである。而して夫は主力株たる點から見れば納得もゆくのだが。唯一般の新株關係から律すれば不合理と映せざるものでもない。で、その不合理を矯めんとの目的を達せんといふならばそれにてもよしとして、爲に新東株のみの上場を廢めんとするが如き方法は如何であらうか。凡そ此種の對策を規定するファクターとしては、第一に有效なること、第二に市場的變動、影響の少きこと、第三に行爲の不合理性の少きこと等が擧げられると思ふ。而して新東株の上場禁止は第一の點は頗る滿たされるとしても、第二の影響が甚大であり、第三の點も株式の上場を禁止することは常道でないといふ見地より夫に叶はず、吾人の感心せない所である。

然らば他に良法ありやと、坊間唱へられてゐる說を上の三點に就き檢するに、新株の未拂込徵收の方法は、新株をなくするものとして最も有效であり、又變動、影響も餘り大ならざるも、唯徒らに資本を膨張さすものとして第三の點に於て非難される所だ。次に新株に親株の代用を認むる方法及び短期清算市場に親株を上場する方法は、何れも變動(新株が少し下るのみであらう)が少く、第三の點も別に不合理なく、殊に後者の方法は現在の親株の不當待遇をなくするものとしてよいやうであるが、如何せん效果が少いと思はれるのだ。之等は親株の騰貴を豫想する方法であるが、大した事はなく、親株代用案も、多分相場は新株以上にはなるとしても、拂込額だけでも上位にあればよい方で、一般の新株關係を基としての親不孝關係は除かれないと思ふ。で以上四つの中、何れが選ばれるかと云へば、私は新株の拂込徵收案が一番ましだと考へる。勿論之には資本の膨張を來すといふ不合理性は免れぬが、意義ある目的を達するのでもあるとして忍ぶのだ。但し知られ度いのは、私は現在の如き過度の親不孝には不贊成としても、既述證據金政策による訂正された親不孝部分を、一部の人の如く嫌厭するものでないといふことである。註十

註一　新聞、雜誌等にも散見するが、「新時局と東株の今後」東洋經濟新報昭和十一年四月十八日號　一八二―一八六頁　などはその組織的な論文の一であらう。

註二　拙稿「統制經濟と取引所」法と經濟二卷　六號　六六―六九頁

註三　拙稿「取引所組織の再吟味」經濟論叢　三四卷　五號　一一二頁に一言したることがある。

註四　右註三の拙稿　同　九〇―一一二頁

註五　證據金政策に對し、課税政策を擧ぐるものもある。今茲に兩者の得失を詳説する暇はないが、私は、後者が投機以外の需給をも無差別的に取扱ひ、それらを害するといふ短所を有する點を重視し、前者に及ばずとなす。福田敬太郎氏「市場政策原理」昭和七年三月　四〇一―四〇六頁參照。

註六　新東株の東株市場に於ての上場を禁止し、他方取引所に於ての上場を認むべしといふ説もあるが、勿論吾人の支持し得ない所だ。福田氏前掲書。

註七　現在親株は短期清算市場に上場されてゐず、從てその上場をなすに於て、その儘といふことの意味が强まるわけだ。

註八　親不孝が主力株としての投機過剰性に基くや云ふ迄もなく、從て新東株の主力株としての弊害にそれが指摘さるゝは寧ろ普通である。つまり親不幸を擧げるものには此種のものもあり、單に對親株との關係の不當を嫌ふもののみではないのである。

註九　原祐三氏「新東親不孝相場の合理的解釋」ダイヤモンド昭和十一年四月廿一日號四〇―四四頁は此點を深く解剖されてゐる。但し氏の所論には同感の點もあれ、意見の異る點も少からず、今茲に其批判をなそうとは思はぬが、一つ二つだけ述べてみやう。氏が新東株の割高を投資價値に投機賭博的價値が加はつたものとせられた點は、私のそれだけ低利廻に評價されるといふのと似てゐるが、然も其原因を主力株たる所に求めず、單に投機賭博的價値とせられたのはどうかと思ふ。蓋し投機賭博的價値は必ずしもプラスに働くとは限らず寧ろマイナスに働くが普通にて、多くの花形株はそうである。內容、素材は同じであるかも知れないが、主力株となつてこそプラスとなるものと云はねばならぬ。次に親東株の株價がそれとしての投資價値に投機價値が加つて規定せられ、株式としては新東株價との關係がないやうにも説かれてゐるが、此點も所見が異る。蓋し假令親東株が現在より以上に市場待遇が惡くされても尚ほ多くのプレミヤムを附くべく、換言せばその大いさは新東株を基として規定せらるゝからである。

註十　東株當事者、當業者も新東親不幸が過當に過當投機の非難の的となるに鑑み善處すべきであらう。

（昭和十一年五月一日稿）

物産取引所格付賣買の理論

今西庄次郎

目次

一　格付賣買の意義……1
二　取引所格付賣買の根據……2
三　取引所格付賣買と實物流通……8
四　取引所格付賣買の本質……13
五　取引所格付賣買のやり方……19
イ　格付の範圍……21
ロ　格差……29
ハ　標準品……40

はしがき

格付賣買と云ふ事は、物產取引所に於ては、重要な問題であるに拘らず、從來の取引所論などにては、その行はれてゐる形式、制度の紹介的な記述がなされてゐるのみにて、經濟理論的なものが少いやうに思はれる。私は、よつて、其の一般理論的なものを書いてみやうと志してゐたが、人々に持たれる興味といふ點から、殊に臺灣などで、それだけを雜誌に發表するのを控へてゐた。處が偶〻先年來、蓬萊米の定期代用の議が當地に聲高く起らんとした。格付賣買理論の範圍は何も其種代用問題を取扱ふだけに止らないが、そこに、かの特殊問題を取扱ふといふ形に於て一般理論を述べるによい機會が生じたわけである。然るに最近に至り、米穀統制の强化は米取引所の存在そのものを危からしめんとし、蓬萊米代用の特殊問題もその重要性を喪へる狀態となつた。玆に於て私は、謂はゞ夫によつて起稿を動機づけられながら、其特殊問題には多く觸れず、商品取引所一般に歸して其事象を論ずることゝした。尤もその運命は兎も角、從來の我米穀取引所界は格付賣買の理論を窺ふに最好の世界であり、以下にも夫を例とせることが甚だ多かつた所である。

一　格付賣買の意義

詳細な論に入るに先ち、格付賣買の一般的な意義を述ぶれば、同種商品なるも多數の品種、等級があり、夫々價格を異にせるものに就き、その價格差を定め―格付 (Grading)―一定銘柄の賣買の受渡に他の銘柄をも當該價格差を附して供し得ることゝせる仕方である。それは、一定銘柄以外、他を受渡に供し得ずとする銘柄賣買に對せしめられるものだ。格付賣買の意義としては右の如くであるが、違つた內容のものが時に同じ名前で呼ばれてゐることを知らねばならぬ。それは、餘りに多數の、各〻少量な種類より成れる商品界に於て夫等をより大量の、少數の等級に纒め分ち、夫々に相當の價格差を與へて賣買するといふやり方である。斯の如き賣買のやり方は、生產の奬勵、特に取引の圓滑促進のために行はれ、或は吾々の格付賣買の前提として行はれることを要するかも知れないが、一つの等級のものに諸他の等級を代用し得るとなすのでないに於て前者とは異り、等級賣買とでも名付けるべきものである。

二　取引所格付賣買の根據

既に繰返す迄もなく、取引所は大量物件に關する。大量物件でないと需要、供給が多數とならず(大量物件にても需要、供給が少數なこともあり得るが)從て價格が混沌とせず(尤も價格變動の少い性質のものは別)、一面買占などの爲に取引所の機能的な作用の發揮が却て妨げられることになる。處でこの大量物件には大別して二の狀態がある。一はその內容を成せるものが全然同じである場合にして、株式の如きに至れば、その尤なるものである。他は種類が等しいが品種、等級等に色々あるものを含む場合にして、商品は殆ど之である。斯かる狀態を生ずるものは、一には用途上の事由にもよれ、主としては自然的條件或は加工技術の如き生產上の事由によるに外ならぬ。而してこの生產上の事由などより品種、等級に相違を生ずと云へば、それが甚だ雜多となり、殊に當該商品量の多大となるにつれ無數となるがやうにも考へられる(その無數なるものは一々格付することと技術上不可能に近い)。勿論斯かる場合もないではないが、寧ろそうでない場合の方が多い。蓋し既にも知らるゝであらう如く、相當纏つた銘柄即ち等しき個體の集りとなつてゐなければ大量的となり難いからである。此事は、手工より機械的生産となつて大量生産が可能となり機械は製品を均一化すると云ふが如く工産物に就ては直ぐ理解されるが、農産物も大體似てゐるのだ。要之、大量商品も、其構成銘柄の各大いさ、數といふ點より見て色々ある事を忘れてはならぬとして、夫等の相當に纒つたものよりなれるものとする。

而して夫等の銘柄は各〻價格に相違を有するが通常である。が、それにも二の場合があり、各銘柄の價格が各別に定められるといふものと、夫々の銘柄全體或は大多數の間に比較的强き代替性が存し、價格上步調を等しうする、即ち或銘柄の價格にして相當以上に在らんとせば夫に對する需要は控へられ他に移るといふが如きものとある。素より斯の代替的な動きの顯著に映ずるは相接近せる品等の間に於てゞあるが、それが順次全體に響くのである。尙ほ價格上步調を等しうすると云つても、各銘柄夫々としての個別的な動きの範圍もありて規則正しきものとは限らず、從て幾分程度問題とも云へやう。即ち或銘柄にして價格が(用途其他の關係で)特に定められるといふ程度に到れるものは次第にその牽聯(Zusammenhang)を離れたりと云ふべきであるが、其動きが尙ほ全體的な動きの埒内にあれば、全體的な牽聯に加はれるものとして取扱ふことは可能なのだ。而して今或商品が多數の銘柄として存しながら、一の大量商品として取扱はれるものは、結んで大量となるといふからであるが、それを可能ならしむるものは實に右の全體的な價格である。尤も商品によりてはその内の或る銘柄だけでも既に大量性を滿たせるものを擁する場合もあるが、兎に角、商品の多くは、銘柄としての價格の外、その總體に關する全き價格(Ganzer Preis)といふものを有ち、其範圍に一として取扱ふことが出來るのである。吾人が取引所の存生に關し、常に、複數銘柄を擁する商品を一のものの如くに見做して來たのは、後者の見地に立てるものなること云ふ迄もなからう。

凡そ取引所清算市場の存生するは、亦繰返す迄もなく、物件の大量性と價格動搖性といふ條件の具はる所、一定の機能的要求といふ本因(Hauptursache)――玆に本因といふ語を用ひたのは、勿論上の條件に對し原因(Conditio sine qua non)であることを明にせんとした爲であるが、尚ほ取引所存生の他の動力たる投機的要求が正當と認められる性を缺き、實際の力は兎も角、前者の範圍内に於て認められる陪因たるに止まるにも對せしめる意を含めてゐるのだ――が、相場公定、常時的市場としての彼を求めたるによるものに外ならない。而して取引所の取引は、其存在要求を實現する活動形式として、本質的には其機能的要求により て規定せられ、それに適ふものでなければならない筈である。處で、商品にありては、各銘柄の價格と前記全體的價格とあり、銘柄價格は勿論銘柄取引に關し、全體的價格を實現するものは格付賣買なのであるが、其處に生ずる、その何れかに就ても、右と同樣に定めらるべきである。換言すれば、格付賣買が行はるゝとせば、それは機能的要求が全體價格に於て滿たされ、或はよりよく滿たされるからのものでなければならないのである。

既にも知らるゝであらう如く、商品取引所を機能上要求するものは、當該物件の正確なる相場を得、取引の締結並びに需給のバランスを進めんとすること、更に當該相場變動の危險を免れんとすることである。先づ當該商品の價格標準を有ち、その配給移轉を公正、迅速に行ふといふ點に就て云へば、それは直接に各銘柄、銘柄の價格を示されるが實際的だとも云へるであらう。だが、先述の如く、當該商品の價格は全體として定まるものにて、全體的な價格が、抽象的ながら、土臺となり、銘柄の價格は恰も夫に附着せるやうになれるものである。從て取引所に於ても、その全體的な價格を與ふれば、各銘柄の價格は、自ら、夫々實物市場以下の取引に於て、品等による相當の値開きを持つた、謂はば具體的な衣を纏ふたものとして與へられるのだ。此の方が、全體的な價格關係が先づ示されるが故、直接各銘柄に關する取引の場合に見る、夫を詳にせざるにより銘柄個別の需給關係に墮することを少くし、夫々、より正當な價格を有することゝなる。又二段的ながら、價格定與の順によれるだけ、寧ろ事は速に運ぶことゝなるのだ。

次に其相場によりて當該商品の生産、消費の適合を計るといふ點に就て云へば、それには全體的な價格の方が正に適當せることは自明であらうと思ふ。蓋し銘柄價格も當該商品界の實勢を現はすとして、各銘柄を併せ全體としてそれらの需給の投合して定められる價格こそ、謂はゞ裸で、實勢を示すそのものであるからだ。

次に相場變動の危險を免れんとする、所謂掛繋ぎの點に就てみれば、其根本は變動の得失を成る可く精確に避けんとする所にある。此の爲に、何より、相手を見付け得ず、ぐづぐずして相場の變ることとなきを求めるのであつて、彼が清算市場を要するのは誠に是に出づ。が、右の爲には今一つ求められる所あるものにして、つまり自己の賣買せる物件の價格の動きと繋げる取引所相場とが並行せんことである。從て全體價格に關する格付賣買も之等の要求に就て判斷さるゝことゝなるが、夫は、抽象的な全體價格は具體的な各個價格と必ずしも並行するとは限らずといふ所より、支障あるが如くにも考へられるのだ。併しながら格付賣買は斯の不利に對し利長もあるものにて、即ち需給が集大となり、賣買の機會を增すといふ要求に適ふ外、右の兩者價格の不並行は實物市場が不當な價格を與へるにより又或場合は繋ぎ市場——淸算市場——が不當な價格を與べるによるものと見らるゝが、後者に於ての格付賣買はそれを寧ろ少からしむるを認めざるを得ず、全體として之等の利長は其不利に勝るのである。

以上、要之、全體價格に關する格付賣買は取引所の機能的要求に(銘柄價格、銘柄賣買)より適合してゐる。是れ取引所に於ける格付賣買の根據であるが、その終りに、既に明なる事ながら、夫が投機目的にも適合することを附加して置かねばならぬ。人によれば、先づ投機取引を充分に、危險なく行はすことを説いて、格付賣買の根據となすものもあるが、之は正しくない。蓋し取引所は投

機々關ではなく、縱令投機目的に適合するも、機能上の根據なきに於ては行はれ難いからである。唯機能的存在の立場としても、投機需給は其素材でもあるが故、假令格付賣買が機能上根據を有つとしても、投機に適せざれば、又充分でないこととなるのだ。

三　取引所格付賣買と實物流通

格付賣買は、前段の如く、諸價格的要求に適合するとして、實物の移轉には適合しないやうである。此事は容易に考へられる所にして、實物供給即ち實物を渡す方は差支なきも、實物需要即ち實物を受ける方が滿たされないのである。勿論、實物の受渡が達せられないと云ふのではないが、一般に實物需要なるものは、程度に强弱はあれ、品種、等級の銘柄が要件とせらるゝに、そのまゝでは、賣方の勝手に選んだものが渡されんとし、希望が達せられなくなるのだ。其處には其種の實物需要は自ら集らなくなる。斯くてその弱點は格付賣買の行はるゝを否定するに至らざるか、それにても宜しきやの問題が起らざるを得ないのだ。

が、取引所の取引なるものは、取引所の使命を實現する活動形式なるが故、右の問題も、亦、取引所の實物移轉作用或は換言して實物移轉機關としての取引所の地位といふものに從ひて規定せらるゝことゝならざるを得ぬ。依て、今、遡てその點註一を少しく述べることゝする。

玆に繰返す迄もなく、取引所は、配給の二の要件たる價格の方面と物そのものの移轉の方面の中、前者の價格の方の機關である。凡て一事に專らとなれば、他の方面は自ら疎となると云はるゝが、今配給界のその價格方面をよりよく滿たして欲しいといふ要求が取引所を存在せしめたるに外ならぬもの故、價格機關としての彼も自《オ》ら其方面を專らとすることゝならざるを得ない。然らば彼にありては實物の移轉といふことは無視せらるゝやと云ふに、決して然るものでない。本來配給に於ける二面、卽ち價格と物の移轉とは相互的な關係作用を有つものであり、從て實物移轉作用を切離してしまつては、其處には到底、正當、權威のある相場は立たず、一方にはそれより延いて、又直接的にも移轉機關たる實物市場以下との關聯を喪ふに至るからである。斯くて其處には必然に移轉作用が行はれねばならぬものとなつてゐるのだ。但だ彼の移轉作用の必須限度は斯の如く價格作用の謂はゞ手段としてなれば、それを專門的に營むもののやうに行はるべく(必要と餘力)もない。卽ちそれは移轉受渡を前提としてをれば、つまり受渡可能の途を存して置けば可とし、そしてその實質の保持せられてゐる限り、現實に受渡需給の行はるゝ量は多く問はずとなれるのである。

取引所の移轉作用は本來上の如くであり、又事物の性質より考へ、彼としてはそれで差支はない。然るは世には彼を一人前の移轉機關でもあるべきものとして認識する者が少くない。之等の者は夫に於ける受渡高の出來高に對する比率を直接或は暗默裡に問題とせるのが常だと云つてよい。實際のそれの少きを寒心し、その成る可く多きを可と考へてゐること云ふ迄もない。今、取引所に於ては移轉受渡の途を存して置けばよいと云ふも、事實はそれだけに止らず、そこに相當の受渡需給の行はるゝのが通常である。唯淸算市場には、既に知らるゝ如く、差金決濟に終る資力なき投機需給が集まり、夫等の量の多き、彼を(機能的存在たると)同時に投機的存在たらしめてゐるものだ。だが假令斯の量的に投機々關たるに至つても、それは必ずしも機能的價格作用に惡いといふのではなく(その多いことは質的に見て投機活動の不當なる場合を多からしめるとは云へやうが)、既に事足れる以上道德的にも好ましからぬものを行はすは不用なりと云はるゝのみである。從てそれらによつて稀釋され受渡高の比率が小となるも、直ちに機能上取引所として反せる事象とは云へないのだ。

素より斯く云へばとて、反對に、受渡高の多く、(投機需給の量が與へられたるものとし)その比率の大となるを不可となすものではない。たゞ時として、切角の受渡高の增加も、寧ろ好ましからぬとせらるゝ場合もあり、例へば投機的需給にて資力あるものの中、その目的を達せんとして(思惑通りにゆかず然も清算決濟は一層不利となる故、受渡をするといふ消極的なものはまだしも)所謂實彈による崩し、或は玉締めによる吊上げのため、積極的に受渡を敢行するものの如き夫である。が斯の如きを除けば、一般に受渡高の多いのは好ましいと云つてよい。取引所實物化論が勢を得て實際界を響かし、(投機需給を一概に驅逐して齎さんとせば取引所の破壞ともなるが)彼に受渡需給を集むる工夫をなし、聽て取引所が移轉機關たるを兼ぬるに至れる場合もあらうが、同樣である。但し知るべきはその好ましいと云ふ意味にして、それにより價格機關としての取引所が別に其價値を增すといふものに非ず、上の後者の場合には爲に專門たる價格作用が不充分となるが如き懸念もないではなく、勿論それは排せねばならないが、然もそれの妨げられざる限り、移轉作用に努むることは又それとして結構だと云ふのである。

以上は取引所の實物移轉作用を一般的に述べたのであるが、今それらの點より格付賣買を考察するに、まづ夫は取引所取引たるの資格を喪へるものではないと云ひ得る。蓋し實物需給の行はるゝ途を封ずるものでないからだ。けれどもその實物受渡需要に全幅的に與せざる機構の點は、決して無影響たるを得るものでない。而して其影響は移轉上のみならず取引所相場の上にも現はれるものにして、卽ち價位が幾分實物市場より低まることとなる。申す迄もなく、實物需要としては希望するものを得ないがため幾分割引かざるを得ないといふに基くのだ。一般的に云つて希望するものを得ない程度に應じ割引さるゝわけであるが、唯清算市場は投機需給が多く加はる所なれば、その爲に消され大して現はれないといふ點もある。それにしても、斯の格付賣買の齎す價格上の影響に就き最も大切なるは、それにより取引所機能が支障を受けざるやである。或はその價格の或程度低位に置かれるといふこと自體正當な價格標準を與へざるものとも云はれやうが、然も當該商品價格は彼が定めて實物市場以下を指導するといふ力そのものを喪はざるのみならず、價位の點もそれが彼の性質として一般に考慮さるゝ所、納得せられたものともなり、實際上は價格標定作用、掛繋作用とも殆ど支障を見ないのである。斯の如き價格上の影響に對比せば、移用に及ぼす影響、支障は確に大である。だが、之等は既に知れる如く取引所本轉作用の機能ではなく、從て取引所として缺くるとされざるや勿論として、唯その作用を彼としても出來得る限り進めるが望ましいといふ立場より、(中々六ケしいだけ)努力を要する點となるのである。

要之、格付賣買は取引所に行はるべきや否やと云ふより、その行はるゝに當り、出來得るだけ、短所となる點、就中實物移轉作用の滿たさるゝやう工夫すべく、技術の點が殘されたものと結んでよい。

註一　嘗て要言したることもある。拙稿「清算取引の二形式に就て」經濟論叢　三三卷　六號　九五—九六頁。

四　取引所格付賣買の本質

前二段に述べた所より知らるゝ如く、取引所の機能的要求は全體價格とよくタイアップし、その全體價格の爲にそこに格付賣買が行はれるのである。唯單に格付賣買と云ふ時は、一定の銘柄を賣買するも不足の懸念あり其場合には他の銘柄の代用を認めて夫を補ふと云ふ根據に基くものもあり得る。之にありては實物受渡的なもので又個別的な性質を帶びる。併し取引所の格付賣買は前記價格的な事情に根據する價格的なもので又全體性のものである。

申す迄もなく、全體價格は牽聯關係にある各ヶ銘柄全體として定められるものなるが故、夫等を結ぶ格付賣買によつてそれを作成することゝなるは、至極當然な筋である。唯其處に注意すべきは、牽聯關係にある各銘柄の價格は、當該銘柄としての衣を纒ふも、全體的價格に據るものなるが故、その大いさを通して全體價格を窺ふことも可能であり、從て銘柄賣買にても又事足りるがやうであることだ。されど自然的には斯の事象も行はるゝとして、清算市場にては其事の發揮は六ヶしいのだ。何となれば、實物市場にありては、縱令思惑的の需要が試みられるとも徒らに高値を抱く虞ありて多く意義を有しないが、清算市場にありては、かの資力なき投機需給を對象としての思惑、特に買思惑は其意義を有し得ることゝなるからだ。詳しく云へば清算市場にて銘柄のまゝの取引が行はるゝならば、其價格は牽聯を離れる可能一層多く、不當に吊上げられることもあると共に、時には其思惑が違ひて反動を演ずるが如く、全體價格は表はれ難いのだ。然るにそれらを結ぶ格付賣買にありては、物件の大量性といふことが前提として既に與へられてゐる以上(全部結んでも大量とならないやうな物件界には取引所の存在は見られず又是認もされない)、右の投機的危險の懸念は甚だ少くなるものだ。斯くて本來、全體價格を出すために銘柄全體を結ぶといふ格付賣買も、上の如き考察に於ては、買占防止の作用を有するものなることが知らるゝのである。

けれども右の買占防止の作用(註一)は彼の內質的性質(Innerlichkeit)であり、既述の根據とする所と無關係では其本質は決して理解せられない。然るに世間には取引所格付賣買の本質を說いて、單に買占め防止をなすものとなし、全體價格といふ精神と離す者がある。が此種の見解のとらるゝ所には、諸種の不完全な結果の引出さるゝを免れない。先づ夫によつては、買占點以上に大量となすため、餘り牽聯關係のないものまで結ぶことを是認することゝなる。併し既に知らるる如く、取引所は大量物件界といふことが前提とせられてゐるべきものであり、從てその確保(Erhaltung)こそあれ(格付賣買は、此點、つまり大量性の確認である)、創造(Erschaffung)はあるべきでない。右の立場に於ては、大量性を創作し、或はその充分ならざる物件界に取引所を存せしむるにまで至ることも考へられるが、勿論、斯の如きは、(投機々關としての取引所なれば通用せんも)その牽聯關係なきものを混へるにつれ、一體如何なる價格であるか內容不明のものが立ち、機能と緣遠きものとなつてしまふのだ。

單なる買占防止說の齎す、より實際的な問題は、買占を防止し得れば足るが故に、銘柄全部を結ばずとも大量的となれる場合には、其範圍に止めんとする點にある。之は細別せば、銘柄の或部分を結んで既に買占點以上に達すといふ場合と或銘柄は他と全然結ばずとも夫だけにて既に大量性を滿たすといふ場合もある。後者はかの所謂銘柄別清算取引に屬するものである。尤も一般的に銘柄別清算と云へば、凡ゆる銘柄に就て考へられるわけであるが、その大量性を有たざる銘柄に就ては、既述買占の危險より清算市場取引として認められざることは明なりとして―實物市場取引としては清算取引は實物移轉に適はしからずといふ所より大量性の有無に拘らず否定的である―尙ほ大量性を帶ぶるものは如何が殘されるわけである。而して之等に對する買占防止說の肯定的結論は、全體價格の立場に於ても、既述した所より知らるゝであらう如く、買占點以上に於ては其價格の出現は妨げられないが故、敢て不都合もなく、兩者選ぶ所なきものとなるがやうだ。併し乍ら全體價格の立場に於ては、買占防止說の意義なしとする、買占點以上に銘柄全體を結ぶ格付賣買が本則となるものにして、之との比較に於ては、その買占不能點の範圍に止むるものは劣れるものとなるのだ。蓋し或範圍にても等しく全體價格の出現は妨げられずとして、然も既述價格的な機能は、全體を結べるものに於てよりよく滿たされるからである。

以上述べたる所により銘柄別淸算、限定格付淸算が共に消極的位置に置かるる事由は知られると思ふ。但し其處に注意すべきは、夫等を行はすに就き積極味を增す他の立場の存してゐることである。註二 それらはかの格付範圍が大なれば大なるほど移轉上支障が加はるといふ所に根本し、一はそれが先にも述べし如く相場の上にも響くがその成る可く響かざる範圍にあらしむべしといふ立場である。他のより强きは移轉の支障そのものを不可とする、換言せば實物移轉を强調する立場である。既に繰返す迄もなく、取引所の移轉作用は、彼が價格專門の機關として夫に努むるも彼の本來價値が増すといふ性質のものではないが、然も既に買占點以上にあり全體價格の出現に支障なきに於て、それに轉じ努めやうといふ態度も亦理屈ありだ。要之、上記取引の積極味の程度は、斯の取引所移轉作用を重視する一般思想の程度によるべく、又よらしめてよいものと云へると思ふ。單なる一例であるが、我國で一部に提議せられた、米の清算取引を一等米、二等米、三等米の如く數本建とするの問題も根本的には上によりて解決せらるゝ所である。

註一　此の前後の部分も嘗て要言したことがある。拙稿「米の銘柄別短期清算取引を評す」經濟論叢　三二卷　二號　一〇三—一〇四頁。

註二　元來、市場の發展につれ實物市場の上に清算市場が生成し、それも當初の未だ實物味を脱せざるものより、次第に純價格的なものに至るといふのが正常な順序である。つまり既に最高の發展段階に達せる市場組織としては、複數實物市場の中樞に純價格市場が唯一に存するといふ形態にあるべきであり、その整備せる所、後者は價格的使命に順ふ價格的な取引を行ふも尙ほ實物市場の實物取引と呼應し、相互に分業し配給の仕事を營むこととなるのだ。そこに其市場組織内には半端な實物的なる清算取引、例へば各個別清算取引の割込む餘地は見出されない。嘗て我が米界に銘柄別清算取引の計劃せられたる時、私が夫に消極的な見解を書いたのは、主としては、その投機的危險の多きことを恐れた—事實、當業者の意圖は株式市場に於ける短期清算取引に類するものたらしめんとするにあつた—からであつたが、一には右の根本的な點にも出發したのでもあつた。從て第一の懸念は幸にして當局の努力により緩和されたとしても、尙ほそれに對し意見は殘れるのである。卽ち我が米界は既に高度組織的な市場界たるべきであつた一面に、其發展は正常な順序を經て成れるに非ず、清算市場は徒らに投機價格的となつて實物市場と多く隔絶してをり、そこには兩者を結ぶべく大清算市場、殊に地方小清算市場の實物化が必要となれるのであり、それに對し銘柄別清算取引は支持せらるべきでありしに相違はないが、然もかの一部に唱へられた、其取引を禮讃し銘柄別清算市場をそれとして續けんとするが如きことは、市場の不進化或は逆轉現象に外ならず、換言すればそれらの取引は飽く迄過渡的訂正のものとして、各地方に於ける銘柄別清算市場の如きも次第に純實物市場と化すべく、又その意味に於てのみ存在の認めらるべきものと云はざるを得なかつたのだ。要之、既に一般的な清算取引（之が上の本文の如く論ぜられ　のは別の問題として妨げないが）の行はるゝ所には、實物移轉のためその各別の清算取引を並行するといふやり方は、一般的には無意義なるものであるのだ。前掲註一拙稿　九七――一一四頁

尚ほ本註及び上の本文に關して左記を對照せられ度し。

福田敬太郎氏「市場政策原理」昭和七年三月　三七四―三七九

五　格付賣買のやり方

以上述べ來つた取引所格付賣買の本質より、彼の輪廓は略〻畫き得られたであらう。進んで其賣買の仕方(Art und Weise)である。之等は既に其本質の定まれる以上、その具體化として或は單純なるやうにも思はれやう。併し之に對しては、先づ、國の風、例へば取引所が配給移轉味を有するやう保持せられてゐるか、價格的に進んでゐるかの如き、又當該商品界の狀況、例へば大量なる少數の銘

柄から成つてゐるか、少量なる多數の銘柄から成つてゐるかの如きにより、行はるゝ狀態に同じからざる所を存することゝなるものだ。此點、我國の取引所は價格的に進んでゐるのみならず、商品界又餘り大量でない多數の銘柄より成り、標準格付賣買の仕方、事象は非常に複雜となつてゐる所だ。而して斯の複雜といふことは、逆には上の點を窺はすであらうと共に、格付賣買の其問題のよき對象、事例として吾々にそれを自國手近に有せしめてゐるわけである。だが、これらの事實自體には直接に格付賣買仕方の研究對象は見出されないのだ。仕方研究の對象たる所は、其具體化が格付賣買の精神に從ひて行はるゝのが中中に六ヶしいのみならず、他の政策的な力、例へば物價政策、市場繁榮策の如きが働きそれらを都合のよいやうに動かさんとする點に胚胎する事實にある。後者に於て彼の精神より外れしめられる所、政策的批判のなさるゝこと申す迄もなからう。而してそれらの學問的な取扱には、格付の範圍、格差の決定、標準品の選定の三に分ち、大體その順序になすが便宜且つ正しいと思ふ。素より茲には各物件個別の事情による派生的な問題や、技術的な方面には觸るゝ暇と要なきが故、その一般的な、そして經濟的な方面を對象として論を進める。

イ　格付の範圍

格付の範圍、即ち受渡に供し得る銘柄等級(Deliverable Grades)は、其賣買の本質、精神よりし、既にも明なる如く、代替、牽聯關係を有するものの間である。詳しく云へばそのやうな性質を有せざるものは嚴に除くと共に、その性質を有するものは原則として凡てを網羅すべしとせられるのだ。但し後者の點に就ては、前段の終りに要述せし如くそれを限定せんとする立場もあるが、それを俟たずとも、餘り少量しかない銘柄は一般に除かれてゐるやうであり、又それにて差支のない所である。國によりては商品により更に移轉的立場が發揮せられるやうせられてゐるが、我國の商品取引所は殆ど何れも、多數の銘柄を統一してゐる。申す迄もなく先に述べた我國事情の現れに外ならない。

格付範圍は右の如く代替、牽聯關係を有するものの間と云へば、事は簡單のやうであるが、實は決してそうでない。先づ、代替性を有し從て價格上充分なる牽聯關係を有するものの間にありても、その代替性に、より一般的なるものとそれの比較的に劣れるものとが存せざるを得ない。勿論斯の一般向きの充分であるとかないとかは客觀的に見ての話であるが、今その一般性の少きものが渡された場合、受けたる者の希望と遠ざかる可能のより大なるは當然である。斯くて彼は再び夫を取引所に渡さんとすること多く、其處には自らその種のものが長く止らんとする傾向を存することゝなるのだ。

右の代替性の少き銘柄と云へば、必ずしも品等の下級なものとは限らないが、又そういふものが比較的下級のものに多く見るのも有り得る事實である。商品によりてはその事の顯著なるものがある。而して上來は代替性のより一般的か少きかの話にて、少きものも價格上牽聯關係を有することを前提とせるがその代替性が一段と限らるるに至れば遂に牽聯性の線外に出でんとする。之等のものが一層下級品に多きは又申す迄もなからう。斯くて上記の如き商品にありては、大體品等の尺度を以て格付範圍を定め得ることゝもなるのだ。尤も品等を尺度とすると云ふもそれを其儘行ふことは難く、具體的には價格を以てせられる。後にも述ぶる如く格付賣買は標準品を建てゝ行はるゝものであり、夫には大體中等品が選ばれるのであるが、それを基とし、格付範圍を一圓以下までとか二圓以下までといふ風に定めるのがそれである。我國の米の如き此の好き實例と云へやう。

格付範圍を右の如く價格を以て劃する場合などには最もよく窺はれるが、其範圍に入るゝと入れざるとを定むる事の六ケしいのは、その區別が量的の相違となるに止まるからである。その特に微妙なるは農産物に於て多く見る(古米、古棉の如き)舊物の取扱(註一)である。而してその代替牽聯なき方に入るべき物を範圍に加へたる時は、初めに述べたるが如き影響事象を甚しく現はし、即ち夫等は永く且つ固く清算市場に停頓せんとするのだ。當該銘柄の量が少い時はまだしも、多い時は受渡物件は殆ど夫等を以て占められ、愈〻明確にグレシャムの法則(Gresham's law)現象を呈するに至る。蓋し、投機的供給者にて通常の場合差金決濟に終らんとするものも故《コトサ》らに夫を渡さんとするからにして、受けたる者も代替性の少きだけ再び其處に賣渡さんとするのだ。投機的賣方の故らに其種銘柄を渡さんとするのを見て、通俗にそれらを道具物件と呼んでゐるが、彼等がその擧を敢てするものはそれが彼等に有利なるが爲に外ならず、換言すればその受け方に都合惡しきだけ其種物件の渡されんとするに於て、相場は所謂嫌氣によりて(欲せないものを得ないといふによる以上に)下位に置かれんとするのだ。

勿論その程度は當該銘柄の量、代替性の少き狀態、受け方の立場等によるも、無暗に大なるものでもなからう。併し既に相場を幾分でも當然の位置に置かざる以上、價格市場取引として——そのやうな爲に實物受渡の多くなるのは移轉的に見ても却て擯斥すべきは言を俟たない——それは可及的に避くべきことでなければならないのだ。

玆に於てか其種の格付範圍に入れ難き銘柄量の多大なる場合、よく提出せられるは、所謂別建清算論である。別建清算は又それとして格付賣買たるか然らざる形式——假令單一な品等より成つてゐても單純な銘柄別清算、即ち牽聯關係を有てる多數銘柄中の或るものに就て行ふ場合と同視してはならない——を採ることゝなるが、兎に角それの行はるべきや否や、行はすべきや否やは結局それとしてかの取引所を要するや否やの事情によるべきである。唯新規なる取引所の成生の場合と趣の異る點と云へば、不完全ながら牽聯のある他の銘柄方面に清算市場の既存せるに於て、多少要求の滿たされる所もあり、成生の必要度の幾分減殺されざるを得ない事情であらう。

代替牽聯關係の餘りに少いものを加ふべからず、又正常の場合それを加へないやうに努められてゐること上の如くとして、此事は又當然に、以前加へてゐたが何等かの事情で關係が少くなれるものを除くことを行はんとする。勿論その反對に以前然らざりしものを加へることもあるわけであり、時により取捨が行はれんとするのである。けれどもそれと區別せねばならないのは、格付範圍に、價格を或位置に置かんとする何等かの政策的な力が加働し、其縮少、擴張の行はるゝものである。先づ前者より云へば、それは取引所經營者(株式會社組織のものに於て特に然り)が物件量の多く相場の下値に沈淪するは相場興味少しとなす所より、又政府當局が物件の產出過多にして然もそれが國民多數の生產に俟つがため其他價格のより上位にあるを望むといふ所より、行はれんとする。されど斯の銘柄範圍の縮少の效果を考ふるに、それはほんとうは意圖されるほどのものでない。元來淸算市場の取引者は、當該物件全體の狀態を見て賣り買ふのであり、唯其處に流通する範圍の少きに於て買方の態度により、云はゞ視野を全體に向け得ず足許の流通量に動かされて價格は上に持上げられるのであるが、然も斯の如く量の少きときは往々甚しき買占騰貴の危險を起すものであり、從て格付範圍のそのやうな狀態にまで限られた所には、淸算市場の存立は許されざる筈と云はねばならないのだ。而して既にその買占の起らざる以上といふことの守らるゝに於ては、增すも減らすも相場の規定さるゝ量は變らざるが故、そのやうな所に故意に格付銘柄を少くせんとしても、效果なしとなるのだ。

尤も買占不能線以上にありても、直接そこに流通すべき物件の量は、買方として資力の少きものも多きが故、或る影響を及ぼすは事實である。即ち格付範圍に比例して負擔が感せられるのであるが、然も之は餘り不當に働くものではなく、若し過度に下らんとせば取引所の外に行はんとせる實物需要もそこに向ひて止めしめんとする。要言すれば格付範圍の大小による流通量の加減は一時的に相場の氣味に影響するとしても、其價位を動かさんとするが如き目的を達し得るものでないのだ。

右の如く、動もすれば行はれんとする、價格位置を上げんために格付に加ふべき銘柄を除くことは大して效なしとして、然もそれは矢張り既述の如く格付賣買に忠實なやり方でないのだ。その忠實でない事は、之迄は格付賣買の精神より客觀的全體的に云ふて來たが、又主觀的個別的にも現はれる。詳しく云へば或る當然に入れてよい銘柄がそれに加へられると否とは、其品質に對する表彰と云ふ、云はゞ精神的なるもの、又實物市場のほか清算市場に流用し得るの利便とそれによつて幾分價格に氣を持たれるといふ事の得喪を生じ、銘柄關係者より代用運動が時には强く行はれることもあるのだ。

次に上來と反對の格付の範圍を擴張せんとすることも亦往々行はれる所であり、そのやり方として從來除外してゐた銘柄を加へるのとかの代替牽聯性のない(全くないのではないが、それ以外と取扱はれる)物を加へるのとがある。而してそれの目的とする所も、相場を下げんとするにあるは勿論として、尙ほ二に大別せられる。その一は相場の自《オ》ら高き位置にあるを引下げんとする場合にて、當該物件が國民生活の必要品たるに於て政府當局の希望に應ずる所となるが、此目的の實現は無理と云はねばならぬ。その爲に從來除外してゐた銘柄を加へるといふやり方は、寧ろ格付賣買の本則に復するものとして是認以上當然と云はるゝが、先に述べし如く(買占線以上にあるに於て)多少氣味的に價格に響くものもあれ、相場の位置を低下せしむるに足らないのだ。又代替性を越えたものを加ふるやり方は、その增すに從ひ效果を現はすも、然もそれは先に既に述べたるが如く、當該物件としての相場を變質させ、やがて清算市場を實物市場と隔離せしむる(從て低價は清算市場だけの話にて實物の相場は下らぬ)こととなり、此點より到底是認されないのである。その二は量の足らざるため買占的傾向を來し相場の昇れるを下げんとする場合である。而して此場合に於ては、買占不能線の破れたる事を前提とせる、つまり通常の場合買占の危險なきも何等かの事情で量が足らざるに至れるものなるが故、かの除外してゐた銘柄を加へるやり方も、それによつて流通量が増し不能線を越すといふに於ては效果があるのみならず、又代替性なきものを加へるといふやり方も、その買占線を克服するにつれ效果の擧がるは素より、相場を變質させるといふことも(不當に騰るのを抑へるが故、變質させるといふことも寧ろ大して現はれないわけだ)、事情上是認されるものとなるのだ。但し後者は臨時的の意味に於てゞあり、それを以て格付賣買の本質を推察すべきでないことは申す迄もない。

註一　此事は又我國の米が一番よい例をなしてゐる。その判斷の六しきことは從來その古米の或る物を或る時は加へ、或る時は除くといふ風であつた。それが以下の本文にある、政策の具の對象となつたことは云ふ迄もなからう。

ロ 格差

格差(Differentials)とは、實質的には、各銘柄が夫々その品等に應じ他に對して有する價格上の開き、卽ち價格差である。斯の格差の決定で受渡は愈〻出來ることゝなるのであり、つまり銘柄全體を價格上一のものに化する事——牽聯の確保——は完成せられるのだ。而してそれは其儘にては甲と乙の間は幾ら、丙と丁の間は幾らといふが如く、格付範圍內の銘柄相互の組合せによりて色々に現はれるが、複雜なるが故、一定の銘柄を標準となし凡て夫に對する差を以て表はすことゝせられるのだ。

一般に夫々價値に相違のあるものが多數にある場合、夫等の價値に相當する評價を與へるといふことは、至極公正觀念を滿足さすものである。然もそれが感情上の範圍に止らず實際上の運營に或る作用を及ぼすことも少くないのであり、格付賣買に於ける格差の事も正しくそれである。換言すれば格差が如何に正當にあらねばならないかは、それが不公正なりし場合の結果がよく物語るわけである。

再び述べる迄もなく格差は銘柄間の差の問題として相對的の性質を帶び、それが不公正とは當然の値鞘を擴大するか縮少するかであるが、前者を上等品から見れば優遇、下等品から見れば冷遇、後者を上等品から見れば冷遇、下等品から見れば優遇となるのだ。斯くて其處に注意せなければならないのは、標準品が上等、下等何れの側かの點にして、上例の前者に於て上等品が標準となつてをれば、それは下等品冷遇の事象となり、下等品が標準となつてをれば、それは上等品優遇の事象となるが如くである。即ち標準品が上等下等何れの側かは格差不當事象を決する一の因子(Faktor)となるのだ。處が夫等の中、上等品が標準にて格差を不當に擴大して下等品冷遇となれる場合と下等品が標準にて格差を不當に縮少して上等品冷遇となれる場合は同じき事態を生ずるものにて、共に冷遇の事態として他の優遇の事態と對せしめられることゝなるのだ。先づその冷遇の結果としては、夫等は清算市場より姿を消すに至り、そこに行はるは然らざる銘柄となる。蓋し夫等は實物市場に於ては從前と殆ど變らざる正當に近い値段が與へられ、清算市場に於てはそれだけ損となるからである。之と反對に優遇の結果としては、夫等は好んで清算市場に渡され、受けたる者は又それを渡さんとし、諸他の銘柄も行はるゝが、一段頻繁に其處に轉々せんとする。之は又申す迄もなく、實物市場に於けるよりも高き値段となり得(Gewinn)となるからである。尤も實物市場に於ても夫が清算市場によく通用することにより、優遇せられなかつた場合より優遇に價格を近附けることになり、清算市場との差は少くならんとはする。處で右に就き更に注意すべきは、格差不當事象を決する他の因子として、尙ほ量の關係が働くことにして、詳言すれば冷遇或は優遇された銘柄量が少い限り、他の大部分の銘柄はそのまゝにて、唯上記の如き影響を生ずるに止まる。けれどもそれらの量が大となるにつれ、そこには上記と異れる、格差不當問題として眞に考察すべき事態を生ずるのだ。卽ち今冷遇された銘柄量(銘柄の數を問はず夫等全體としての量)が大となりて清算市場より姿を消すとせば、次第に流通量が限定せられ、軈て其量が買占線にも達するに至れば、自ら價格は吊上げられ、例へば正當な格付の下に三十圓と立つものとし(不當冷遇の度は各銘柄により同じとは限らないであらうが、假りに等一とし)標準銘柄より一圓下のものを二圓下とせる場合(旣に斷る迄もなく標準より二圓上であるに一圓上としても同じ)その相場は殆ど三十一圓とならんとする。

三十一圓以上とならんとせば採算がとれる故、一齊に姿を現はしてそれを制することは申添へる迄もなからう。次に上と反對の優遇の場合に就て云へば、その銘柄量の増すにつれ、彼等の淸算市場に轉々するものは、次第に競ひ合ひてその値を低めんとし、爲に從來並び行はれてゐた優遇されざる銘柄は、低まれる相場にては不利となるが故に次第に其處より姿を消さんとする。やがて一段と優遇銘柄量が大とならば、相場はその優遇値だけ下れる大いさ、例へば實際上二圓以下を至當とするに一圓下(一圓上であるに二圓上としても勿論同じ)とせるものとし、正當に格付せる場合三十圓と立つものとせば相場は二十九圓となり、優遇せられざる銘柄は全く場より姿を消すに至る。その有樣、後者は格付されてゐても、事實上格付を離れたもの、進んで云へば前者の爲に驅逐せられた貌となり、はつきりと又かのグレシャムの法則を現はせるものとなるのである。

以上要之、或る相當に大なる銘柄量の不當に格付せられる時は、格付の相對性が現はれる、詳しく云へば、例へば優遇の場合、自らは實價に近き値段となり然らざる銘柄は淸算市場にては損にして姿を消すといふ狀態は、冷遇が一部のものに行はれ夫が姿を消し他のものは相變らず行はるゝ場合と等しいのである。卽ち切角優遇せられても、或は縱令冷遇せられても、それらの得失(Gewinn oder Verlust)は消え、實質に還へるのだ。が其點は兎も角、知るべきは、それらは一部の銘柄の清算市場への途を塞ぐ外、當該物件の相場をその不當に待遇されたゞけ本來の相場より外れた大いさにて現はす、卽ちそれだけ彼の價格作用が不正當なるものとなる點である。

格差不當の結果は上の如く、それは知らずとも齎さるゝ所であるが、時としては又故意にも行はれんとする。それは前段に述べた、相場の位置を動かさんとして格付範圍を大小せんとすることに關聯する。卽ち相場を上げんとするとき、銘柄を範圍より除く代りに、その格差を不當に冷遇せば清算市場に現はれざるが故、この方法によらんとするのだ。殊にこの方法は、必要により(相場が餘りに上れる時は自動的に現はれるから)除いた銘柄を再び加ふるの煩が助かり、又相場を上げんとするのではなく或る銘柄を形式上加へねばならぬが加へると相場が下らんとするかも知れぬといふ場合にも利用せられんとする。之等と反對に相場を下げんとして銘柄を加ふるとき、假令加ふるも夫等が冷遇せられてゐては效なきが故、正當格差、否夫等を優遇するによりそれを有意義ならしめんともせられるのだ。而してそれら範圍の伸縮による相場の上げ下げの效果に就ては既に前段に述べた通りであるが、そこに注意せねばならないのは、それら冷遇或は優遇せらるゝ量の大なるに於て、如上の格差不當の影響が現はれて其效果を副へる(優遇の時はそれだけ下げ、冷遇の時は上げるから)といふ點である。格差不當の影響は品等を問はず上等品に就ても存することと上に觸れて置いた如くであるが、實際に此種の事象の多く見るは下等品であることは既に知られると思ふ。嘗て我國の米の清算取引に朝鮮米の代用を認めたる時、米の相場は下つて朝鮮米相場となつたと云はれた事があるが、其言葉の正確な内容を知つて云はれたかどうか疑問として、今吾人には上述したる事態の一例としてよく理解されるのだ。乃ち當時未だ下等米たりし朝鮮米の格付範圍に加はれることは、量の増加より寧ろ嫌氣による押し下げをなし、更にその優遇のため清算市場に蔓り事實上夫が標準銘柄に取代はれる大いさ、つまり標準銘柄による本來の相場より優遇分だけ下となす、それとが響ける大いさに現はるゝに至れる事である。

併し勿論普通には先に述べしが如き結果を生ぜしめやうとは欲せられず、否そのやうな結果の生ずるを不可となす考の下に格差決定は行はれてゐる。然らば實際のやり方如何と云ふに、それに大體二つの主義がある。但し主義と云つても、初めから或る立場を堅く執り萬事夫に從つて律しやうとせるものといふよりも、寧ろ夫々の場合に於ける態度を見るに各二つの調子(Zustand)に分れんとし然もその各〻の二つが凡てに通じて同じであるといふて然るべきものである。一は市價主義であり他は品質主義である。元來市價は品質によりて規定せられるものなるが故、格差を市價に從て定めるといふもそれは決して品質を無視せるには非ず、又品質に從ふといふも品質は直接に價格ではなく、或る程度の品質を價格上如何に見積るかは一般市場のなす所なるが故、矢張り市價を見るのである。併し乍ら實際には右以上の場合、卽ち品質と市價が正しく比例しないことが無きに非ずして、結局何れを尊重するかに入らざるを得ないのだが、そこに所謂兩主義が生まれるのだ。今或る銘柄が何等か人爲的な改良其他により品質の進歩が行はれた(或は逆でもよい)に拘らず、市價は所謂聲價(Ruf)の如き過去の傳統的な事情などが加はりて必ずしも品質通りに與へられざることがあるものだが、その場合市價主義に入れらるべき態度は全然市價によらんとし、品質主義に入れらるべき態度は敢てそれを格差にもり一般市價をしてその訂正をなさしめんとする。此限りに於て名稱を市價追隨主義に對するに市價誘導主義となすが相應しいわけだ。然らば之等の齎す所如何と云へば、後者にありては前者にないグレシャム法則現象を生ずる半面、當該銘柄の生產者をして品質の改善に努力せしむる效果を生ずる。で何れが支持さるべきかであるが、前者を支持する考は、格差の定與はグレシャム法則現象の行はれざるが最大要件にて、生產改善獎勵の如き取引所本來の使命に非ざる事項に拘はるべきでないといふにあるに對し、後者を支持する考は、生產改善作用を可となすは勿論、更に根本的にはその態度が價格決定機關たるに相應はしいとなす所にある。吾人としては、先づ斯の取引所が價格決定機關といふに對する後者の見解の誤解なること、卽ち彼が價格決定機關といふは相場の大綱に就て云ひ、謂はば各ヶ銘柄に着せるべき衣の大いさの如きをまで定めるに及ばざるものなることを指摘し度い。だが其事よりはそのやうな市價の誘導をなさなくとも使命に反せないとなるのみであつて、誘導して惡いと云ふのでは勿論なく、否品質に從はすやうな誘導は誠に結構な事であり正義に適ふ所として採り度いのだ。唯それのみに走る時はグレジャム法則の弊害を現はすが故に、斯の事によつて當然に限定されねばならぬことを認むるものにて、要言すれば可及的にその弊害の現はれざる範圍に於て、誘導主義をとるが正當な方法と考ふるのである。註一

次に格差の決定には其時期、延いて回數といふ問題が存することゝなるが、それに、受渡に際し或は受渡に接近した時期に至つて一々格差を定めんとするものと、取引の始まる前に標準品に對する格差を豫め定めて表示——格付表——し置くものとがあり、前者を時價主義と云ふに對し後者を固定主義と呼んでゐる。後者を固定主義と云ふは、その極端なるもの、例へば農產物に於て其收穫期に定めたものを長期に亘て續けるが如き場合には兎も角、一般的にはどうかと思ふが、それら兩者は矢張り各市價主義、品質主義に屬するものに外ならない。後者が品質主義に屬すと云ふは、それも格差決定時の市價を見又將來の市價を慮るのであるが、尙ほその適用が將來の時點たるに於てそれらにより能はざる部分があり、其部分は品質に基けるものとならざるを得ないといふ所にある。而して兩者の選擇であるが、前者の、時には市價の不明なるものもある

といふ技術的な短所の外、受渡をなさんとする者が自己に有利なるやう現物市場に策動するやうな弊害を有せるに對し、後者はそのやうな弊短を免れる代りに、格付に定むる所と受渡當時の市價との間に相違を生じ、例のグレシャム法則の弊害を齎すことがあるものだ。現實の大勢は前者の方が盛にして、從來後者に據りし方面も漸次それに轉向せんとするものの如く、そして學者の多くも寧ろそれを支持せんとし、その工夫的なもの、例へばニューヨーク棉花取引所（New-York Cotton Exchange）が受渡六日前に各地現物市場の價格を基とし夫等を平均して定める所謂平均格差主義に賛してゐるがやうである。註二　思ふに、時價主義が受渡時に接近し其時の格差を定むるやり方は、索聯關係の充分でない所にもよく格付賣買を可能となすわけだ。併し是は索聯關係の不充分な所ほど時價主義が必要となつて來る、反對に其充分な所ほど前以て定める主義でも差支がないと云ふこと、つまり夫々對象世界の狀態により應用度の異なるを云ひ得るのみで、何も時價主義がよいと云ひ得るものではない。其主義が所謂よいか否かは、一定の世界に對し夫を徹底的に行ふ程よき結果が齎さるゝか否かによるが、格差の決定を受渡時に接近さすもそれとして別に意味は出て來ず、却つて前以て定むる方に意味もあり、例へば受渡をなす者は取引に當り自己の銘柄の格差を前以て知ることを要《モト》めるが如くである。斯くて前以て定むる主義の方が寧ろ本體とさるべきものと云はるゝのだ。勿論之ではグレシャム法則現象を生ずるものにて、それは單に出廻工合など時の事情による各市價の騰落に關するやうなもののみに止まらず、農産物などに多く見る、品質の時々に退化しゆく狀態が凡てに平等に進まざるによるもの、及び價格の位置による開きの大小(例へば二十圓の時一圓差位のものは三十圓となれば大體一圓半の差を有たざるを得ぬ)の如き當然な變動に基くものもある。其點は兎も角、之等の弊の生ずる所に、つまりそれを補ふものとして、時價主義の本領はありといふことになるのだ。要之、吾人は取引、新甫の開始の前に定めると共に、商品の性質と限月の長短にもよれ、或る期間毎に(我國從來に見し年に一兩度といふが如きは一般にどうかと思ふ)それが市價と背致せぬやう、新なる制定を繰返すやり方を寧ろ採るべきものと考へるのだ。

註一　現實に行はれてゐる所に對する批判としては、全然市價主義をとれるものに對しては品質主義をとり入るべきことを云ふと共に、品質主義をとれるものにもその偏れるものに對してはもつと市價主義を考慮すべきことを注言することゝなるは申す迄もなからう。

註二　藤田國之助氏「取引所論」昭和六年二七一―二七四頁。

八　標準品

格付範圍中の或銘柄を標準品(Basis Grade)として選ばなければならぬことは、前段に述べた格差決定の事よりも云はれる。が、標準銘柄の存在は他の事由からも必至なのである。蓋し多數の銘柄の一體としての賣買と云ふもそれは何れかの銘柄が標準となりて行はるゝのであり、卽ち全體價格と云ふも現實にはその標準銘柄を通して表現せらるゝものであるからである。つまり當該物件の全體價格或は價位の代表たるものがなければならないのだ。而して斯の如き標準品選定の事は、その價位の代表といふ點に於て、格差に時價主義のとらるゝ時は、格差の問題より時間的に先行するがものの順序でないかとも云へる。併し乍らその前以て定むる主義か時價主義かといふ選擇自體が既述の如く格差の事を知つて行はれるのであり、從て價位代表の立場に於ても、他の格差決定の標準たる點が、格差問題の理解に次いで寧ろ取上げらるゝことゝなると同じ論理に從ひ、それより後の事であると云はねばならないのだ。

右の如く、格付賣買の標準品は二つの方面より求められ、それが一つの標準品に於て滿たされるとせば、それら二方面の持つ要求は相反撥する所ないものであることは申す迄もなからう。然らば標準品として如何なる品が定めらるべきであらうか。之に關し先づ從來實際に行はれてゐる所を見るに、大體當該清算市場所在地に最も多量に存在、流通するものにて、所謂筋の通つた銘柄が選ばれてゐる。時としてそれが多數の品等のものより成り特定の銘柄名を有せざるがため、其他の事情により抽象的に云ひ定められることもあるが、大抵の商品界にありては、具體的な銘柄となつてゐる。而して上記の性質を標準品たる資格條件と照合するに、大體適合してをり、つまり、斯の如き資格を有せねばならぬといふことが自《オ》ら右の如き性質のものを選ばしむるに至つたものに外ならないが、然も從來の實際家、學者等の態度を見るに、それらの資格條件を明白に意識し、それに基いて右の性質のものを説明せりとは云ひ難いのである。

先に述べたるが如く、取引所格付賣買は、その何れの銘柄にても受渡に供し得るといふ機構上移轉作用を完全に滿たし得ないものとなるが、何も其作用を殊更に排斥するのではなく寧ろそれに與するやうなさるべきにして、從て其處に流通の多きものを標準品となすことは、夫等が受渡に用ひらるゝ機會を增し、幾分ながらその要件は適へさせられるのだ。延いて格差不當に關する問題の少からしめられることも考へられる所である。

だが、上記のやうな點は實際には大したことはなく、その存在量の大なる銘柄といふことも、所謂筋の通つたものといふことゝ俟つて、寧ろ他の資格要件に強く基く所と云はねばならぬ。その要件とは、格差の標準としては價格、詳しく云へば銘柄としての價格の變動の最も少きものでなければならぬといふ事である。前段に述べた如く、格差決定の不當なる時は夫々その影響を生ずるとして、それは標準銘柄に對する當該銘柄の量により異るものあり、その量が大なるに於ては相場を正當度より夫々上げ或は下げることになるも、量の少き時は當該銘柄としては不當に優遇され或は冷遇される(淸算市場には現はれないが實物市場で殆ど正當に待遇せられること既述の如し)ことゝなるのみにて相場自體を動かす迄には到らないのだ。卽ち一般の銘柄にありては假令其品質の變化其他によりて不當の格差を與へられるとするも、量が少くして相場にまで影響なき場合もあるわけとなるが、今標準たる銘柄にそれらの變動あらば、夫に對する他の格差は凡て不當となると共に、その凡てゞあるだけ量は常に大となり、從て必ず相場を不當ならしめざるを得ないのだ。斯くて標準銘柄としては何より實價の變動少きことが要件となるわけであるが、其事が品質の變化の少い所謂筋の通つた銘柄たること、又その量の多きことを求むるのである。斯の後者の點は既に說明する迄もないと思ふが、前者に就ては一言述べて置かねばならぬ事項がある。それは品質の變化の少いといふことの意味にして、農產物の如きにありては日の經つと共に如何にしてもその落ちゆくを免れず、此の事は標準品に就ても毫も異るはなく、つまり上の意味する所は平均的よりも變質し易からざることとである。現實に變化せるに變化せざるものの如くに取扱ふは却て不自然であり、格差不當現象は又起らざるを得ない。

標準品たる資格としては以上の外尙ほ大切なるもののあるを忘れてはならない。當該物件の價位の代表として最も適度なるものたるべしといふ事之である。既述の如く、當該物件の相場はその特定銘柄たる標準品の價格を通して表はれるのであり、從て餘りに上等な銘柄を選べば全體價格も高い位置に現はれ、逆に餘りに下等な銘柄を選べば低い位置に現はれることゝなり、恰も全體が然る如く錯覺され易いのだ。尤も此事も例の價格政策上却て利用せられんとする場合もあり、年によりて都合よく變更せらるゝが如きこともある。併し取引所を眞正な價格機關たらしむる立場からは、大體公正な價位を示す品等の銘柄を選ぶと共に、相場の推移變遷をはつきり示しその比較をなさしむるため時期により無暗に動かすことなきやう求めらるゝは云ふ迄もない。而してその公正なる價位を示す銘柄と云へば、端的に中等品とは限られず、例へば當該物件の銘柄が比較的上等品に多き時は、價位の重心(Schwerpunkt)は其處にあるものとしてその範圍より選ぶも毫も餘りに偏れりとは云ひ得ないのであるが、矢張り實際には中等品となるが多いやうである。蓋し中等品たる銘柄が多いと云ふ場合が比較的に少くないのみならず、上、中、下等に亘る銘柄を擁する場合が最も普通として此の場合には中等品たることが妥當とせらるゝからである。而してこの價位の代表たる要求を滿たすもの卽ち一般的に中等品たることは、前の格差決定の標準たる要求を滿たす流通量の大なるものといふことと、上來よりも知らるゝ如く、一致する場合が多い。が若し適確に一致し難い時は、その調和、卽ち可及的に兩者を滿たす銘柄を選ぶべきことは申す迄もなからう。

（昭和十一年六月十日）

物產取引所の格付賣買を理論的に統一的に論じたるものは內外とも數が少い。次の如きものはその主なる參考書と云ひ得る所であらう。

Bear and Woodruff, Commodity exchanges. 1935. p. 1—21. p. 168—180.

本舊版に就て左の譯本あり

中山成基氏「商品取引所」昭和七年五月

河合良成氏「取引所講話」昭和二年七月二七三—三〇一頁

藤田國之助氏「取引所論」昭和六年七月二六五—二七四頁　各論の二八二—三二〇頁も參考となる。

安川彥夫氏論文「受渡米格付の一考察」取引所研究　一卷　一號　八九—九九頁

同　　上「受渡米格付方法の理想」同右　一卷　三號　六三—七七頁

清朝治下臺灣の貿易と外國商業資本

東嘉生

目次

序言……1
第一節　開港前臺灣の對外貿易……4
第二節　在來の島內商業組織……11
第三節　外國商業資本の進入過程……30
第一　外國貿易發展の樣相……30
第二　外國商業資本の島內經濟社會に及ぼせる影響……64
第四節　外國商業資本の撤退……73

序　言

一般的に言つて、商業は、其の移動性に富む點に於て、土地に縛られること多き農業、或は資本の長期の固定を要求する工業を遙かに凌駕してゐる。而してその移動性に富む點に加へて、それが貨幣利潤實現の極めて直接的な過程であることからして、資本主義は何はさて措き先づ商業資本の蓄積によつて始まるといふことができる。これ商業が常に資本主義の先驅をなすといはれる所以である。このことは一國資本主義社會內に於ける必然的法則であると共に、又資本主義國が非資本主義國に對する場合にも同樣に妥當する。而して商業資本はその初期の形態に於ては非資本主義國に對する掠奪を事とすることは勿論であるが(臺灣に於ては和蘭商業資本支配の時代)、その後期の形態、即ち其處に植えつけられた商業資本の産業資本への推轉の過渡期に於いては、その國外進出の使命は自國産業の原料と國內所要生活品とを求むることであり、自國産業の市場を開拓することである(臺灣に於ては英米商業資本支配の時代)。即ち非資本主義的な社會は、資本によつて生產せられた商品を買ひ、資本に自己の生產物を賣らねばならなくなる。かくて資本主義は非資本主義的組織によつて生きてゐる、より正確には、それの犧牲によつて蓄積が成就せられる所の苗床の上に生きてゐるといふことが出來るのである。

然し此の產業資本への推轉の過渡期に於ける商業資本は非資本主義組織のかかる犧牲をその自然の儘に放置して決して顧みないといふのではない。それがその貨幣利潤獲得の實を擧げんがためには、相手國の生產品を商品化せしむると共に、更に他方相手國人民の購買力を助長せしめようとするのである。茲に於て相手國の產業開發が論ぜられるやうになる。假令それが非資本主義組織に如何やうに結果しようとも、かくすることは外來の商業資本の自己保全の途であり、自己成長の方法なのである。

臺灣の如き前資本主義的植民地社會の資本主義化はその固有の資本によつて行はれ得るものでは決してない。事實に於て臺灣のそれは專ら外國の商業資本によつて促がされた。而して吾々は臺灣に於ける外國商業資本支配の時代を、和蘭商業資本支配時代(一六二五年頃――一六六〇年頃)と英米商業資本支配時代

（一八六〇年頃――領臺頃）とに見出すことが出來る。固より、歐洲商業資本の發端期に設立せられた所の、古き中世のギルド(Guild ; Gild)の變形とも見らるべき和蘭東印度會社による臺灣支配の樣相と、歐米資本主義華やかなる時代の歐米商業資本の臺灣支配の樣相とは自ら異るなきを得ない。而してこの兩者に亙つての經濟史的究明こそが、臺灣への外國商業資本侵入過程の分析を意味することになることは勿論であるが、この小論に於ては後者の、從つて淸朝治下末期臺灣に於ける外國商業資本は如何にして來り如何なる影響を殘して去つたかの、論究に止め、前者の探究は、臺灣に於ける商業資本の產業資本への轉化過程の詳細なる分析と共に、之を他日に讓りたいと思ふ。

第一節 開港前の對外貿易

遠く歐羅巴に於て商業資本が成立し、それが海外貿易に活躍し始めたのは、既に古く第十五世紀に於てゞあり、東洋貿易に進出したのは第十六世紀である。其の先驅をなすものはポルトガル人、スペイン人の齎らす資本であつたことは由來歷史の示すところであるが、其後和蘭人、佛蘭西人、英吉利人は激烈なる鬪爭によつて次第にポルトガル人、スペイン人の手から東洋貿易の實權を奪ひ取り、遂に和蘭、英吉利は夫々東印度會社を組織することによつて東洋の海上權を切半した。其處でアジア的特徴をもつた封建社會「眠れる獅子」の歐洲諸國による簒奪の歷史は既に第十七世紀初頭に始まつたといふことが出來る。[1]

支那に於けるかゝる情勢に際會して、支那と僅かに九十浬を距つるに過ぎない臺灣に歐洲商業資本の進出がなかつたと誰が言へよう。宜なるかな、一六二四年和蘭人、臺灣の西南なる鹿耳門(今の安平)より臺江(今の臺南附近)に入りてより、約四十年間、臺灣は和蘭の植民地であつた。彼等は其の本島占據の間、日支貿易に專心したのであるが、其の獲たる利益の主要部分を形成するものは、自ら本島に往來する日本並びに支那の商人との不正取引による利潤及び諸稅金、更に惡くは掠奪によつて獲たるものであつた。

當時和蘭人が日本へ輸出したる主なる貿易品は本島の特產たる獐鹿皮、砂糖を始めとして、支那產の生絲、陶磁器類及び和蘭本國並びにバタビヤ地方より齎らしたる胡椒、香料、琥珀、亞鉛、鉛、藥材、麻布等であり、支那へは本島產の米、砂糖、香料等を輸出し、支那よりは生絲、黃金、陶磁器、布帛類を輸入した。而して其の輸出入の總額を計算すれば實に數十萬グルデンの純益を獲得して居り、一六五三年卽ち和蘭占據後三十年臺は每年三十五萬グルデン以上の純益を擧げて居たといはれる。[2] 尙和蘭人が本島を撤退せる際、和蘭東印度會社の殘して行つた資產は實に四十七萬一千五百フロリンに上つてゐる。[3] 而してかかる輸出入の事業と臺灣に於ける產業開發とは共に和蘭東印度會社の一事業として專ら彼等の恣にする所であり、輸出入品に對しては關稅の賦課をなし、其の勢力の附植に餘念なかつたが、當時支那は明末に際會し、一は引き續く戰禍と、一は反覆に反覆を繰り返す單純再生產の上に固定化してゐた支那內部の經濟狀勢とによつて、生產手段より見放された農民層に屬する多數の人口が何處にかその流浪の道を探さねばならなかつた。彼等は黃金の花咲く國を夢みて南と北に分れて行つたのであるが、南に向つた人口の大部分は臺灣に向つて移住し來つた。彼等は各自土地開墾產業開發に力を致すことによつて次第にその勢力を張り、和蘭人の領域に喰ひ入り臺灣の經濟的支配の實權を彼等の手から奪ふことに成功したのであり、これに反して蘭人の威力は次第に失墜して行つたと見得るのであるが、こゝにはその退去の、從つて又鄭成功登場の歷史を繙く必要はないであらう。臺灣が鄭成功の所領となるや、漳州、泉州の人口の移住し來るものその數を增し、商業を營む者を生じて支那との通商が盛となつた。

鄭氏が和蘭と關係を絕ちたる後、鄭氏と通商貿易條約を締結したものは英吉利人であつたが、彼等は玆に至るまで極東に彷徨すること數十年常に葡萄人、和蘭人に妨げられて其の目的を達するを得なかつたものである。然るに和蘭との鬪爭によつて臺灣を獲得することに成功した鄭氏は、英吉利人に向つて聲援を送らんと欲し、一六六四年(康熙三年)遂に意を決して彼等に安平鎭及び對岸厦門の兩地に於て通商貿易をなすことを許し、其の條約を締結するに至つたのである。鄭氏との通商條約締結後、英吉利は本國より廻送する貨物を收納するために、臺江の沿岸に倉庫を設置して大いに東洋貿易に乘り出さうとした。これが卽ち英吉利の臺灣通商の始めであつたが、其の利益豫期の如くならず、ために永續すること能はず幾ばくもなくその足跡を臺灣から消してしまつた。

以上の如く和蘭人の退去以來は歐洲人の東洋經略は殆んど芳しきものなく、從つて一六八三年(康熙二十二年)臺灣が淸朝の屬領となつても臺灣との交涉は相當の年月に亘り殆んどなかつたと見て差支へない。

かくの如く淸朝治下前期に於ける臺灣の對外貿易はその見るべきものなく、貿易といふ貿易は殆んど對岸との取引に限局された。淸朝は厦門を以て臺灣に對する唯一の貿易港となし、鹿耳門との通商を許し、商行を厦門に設けて、商行の保證によつてのみ船舶の鹿耳門に至るを許し、商行の手を經なければ此等船舶の厦門に於て賣買するを許されなかつた。而して許された船舶は商船と名付けられ、それは政府から臺灣に行つて貿易する特權を與へられると同時に、軍隊の食糧を充足し、飢饉地方を救濟するため、臺灣の米穀を配運すべき義務を負はされてゐた。この商行及び商船は當時臺灣貿易の獨占權を得たので莫大なる利益をあげ、嘉慶元年（一七九六年）には商行二十餘家、商船一千餘隻に達してゐたといふ。[4] 然るに二、三十年後、即ち道光の中葉に至つて次第に衰微して行つたのであるが、其の原因として我々は次の二つをあげることが出來る。第一は、厦門と鹿耳門とが貿易の獨占權を失ひ、他に福建、臺灣間の貿易を許された港が出來たことである。即ち乾隆四十九年（一七八四年）に泉州の蚶江口と彰化の鹿仔港（今の鹿港）との間に、引續き五十九年（一七九四年）福建の五虎門と臺灣の淡水八里坌間に通商が許されたことである。第二は、密貿易の流行である。此の二つの原因によつて次第に衰滅の過程を辿り十九世紀の中葉に至つては商行は全くその影を失ひ、商船は盡く漁船と化してしまつた。

この頃再び「碧眼の夷狄」歐米資本主義列强の植民地的活動は東洋の從つて又臺灣の沿岸を席捲し始めたのである。當時支那輸入總額の大半を占めてゐた阿片を印度から只同樣で買ひ取り、これを主として支那へ密輸入することによつて支那人に高々と賣りつけてゐた英吉利商業資本は、その恐るべき害毒を支那に持ち込んだばかりではなく、その皮肉なるお禮として巨額の銀を支那から淩つて行つた。所謂「阿片戰爭」は支那政府が一八三五年英國船を臨檢して密輸入品の阿片を押收したことによつて惹起せられたのではあつたが、結果に於ては、今まで絶え間なく狙ひつゝも支那の鎖國主義に妨げられてゐたところの英吉利商業資本活躍の好餌たるための一契機となつてしまつた。英國にとつてはまさしく阿片問題は口實であり、捉へた機會に過ぎなかつたのである。その媾和のための南京條約に阿片に關する條項の全くなかつたことは這般の事情を物語るに充分である。此の阿片戰爭に際し、英吉利軍は牽制のために臺灣を窺ひ、後清國は更に英佛と戰ひて敗れし結果、一八五八年の天津條約により安平、淡水、打狗、基隆の四港が開港せらるゝこととなつた。玆にジャンク船による對岸泉漳大商の商權は全く汽船貿易による外國商人の手に移つたわけである。

然らば外國商業資本は具體的に如何にして臺灣に入り如何なる影響を臺灣經濟社會に與へたであらうか。これを眺める前に今暫く吾々は當時に於ける臺灣在來の商業組織の樣相と、それが所謂「三郊」を以て代表せらるゝ對岸貿易に對する關係を眺めなくてはなるまい。

註(1) 歐羅巴人が支那へと迫り來つたのは、一六一六年のポルトガル人の廣東來航に始まる。次いでスペイン人、オランダ人

來り、英國人はやゝ後れて一六三四年に始めて支那にその姿をあらはした。佛蘭西人は一七二八年、米國人は一七八四年に來航したといはれる。

註(2)　Albrecht Wirth; Geschichte Formosa's bis Anfang 1898. (Bonn 1899). S. 75

註(3)　C. E. S; Verwaerloosde Formosa. (C. E. S は Coyett et Socii なり――東註) The Neglected Formosa. p. 156（大正十二年中臺灣總督府囑託蘭人ピエル・マーティン・ラムバッハの英譯にかゝる）コイエット原著、谷河梅人譯編「閑却されたる臺灣」一七九頁。

和蘭東印度會社の殘して行つた資産四十七萬一千百五フロリンの內譯は左の如くである。

金貨	六百フロリン
珊瑚玉ビーヅ	九百フロリン
琥珀玉	五萬フロリン
現金	十二萬フロリン
倉庫在中の原料並各種商品	約三十萬フロリン
計	四十七萬一千五百フロリン

註(4)　臺灣縣誌、卷之一、八四頁に「臺江は邑治西門外に在り、汪洋渟滀にして、千艘を泊すべし」とあり、又埠頭としての府治の地（臺南）の如きは「開闢以來生聚日々繁く、商賈日に盛に、海を塡めて宅と爲し、市街紛錯せり」とあり。又當時臺灣の閩人の間に行はれてゐた「臺灣《タイオアヌ》、錢淹脚目《チイイムカアバク》」といふ俚諺は、當時に於ける一攫千金の比喩であつた樣である。

第二節　在來の島內商業組織

以上の如く清朝末期に至るまで、國內產業擁護のための鎖國主義によつて臺灣に於ける對外貿易の見るべきものなく、あつたとしてもそれは貿易と云はんよりは寧ろ外國商人との定期市場に於ける取引といふに過ぎなかつたのであつたが、これに對し島內商業は如何なる狀態にあつたであらうか。

清朝時代、康熙の中葉對岸より臺灣に渡るもの相當にあり、島內に於て所謂民蕃儱越の爭ひの屢々起るを怖れて、渡航禁令の發布があつたが、其後も密かに臺灣に至りて開墾に從事する者多く、而して南支那の尨大なる流民が臺灣に向つて繼續的に流亡運動を起したのは大體に於て康熙の末葉からであつた。この流れが本流となつてあらはれたのは乾隆から嘉慶にかけてゞあつたが、彼等は主として土地を開墾することによつて、或は墾戶の雇傭者となることによつて米、砂糖の生產者となつたのである。[1] 而してそれは未だ尙半鎖國的自給自足經濟の域を脫するものでは決してなかつた。かゝる社會に於て、商取引の對象となり得るものは、その農產物の餘剩と極めて限定せられた諸財貨以外には存しない。

清朝時代の臺灣の商業は、かゝる半鎖國的自給自足的經濟の通有の現象として、一般的には市場を通じて行はれた。市場に於ては、生產者並びに市場商人對消費者の直接的な接觸によつて、或は物々交換的に或は貨幣又は物品貨幣を媒介として取引が行はれ、人々は市場に於て物資調達の機會を得てゐたわけである。此の時代に於ける臺灣に存在せる市場はこれを取引對象によつて二種に區別することが出來る。一は普通市であつて魚菜及日用雜品の取引を爲し、他は牛墟であり牛の賣買を爲すものである。

臺灣府誌に「新街に魚市あり、又孔子廟前の哺地には菜市ありて菜市街と稱せり」[2]とあり、領臺前には臺南の內外を通じて二十八ケ所の普通市があつた。而して交通の要衝に當れる街衢城門及び寺廟其他人の來集すべき建築物の附近にある空地等は絕好の市場であつた。寺廟に仕へる董事等は時には此等の市場商人から抽錢を收納し其の油香料に充てたといはれてゐる。普通市は又店舖市場と露店市場とに分つことが出來る。[3] 店舖市場といふのは同業者の店舖が軒を並べたものをいふ。

店舗市場の例として先づ大目降に於けるそれを擧げよう。この大目降に於ける店舗市場は媽祖廟前を以て市場に當てゝゐたものである。此の市場には夯量なるものあり、これは取引品の重量を計り一擔(百斤)につき四文乃至八文の手數料を徵收するをいふのである。元來此の手數料權は大目降七廟の特權であつたが、その董事等は此の特權を贌出(賃貸し)した。而して之を承贌した者を夯量人と云ひ、毎年約百元の贌稅を其の董事に納め董事はこれを以て七廟の油香料に充てたといはれてゐる。而して夯量人の計量を受くべき取引品は蕃薯簽、麻、木炭、薪、簟、竹筍等であつた。又米穀土豆等の市は媽祖廟内に在り廟の董事はその賣買に斗牙となり一斗の秤量には八文宛の手數料を徵收する慣習であつた。

露店市場の例としては新竹街の土名北門、北門外及南門街にあり、官府の檢査を豫め經たところの「奉憲示禁」の文字を刻んだ公斗を備付け、以て穀類の賣買に當つて量の正邪を明らかにしたといふ。[41]

宜蘭街に於ては鳥獸、魚肉、蔬菜、米穀、薪炭等の市場が中北街及び南門街、崁興街邊に起つた。

一言せるが如く本島に於ては以上の外に特に牛の賣買をなす所の牛墟と呼ばれる市場があつた。彰化縣誌に「凡そ牛を販するに賣者必ず牛墟に於てせんと欲す。臺地墟を設けて市を爲す者無し、惟牛を賣るには必らず墟に到る、墟日定率あり、三日を以て期となす」[5]とあるによれば、牛の市場のみは一定の空地即ち墟に於て之を行ひ、其他の市場は特に設備を爲したる場所なく廟前叉は街路の一部を以て之に充てたものであらう。牛墟の例を吾々は鳳山、大目降、灣裡、斗六等に見出すことが出來る。

以上は舊時の主なる市街に於ける市場の梗概に過ぎないものであるが、此の外苟くも街區の存する所には必らず市場が存在してゐた[6]。而して舊時の市場は唯衡量につき、官によつて公糧公斗が各市場に設けられたる外は全然人民の自由であつた。而して店鋪にせよ露店にせよ其處で取引せらるゝものは穀物、禽畜、魚類、山菓、木炭、薪、竹筏等の農產物或は程度低き手工業品であり、生活必需品であつた。

註(1) 政學科研究年報第一輯、拙稿「淸朝治下臺灣の土地所有形態」參照。
註(2) 臺灣府誌 卷二

店舖市場

所在地	取引品
總爺街	什市（魚菜肉）
大井頭街	栳葉
外新街	鹹魚
鴨母寮街	鴨，牛皮
洪公祠后	猪寮
竹仔行街	竹
大埔街	麵線
小東門	鮮花
小西門	生魚

露店市場

所在地	取引品
道爺口街	魚，菜，肉
嶽帝廟街	魚，菜，肉
○水仙宮	魚，菜，肉
關帝廟街	食物
大上帝廟街	食物
○銀塘公館	山菓（主として鳳梨）
○龍王廟	山菓
肉新街頭	肉
○彌陀寺街	瓜子
內關帝港街	柑仔
延平郡王祠	菓子
大西門	食物什菜，蕃薯簽
北勢街尾	竹筏
大東門	五穀
大南門	菜
小南門	蕃薯簽
大北門	米
小北門	五穀豆仔

○點を附せるは寺廟公館等が市場商人より抽錢を取立てしもの。

註(3)　臺灣私法　第三卷上、一七八―一七九頁により、舊時臺南に於ける各種の市場を店舗のものと露店のものとを區別し其の所在と主なる取引品とを示せば左の如くである。

註(4)　此の北門外の媽祖宮は、薪炭の賣買に際し一擔に付き五文の抽錢を得て宮の油香料に充した。これが卽ち公糧である。さきの公斗とこの公糧とは領臺後も猶明治三十九年四月律令第二號を以て臺灣度量衡規則の發布せらるゝまで使用せられた。

註(5)　彰化縣誌　卷之九

註(6)　臺灣總督府內務局法務課內發行「法院月報」第三卷第一號―第十二號を參照せられよ。

以上の市場に市場商人として店舗を有するものは主として內郊と稱する同業組合であつた。內郊といふのは雍正初年外郊(後述)の成立して輸出入の商路に當れるに對して、島內の販賣同業者が相互の團結及び信用を確保し以て自らの利益をあげ、又或種の公共事業に盡力するために組織結成せる職業組合であり、米郊、布郊、糖間、綢緞郊、絲線郊、紙郊、藥材郊、杉郊、苧仔郊、油釘鐵郊、磁仔郊、茶郊等がこれに屬する。

雍正以前に於てもその開墾地の擴大につれて增加しつゝあつた本島の米穀を僅かに對岸に積出してゐたにはゐたが、それが本格的となつてあらはれたのは支那よりの商船の來往し始めた雍正前後であつた。支那本土より本島への流民の本流となつて渡臺し始めたのは乾隆末年より嘉慶にかけてゞあつたことは前に述べたが、この臺灣島内に於ける人口の增大は、啻に農民の增大を意味するばかりではなく又對岸よりの諸財貨を賣捌く商人としての增大を意味するものでもあつた。而して對岸より來り居を臺灣に構へて通商に從事する者は、北は山東、南は福建、廣東に至る廣大なる地域を營商區域とし、臺灣より砂糖、油、米を輸出し、又臺灣需要の綢緞絲、羅布、紙料、杉木、烟、棉花等を輸入する所の商業組合即ちツンフト(Zunft)を島内各港都市に組織した。而して島内に於けるツンフト即ち郊の生成は雍正三年の臺灣府三郊の組織が其の嚆矢である。三郊とは北郊、南郊、港郊の三つのツンフトを指すものであり、北郊は蘇萬利、南郊は金永順、港郊は李勝興の統ぶるところであつた[8]。臺南三郊由來に「上海、寧波、天津、煙臺、手莊等の處の貨物を配運する者を北郊と云ひ、郊中に二十餘號あり、商を營む、共に蘇萬利を推して首と爲す、金厦兩島、漳泉二州、香港、汕頭、南澳等の處の貨物を配運する者を南郊と云ひ、郊中に三十餘號ありて商を營む、共に金永順を推して首と爲す、臺灣各港の採糴に塾悉する者を港郊といひ、郊中に五十餘號ありて商を營む、共に李勝興を推して首と爲す、是に由り商業日に興り、久しきを積みて例を成し、遂に三郊の巨號を爲せり」[9]とあり。又彰化縣誌に「遠賈は舟楫を以て米粟糖油を運載す。行郊の商は皆內地殷戶の人なり。……蚶江に渡れるを泉郊と云ひ、厦門に渡れるを厦郊と云ふ。間々糖船あり、直ちに天津上海等處を透る者なり」[10]とあり、更に淡水廳誌には、「估客の輳集するは淡(淡水のこと—東)を以て臺郡の第一と爲す。貨の大なる者は油.米に如くは莫く次に麻豆、次に糖菁、樟、栳茄、籐、薯榔、通草、藤苧の屬に至る。……或は船を贌し或は自ら船を置きて、福州江浙に赴く者を北郊と云ひ、泉州に赴く者を泉郊と云ひ、亦頂郊とも稱す。厦門に赴く者は厦郊と云ふ」[11]との記錄がある。これによつてこれを見れば、厦門を始め福建海商の臺灣まで來つて通商するものゝ中厦門の泉郊に屬するものが主となつて臺灣の泉郊又は厦郊を、其の北郊に屬するものが主となつて臺灣の北郊を、其の廣郊に屬するものが主となつて臺灣の南郊を組織したものであらう。然し彼等は個々の都市の範圍に於て商業資本家として組織上統一的に自己を組織することに成功したものではない。彼等の聯合は他鄉に對する場合に於て卽ち鄉黨主義の貫徹に於て實現せられたものである。從つて吾々は、當時臺灣のかゝる貿易地を等しくする所の團體は、鄕黨主義に基く同鄕商人の組織したツンフトと見て差支へないであらう。(吾々は臺灣に於ける分類機關に、この鄕黨主義の異つた適用を見る)この厦門及び附近の商人ツンフト(Zunft)[12]と臺灣のツンフトとの關係は、恰も嘗ての英國商人ギルドの大陸に於て育成せられたステープル(staple)に於けるそれの如きものであつたと考へることが出來る。尤も歐州に於けるステープルは既に手工業

(1) 三郊輸出入貨物

郊＼貨物	輸出貨物	輸入貨物
北郊	白糖	綢緞，　火腿
	福肉	羅紗絹布，紡葛
	羌黃	絲線，　棉花
	樟腦	藥材，　天津，上海の雜貨
	硫黃	簸貨，　寧波煙臺の雜貨
	煤炭	紹興酒
南郊	苧，　靑糖	福州漳州生厚煙
	豆，　魚膠	泉州棉布，漳州藥材
		泉州磁器，永春葛
	蔴，　魚翅	龍巖州紙，江州條絲煙 漳州絲線
	菁子，豆粕	福州漳州杉木，泉州深滬鹽魚
		香港咔叽，漳州雜貨
	米，　牛角骨	洋布，　廣東雜貨
	干筍	阿片，　漳泉州磚瓦石 及什貨
港郊	豆粕，干筍	豆粕，　干筍
	豆，　蔴	豆，　蔴
		紙，　菁子
	米，　菁子	米，　麥
	靑糖，麥	靑糖

臺南州共榮會編「南部臺灣誌」に據る。

の發達せる狀態に於て成立したものである、といふ點に於ては異るが。

今試みに三郊の輸出入貨物及び三郊經費を示せば次の如くである。

(2) 三郊歲入

項	金額(圓)	備考
絲金徵收額	5,000	光緒 16 年廢止
田園店屋の收入	2,000	
合計	7,000	

同上に據る。

(3) 三郊歲出

項	金額(圓)	備考
媽祖佛祭費	1,200	港北南の三郊各媽祖佛を祠る年1座1祭 400 元
雇入給料	860	800 圓稿師手當 60 圓局丁給料
水道浚渫費	200	臺南安平間船道年 1 回浚渫
生息納利欵	300	海東書院より母銀 2,500 圓に對する利子
三益堂茶炭費	120	
鹿耳門普度費	200	
小計	2,880	
官衛應酬費	臨時捐金	もと絲金に依りしも絲金廢止後捐金に改む
地方公事費	臨時捐金	

同上に據る。

三郊の勢力は其後大いに揚り遂には本島の商權を確保するに至つたのであるが、それは啻に商權の掌握に止まらず、又冬防の夜警、保甲の組織、匪亂の義民、其他地方の公事を分任し、下級行政上の一機關となるなど、政治的活動をなすに至つた。例へば、嘉慶十一年(一八〇六年)海寇蔡牽なる者亂を作して臺灣府城(臺南)を圍攻したときに、三郊は資金を釀し、義民を募集して匪亂の平定に大いに功があつた。又其後、三郊の同業者百餘名は集議の上捐金し、店屋を買ひ求め、各年の賃貸料を收めて三郊の經費に充當し郊務の擴張をはかつてゐる。又各郊の公議を經て輸出入の貨物一個より十文を抽收して、年約五千圓を得て以て地方公事接濟の費にあてた等はこれである。

以上は大體三郊についての概觀であつたが、臺灣に存在せる郊は無論三郊のみではなかつた。而して吾々は本島に於ける郊を次の二種に分つことが出來る。一は取引地を同じくする所の商人の團體、他は取引地を等しくすると否とに關せず同種の商品取引を爲す商人の團體をいふのである。先きに泉郊、厦郊等々とありしは前者にして、各地に於て布郊、油郊、染郊とあるは後者である。前者は主として對岸との貿易に從事する郊であり、其等の總稱は、後者即ち島内ツンフトの總稱が大體に於て内郊に包攝せらるゝに對して、一般には外郊と呼ばれるところのものである。

茲に當時の郊の主なるものを擧げて郊の勢力が如何に島内に充滿せるかを知

るよすがとしよう。

(一)　臺南三郊

(二)　臺南六條街公所　臺南六條街公所とは、所謂同城六街街、卽ち竹仔、武館、大井頭、帽子、下橫、武廟の諸街に於ける文市商人(後述)の團體であつた。

(三)　大稻埕厦郊　臺北には香港郊、北郊、泉郊、厦郊、鹿郊(南郊とも云ふ)の五郊があつた。

(四)　媽宮臺厦郊　媽宮港に存在し厦門臺灣と取引する商人の團體である。

(五)　鹿港泉郊　鹿港には泉郊、厦郊、南郊、布郊、籖郊、油郊、染郊、糖郊の八郊があつた。布郊以下五郊は名稱の示す如く同種の商品を取引する商人團體であつたが、これは前三郊に屬する商人の小團體であつた。

(六)　斗六街各舖戶參議、斗六街には布郊、米郊、葯郊、籖郊の四郊あり、商業上重要なる事件發生せるときは上述各郊は各代表者を出し相會して其解決に努む。之を各舖戶參議といふ。

(七)　臺南布郊　臺南に於ける綢緞布商の團體である。

(八) 臺南魚郊　其の名の如く臺南に於ける魚商の團體である。

(九) 臺南香舖郊　臺南に於ける線香製造販賣業者十六號の團體をいふ。

かくて對岸との貿易に從事せる郊、卽ち外郊は、當時未だ尙半鎖國的自給自足の段階に沈潛せる、而して又遠く東海の眞唯中に孤立せる臺灣島の、日々需要する雜貨品販賣の獨占權を得てゐたことは想像に難くない。本島の商權はかくして咸豐年間、安平、打狗、淡水、基隆の諸港の開かるゝまで殆んど全く外郊の掌握するところであつたと云つても敢て過言ではない。

然らばかゝる外郊の手によつて輸入せられた貨物は如何なる經路を辿つて一般需要者の手に渡つたであらうか。

吾々はさきに大雜把に島內の商業組織を內郊、外郊に大別したが、この郊を組織する所の者は問屋である所の「行」であつた。「行」は對岸各港より商品を包買してこれを小賣店に包賣し、又は地方の生產者より其の生產物を包買してこれを對岸諸港に包賣する者である。從つて「行」の商人こそが臺灣對岸間の輸出入商であつたわけである。行の商人が郊を組織することが多かつたために本島人間では行郊又は頂手と呼ばれ、或は九八行ともいはれた[13]。

其處で輸入貨物は通常先づ對岸の商人から問屋である所の行郊に渡りこれが更に直接小賣店である所の「文市」なるものの手を經て一般需要者に渡るわけである。こゝに文市といふのは、通常商品の小賣店のことであり、門市若しくは下手ともいはれる。然し自ら原料を購入し商品を製造して販賣する者例へば香店、銀紙店等、又自己の原料に加工して販賣し若しくは委託者の原料に加工するを業とする所の手工業者例へば染房、打銀店、裁縫店の如きものも亦文市の中に含まれてゐる。臺灣では前者は工夫店、後者は手藝店と云はれてゐる。

輸入商品が一般需要者の手に渡るのは上述の經路を辿つてゞはあるが、然し一般的には行郊より一旦卸賣商たる「割店」の媒介を經て文市に渡り然る後需要者に供給せらるゝことの方が多く、又郷村の文市の手に渡るには旅商たる「販仔」の手を經ることもあつた。

割店といふのは、各種商品の卸賣を營むものであることは前に一言した。卽ち大きな街に於ては割店が行郊と文市との間にあつて取引の中繼をなすわけである。行郊は各々三、四軒の割店を契約して居り、割店は又各々百軒内外の取引文市を有してゐる。通常文市が直接に行郊と取引をなさずしてその間に割店を經由するといふのは、蓋し多額の卸賣は廉價であり小額の卸賣は反對に高價であるのは當然であるからして文市は割店から仕入れる方が得策であり、行郊は又信用ある割店に一手販賣する方が安全であるからであらう。と云つても事實としては行郊が割店を兼ねることもなかつたわけではない。

次にその別名を「走水」と呼ばれる所の「販仔」は割店等から小量の商品を仕入れ、これを小街庄に存在する文市に販賣するを營業とする卸賣行商人のことである。販仔はかくて一種の商人ではあるが、商店を構へて取引をなすものではなく、多くは信用によつて商品を仕入れこれを販賣し其賣上代金を得て仕入先きに仕拂ふのが普通である。其の携行する商品は主として乾物、雜貨類である。更に「小販仔」といふのがあるが、これは一擔の商品を仕入れて需要者の家々について零賣する行商人のことである。「出擔」又は「搖鼓」といはれる。其他路擔、整船、水客、蕃割等の商人があるが、其等は今の場合さして重要ではないから茲にはその名を擧げたるに止めて置く。

輸入貨物の一般需要者に渡る徑路は以上の如くであるがこれを圖示すれば次の如くである。

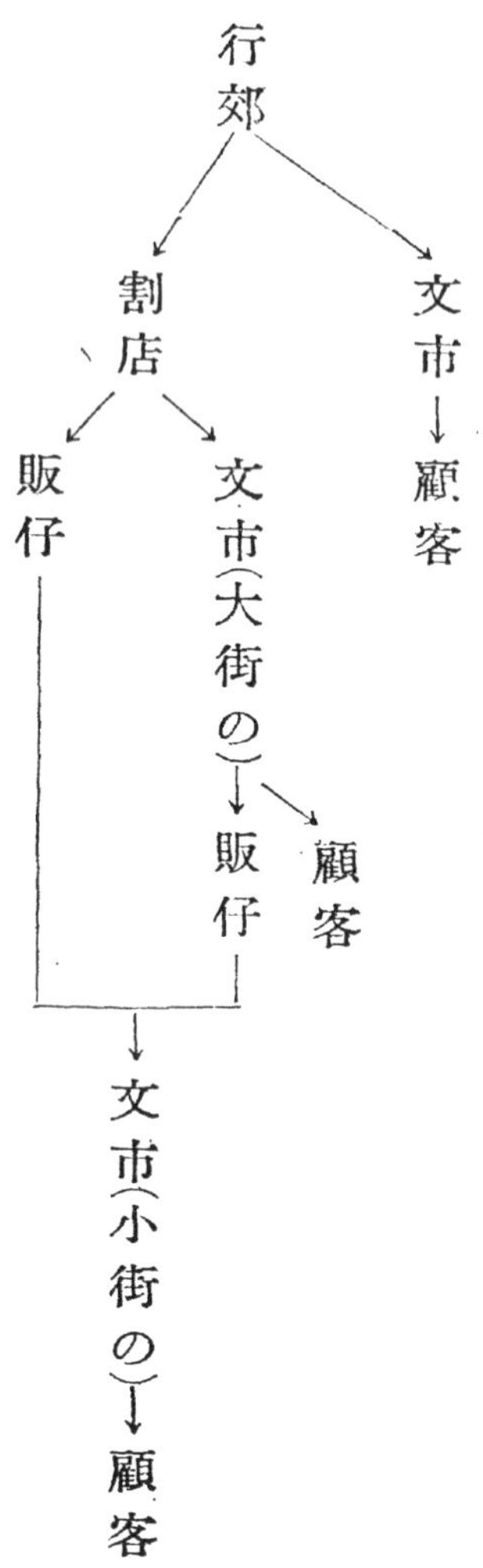

以上略述せるが如き本島の在來の商業組織に於ける、其等の監督機關としては、(一)全臺釐金局、茶釐總局及砂金抽釐局、(二)鹽務總局、總館及小館、(三)煤務局、(四)海關等あり、[14] 釐金の徵收或種の官業及特許を要する製造販賣業等に關して監督の地位にあるにはあつたが、然し其等は臺灣四港開港の直前或は直後の存在にかゝるものであつた。而かも尙取引の大部分は商人の自由に委ねられてゐたが爲めに、商人は次第にその富を貯へることゝなつた。加ふるに頻發する匪亂の影響を受けて政府の窮乏いはん方なく、從つて國庫は商人の富力を藉らんとし、商人は政府の權力を利用せんとして、其處に代償關係を生じ、あらゆる有力なる商業は中世的經濟組織の規範に洩れることなく、各種組合による特許的獨占の形態を採り來つたわけである。かゝる獨占は一方に政府官吏の不正

腐敗の機會を提供することゝなり、遂には官吏の私嚢を肥やすために特許制限を課したかの如き結果に陷つてしまつた。嘗つて私は臺灣の土地に關して官吏資本の存在を指摘したことがあつたが[15]、玆にも又多少たりとも官吏資本の蓄積の可能性のあつたことを見逃すわけには行かない。

更に又中世ギルド的精神を汲む郊行について見るに、彼等がその業務の性質上、卽ち諸々の設備を必要とする點他人の財貨を預り而も自己の計算に於て取引する點等に於て、或る程度の蓄積資本を必要とした。臺灣の主要港市に於てかゝる業務の存在してゐた事實は、尠くとも一部分に於ては若干の蓄積が實現せられてゐたことを物語るものでもあらう。尤も臺灣社會に於けるかゝる商業資本蓄積の存在は大部分その內部に於ける生産力の發達の必然的結果としてあらはれたものではなく、支那本土から急速に持ち込まれ然る後徐々に商業に於て資本の蓄積が行はれて行つたものであり、それは今尙獨立で一つの新しい制度を打ち樹てる程度に成熟してゐたものではない。然し乍ら後述外國商業資本の到來に際して、之を迎へこれに追從して、自己を新資本主義組織への一分子たらしむる程度の實力は具備してゐた。卽ち曲りなりにも商業資本の存在してゐたといふことは、臺灣に到來せる資本主義が、自己の體系を比較的急速且容易に此の中世紀的封建經濟社會に移植することを得たる消息を物語るものである。

註(7)　支那に於ては商人團體に對し會館公所、幇又は郊等の數種の名稱があるが、厦門、臺灣では通常郊と稱してゐる。郊は商人の團體であり、その目的は商人の團結及信用を確保し以て相互の利益と商業の發達とをはかり且或種の公共事業に盡力するにあつた。

內郊の組長を爐といふのである。これは組合內の紛爭及び本島商業の崇信する神佛の祭典を擧行する。それは官選でもなければ公選でもない。一種の神托によつて定まるのである。本島人の崇信する所謂媽祖ば、航海安全の守護神であり、當時商業上の損益は一にかゝつて海上にあつたから、島內の各商は媽祖を信ずること厚く、各郊必らず一座の媽祖神を奉祀し、爐主の交替と同時に媽祖神を新爐主の家に移す。爐主の交替はこの媽祖神前に於ける「筶」によるうらなひの結果によるといふ、全く神の決定に委ねられた非科學的なものであつた。

註(8)　今蔡國琳述「臺南三郊由來」を見るに、「三郊は、臺南の大西門城外なる北郊、南郊、港郊の總名目なり。鄭氏の臺に來れるとき、漳泉の民こゝに附して寄居す。蓋し此れを以て嘗商の始めとなす。康熙二十二年清の版圖に入るや、商業日に興り人數來集し、雍正三年臺に入り交易せしは、蘇萬利、金永順、李勝興を以て嚆矢となす」とある。

註(9)　蔡國琳述「臺南三郊由來」

註(10)　彰化縣誌　卷之九、風俗志

註(11)　淡水廳誌　卷十一、風俗考

註(12)　對岸のツンフトに關しては、根岸佶氏の著書「支那ギルドの研究」（昭和七年刊）を參照せられよ。これによれば、私

の所謂ツンフトである郊は商人ギルドであることになつてゐる。然し其等が主として同職人による組合であつた限りに於てこれを同職ギルド或はツンフトと見る方が適當であらう。

註(13) 行郊が一名九八行と呼ばれるのは、其の販賣の委託を受けたる商品の賣上代金の百分の二を仲錢として取得し其の殘額卽ち百分の九八を委託者に交付するが故である。然し商品の種類によつては百分の三の仲錢を取得するものもあつた。

註(14) 全臺釐金局とは臺灣に於ける一般釐金を徴收する官廳である。咸豐十一年（一八六一年）設けられ、臺灣道の管理に屬せらる。而して釐金の徴收は始めは府之を掌り商貨の粗精を論ぜず擔數を計つて課し唯阿片に關して特に其の率を重じたにすぎなかつた。後に道の所管に歸した。（臺灣私法第三卷上、第四編第一章第二節參照）

茶釐總局は同治十年（一八七二年）に臺道たりし黎兆棠が委員候補府であつた胡斌に札飭して淡水同知と會同し、每擔釐銀一圓を酌收せしめたのに始まり本局を臺北に置く。其後奸商金茂芳、章華封等の釐金抗納によつて徴收率は幾分減少したといふ。（淡水廳志　參照）

鹽務總局は同治七年（一八六九年）臺南に設置せられたもの。鹽の製造販賣は全く人民の自由に委ねられてゐたから市價平ならず、弊害が多かつたので雍正四年鹽制を發布し鹽業を官に歸し臺灣府の管理に歸した。爾來或は民業となり或は官業となり同治七年再び鹽制の發布せらるゝに及んで設置せられた。（臺灣私法第三卷上、第四編第一章第七節參照）

樟腦は始め、官の專賣であり臺灣產出の樟腦は盡く艋舺料館の收買するところであつたが、同治六年洋人自ら內地に入り樟腦を採買するを許す。後二年を經て一八六九年英淸條約により專賣制度の廢止を約す。（臺灣私法同前參照）

臺灣に於ける海關の開設は咸豐四年（一八五四年）にかゝる。從來淸國には內國貿易に對する關稅を徴する舊海關、外國貿易に對する關稅を徴する洋海關があつたが、臺灣には洋海關のみ開設せらる。（臺灣稅關十年史參照）

註(15) 政學科研究年報第一輯拙稿參照。

第三節　外國商業資本の進入過程

第一　外國貿易發展の樣相

前述の如く、乾隆から以降咸豐にかけて、臺灣に於ける流通機關として獨占的地位を占め市場の支配權を有し以て當時の農村の社會的經濟的心臟を己が意の儘に動かし得た所の、而して又對岸への貿易の實權を掌握してゐた所の階級は郊と呼ばれるツンフトであつたが、さしもに隆盛を極めた郊も十九世紀に入つて次第に其の勢力を失墜し始めた。吾々は歐米に於けるツンフト崩壞の原因をそれ自らの經濟組織の中に於て發展し行く生產力に求むることが出來るが、臺灣の如き植民地的社會に於て固より其軌を一にするものではない。臺灣に於ては吾々はそれが原因を端的に外國商業資本の進入に求むることが出來る。それは云ふまでもなく臺灣社會自體の生產力の發展に伴ふものでは決してなかつた。

十九世紀初頭、歐米資本主義列强の植民地獲得の欲求は遠く東洋に延びて遂に英清間の阿片戰爭を惹起せしめたことはさきに一言したが、其の結果は英吉利商業資本に對する淸政府の憎惡の念を高め、基督敎を以て異端邪敎と見做し、ために英佛宣敎師との衝突或は捕縛となり、英佛聯合軍の出動を招來した。而して咸豐八年(一八五八年)遂に所謂天津條約が成立したのであるが、臺灣に關する限りそれは安平港のみを開港場となすことを約せるものに過ぎなかつた。其後再び事件を釀して遂に翌々年(一八六〇年)北京條約の締結となり、これによつて臺灣は安平、淡水の兩港を開くことゝなつた。其後の外商雲集の結果は同治二年(一八六三年)南の打狗港を臺灣府の附屬港として、北部の鷄籠港(基隆港)を淡水港の附屬港として開放することゝなつたのである。

今まで對岸の商行及び商船に一言の挨拶なくしてなすを得なかつた外國人の臺灣への貿易もこれによつて大ぴらに出來るやうになつたわけである。對岸に於ける並びに臺灣に於けるツンフトの承認を得ずして貿易をなすことが出來るやうになつたといふことはとりもなほさずツンフト無視の表明であり、從つてそれは郊破壞の荒々しき一歩を意味するものである。而して既に述べたるが如く當時既に臺灣社會に僅かながらも資本の蓄積が行はれてゐたといふ事實は、外國商業資本の進入を容易ならしめた所以でもある。

以下臺灣外國貿易品の主要なるものについて外國商業資本の進入し來つた過程を眺めることとしよう。

香港開港と共に外國商船の東洋に來る者多く、殊にアメリカは支那貿易の大半を占め、その屢々なる訪問者であつた。支那に於て有名なるアメリカ商人 Gideon Nye は臺灣の富裕なる天然に着目し、又近親の者を臺灣近海に於てなくしたこともあり、アメリカの臺灣領有を政府に建議した最初の人であつた。其後も臺灣領有の建議が屢々なされたけれども、當時アメリカ共和國は市民戰爭により脅威を受けてゐた時代であり、それは遂に實行に移らずして終つた。然し臺灣の存在はこの頃から深く歐米人の視野に喰ひ入つたといふことが出來る。支那の對外貿易の進展につれ、歐米資本主義の植民地獲得運動は遙かに海を越えて盛に支那、臺灣に侵入し來り、最初は阿片の賣付けによつて巨利を博した。これと同時に銀殊に東洋の主要貿易貨幣であつた所のメキシコ銀或はスペイン銀が大量に臺灣に於て使用せらるゝ樣になつた[1]。

本島の對外國貿易は、一八五八年、香港の二商館、Jardine Matheson & Co. 及び Dent & Co. が臺灣貿易に從事せるに始まるといはれてゐるが、兩商館が臺灣に代表者を一般商人として實際に設置したのは一八六〇年にかゝる。[2] 一八五八—九年に於ては兩會社は大量の臺灣樟腦を取扱つてはゐたが、然しそれは當時尙貿易の獨占權を握つてゐたツンフトの商人及び支那官吏から豫約して得たものであつた。咸豐十年(一八六〇年)に阿片戰爭の結果として成立した北京條約により淸國は英吉利及び佛蘭西に對して安平、淡水の兩港を開放し、更に同治二年打狗港及び基隆港を外國貿易のために開放したことは前に述べたが、かくて四港の開放せらるゝや、英、佛、獨、相次いで本島に雲集し、領事を派遣して來るやら、租借地を劃するやら、商館を設置し倉庫を建てるやらで、臺灣府及び淡水港一帶は大繁雜を來し、諸國の貿易船も從つて頻繁に出入するやうになつた。かくて外國船舶の出入頻繁となるや、對外貿易が益々盛になつた結果、前記四開港場に淸國總稅務司(英人)の管轄下に洋關を設くることゝなり、同治元年(一八六二年)には淡水に、翌年には基隆に、更に同治三年には安平、打狗に各々該關の設置を見、各洋關には稅務司を置いた。洋關は新關又は海關といひ、主として西洋形船舶による貿易の關稅のみを徵收するものであるが、これに關聯してさきに一言せるが如く咸豐十年、內國輸送貨物の通過稅のみを徵收する釐金局なる機關が既に安平、鹿港、淡水、等樞要地に設置せられてゐたことは記憶せられなければならない。

外國商人がかくて臺灣の地方內部に進入し始めたのは英國よりの臺灣最初の領事 Robert Swinhoe が一八六一年七月打狗に來り臺灣產業の調査をなしてより後のことであつた。更に Swinhoe が淡水に來ると前後して Dent & Co. の一五九噸ある Wild Wave 及び同噸の Matheson & Co. の Vindex なる快速船淡水に來り、阿片を入れ、通貨及び臺灣に於ける諸生產物を運び去つたといふ。一八六一年に於ける輸出品は、米、樟腦、石炭、木材、茶、砂糖及び硫黃其他であつた。

一八六二年には淡水にデント會社、ジャルデン・マセソン會社が設立せられた。打狗に於ける貿易も其後次第に增加し、其の額此の頃既に淡水の二倍に達してゐた。一八六四年打狗に存在せる外國商館を示せば次の如くである。

Jardine, Matheson & Co. Dent & Co. MacPhail & Co.	British

dessler & Co.(後には Lessler & Hagen), German

南部臺灣の貿易を見るに主たる輸入品は阿片であり、輸出品は打狗からの黑糖、臺灣府からの白糖、termeric(支那北部の食物及び藥品のために)であつた。米は一八六五年支那政府がその輸入を、支那米壓迫にたえかねて禁止するに至るまで、打狗から大量に輸出せられた。二年後この禁止は撤回されたけれども一八六九年から課税せらるゝことゝなつた。一八六六年に於ける打狗及び臺灣府に於て輸入品價額は約百六十萬銀弗、輸出は約百十五萬銀弗であつた。(備考、玆に「銀弗」Silver Dollar とは當時臺灣に行はれてゐた價格標準、「元」に相當するものである。「元」には七三銀、七二銀、六八銀等々があつた――北山富久二郎氏論文「臺灣に於ける秤量貨幣制と我が幣制政策」〃元〃の部參照――以下本文に於て「弗」にてあらはしてゐるのは銀弗從つて元のことである)

北部には John Dodd & Co. Milisch & Co. 等々の商館設立せられ、一八六六年に於ける淡水及び基隆に於て、輸入品價額は約百五萬弗、輸出は約三十八萬弗であつた。

同治四年(一八六五年)英人 John Dodd が本島に茶業の調査を遂げてから、本島茶業も一大進歩を見た。彼は翌年始めて粗茶の買收を試み、更にその生産を增殖せしむるため、安溪から苗木を持ち來り、農夫に資本を貸與して栽培を奬勵し、一八六七年一歩を進めて澳門に向けて輸出し同地で大いに歡迎せられた。そこで臺北艋舺(今の萬華)に一工場を設け、初めて粗茶の再製(烏龍茶の成製)に着手した。これが卽ち本島茶再製業の濫觴である。一八六九年には二隻の帆船で二十八萬三千磅(二一三一擔)の茶が紐育に向けて輸出されるなどあるや、茶の價格上騰し、農民を相當にうるほしたものゝ如くである。一八七二年には Dodd, Tait, Elles, Brown, Boyd の五洋行は競つて粗茶を買ひ入れ、價格愈々騰貴し地方栽培を大いに刺戟した。其後支那人も渡來して再製に從事したのであるが、彼等の中には粗惡茶を輸入し本島茶に混じて不正手段を以て奇利を博せんとする者出で本島茶の聲望は一時下つたといはれてゐる。

而して烏龍茶の輸出額を見るに、一八六六年十八萬磅餘(一三五九擔)、一萬三千弗に過ぎなかつたものが、十年後の一八七六年には實に七百八十五萬四千磅餘(五九一二八擔)、百九十萬弗となり、量に於て四十倍、金額に於て百倍以上といふ激增を示して居り、更に一八八六年には一千六百十七萬磅に、一八九六年

(4) 臺灣烏龍茶輸出額累年表

年次	合衆國へ輸出烏龍茶（磅）	歐洲へ輸出烏龍茶（磅）	總輸出量(磅)	1擔(133磅)當り平均價格(銀弗)	總輸出金額(銀弗)
1866	?	?	180,826	10.00	13,596
1867	?	?	270,790	15.00	30,540
1868	?	?	528,210	20,00	79,430
1869	?	?	729,234	18,00	98,693
1870	?	?	1,405,348	34,00	359,261
1871	?	?	1,982,410	30.00	447,159
1872	2,032,220	75,153	2,601,801	41.00	802,058
1873	1,261,361	57,360	2,081,324	25.00	396,225
1874	2,819,959	283,742	3,338,846	34.00(5月)	853,536
1875	4,869,345	400,796	5,543,140	28.00	1,167,040
1876	6,487,840	1,102,369	7,854,020	32.25	1,904,459
1877	7,704,693	608,884	9,230,754	28.00	1,943,312
1878	8,152,168	1,287,360	10,701,524	35.33	2,842,793
1879	9,783,513	1,056,034	11,337,710	46.83	3,992,070
1880	10,884,127	636,225	12,063,450	39.50	3,582,754
1881	11,978,605	614,151	12,854,355	35,65	3,445,547
1882	10,406,260	752,473	12,040,446	34.04	3,081,630
1883	11,272,569	1,018,481	13,206,726	36.13	3,587,662
1884	11,779,448	726,293	13,155,437	34.85	3,447,120
1885	14,631,082	931,270	16,364,041	35.12	4,321,091
1886	13,797,879	920,470	16,171,605	37.72	4,586,413
1887	14,524,015	1,199,950	16,816,736	34.46	4,357,178
1888	14,961,048	947,514	18,053,553	36.95	5,015,630
1889	14,539,894	1,007,646	17,384,164	34.99	4,573,473
1890	14,212,326	925,264	17,107,257	37.34	4,802,895
1891	15,029,535	746,229	18,055,149	31.81	4,318,303
1892	15,211,076	735,368	18,230,000	36.64	5,022,159
1893	18,479,927	744,181	21,908,530	38.52	6,345,237
1894	16,748,236	754,444	20,533,733	44.74	6,907,363
1895	15,912,426	784,891	19,556,116	41.14	6,049,163
1896	19,327,460	572,257	21,474,200	38.59	6,230,747
1897	16,672,683	685,651	20,516,020	47.25	7,288,586
1898	16,261,238	688,318	20,532,407	37.68	5,817,001
1899	16,051,000	489,347	19,837,331	36.50	5,369,503

Davidson ; The Island of Formosa 395 頁によつて作成 1 擔當り平均價格は淡水に流通せる銀弗單位 (1 銀弗は七二銀の一元) によるものであり，總輸出金額は總輸出量を淡水に流通せる銀弗によつて（打狗に於ける平均價格は不明）計算せるものである。

には二千百四十七萬磅にと漸次增加の傾向を示してゐる。(第四表參照)

劉銘傳が進撫となつてからは茶業の將來を思ひ、茶郊永和與を設けて斯業の保護をなしたけれども外商の勢力牢固として抜くべからざるものであつた。

一方包種茶は一八八一年福建泉州府同安縣の茶商であつた吳福元(源隆號)來臺して製造、次いで同府安溪縣の商人王安定、張古魁の合辦になる建成號によつて販路擴張せられ、烏龍茶と並び稱せらる。包種茶の輸出額を示せば第五表の如くである。

(5) 臺灣包種茶輸出額表

年期	總輸出量(磅)	一擔當り平均價格(銀弗)	總輸出金額(銀弗)
1881	40,666	26.25	8,026
1883	152,000	30.00	34,284
1885	769,330	33.00	190,886
1889	1,367,583	?	?
1893	1,966,833	?	?
1894	2,290,266	?	?
1895	2,700,000	?	?
1896	2,279,900	26.00	445,695
1897	2,441,215	25.00	458,875
1898	2,719,167	26.00	531,565
1899	2,911,636	26.16	572,695

Davidson 前揭書 396 頁によつて作成，1 擔當り平均價格は淡水に流通せる銀弗（元）によるものであり，總輸出金額は總輸出量を假りに淡水に流通せる銀弗によつて（打狗のもの不明）計算せるもの。

當時製茶の資金は殆んど全部厦門から供給せられ其の資金の根源は主として外國銀行に仰いでゐた。卽ち外國銀行は之を洋行に供給し洋行は更に之を媽振館に、媽振館は更に之を茶館に融通したのである。厦門に於て本島烏龍茶の輸出に對し資金を供給した銀行は香上銀行卽ち Hongkong and Shanghai Bank であつた。香上銀行は何時にても洋行の依賴に應じて巨額の前貸金を交付し特に茶の最盛期に際しては其額百萬圓に達したことがある。前貸金利が當時の市中一般の金利の二分の一卽ち六分であつたといふ事實は洋行が益々これを利用した所以である。洋行は更に之を媽振館に融通した。玆に媽振館といふのは「元來英語の Merchant に胚胎せる名稱であつて、從來茶業者間に於ける主なる金融機關たり、其の業態を案ずるに純粹の茶商にあらず又仲買商にもあらず、卽ち茶商にして他の茶商と洋行との中間に立ち製茶の委託販賣を營むと同時に製茶を抵當として資金の融通を爲す」[41]ところのものである。卽ち媽振館は臺北茶館と厦門洋行との間に介在して製茶販賣の委託を受け又一面には其間に於て資金を供給したるものであつて、洋行が厦門に本據を置き同地にて製茶の買入れを爲した當時にあつては必要なる一種の金融機關でもあつたわけである。この經營者は廣東人、厦門人及汕頭人その中廣東人に最も多く、殊に本國に於て相當に資産を有し信用確實なる者が多かつたから、洋行は安んじて多額の資金を供給しえたのである。領臺直前に於ける媽振館の總數は實に二十戸を算し、其の資本金は一戸につき五千圓以上四、五萬圓に及んだといはれてゐる。臺北に在る媽振館支店は更にその資金を茶館に、[5]茶館より生産者に前貸する。媽振館がその資金を茶館を經て生産者に貸付けたといふことは、粗製茶の購入のために貸付けたことを意味するのではなく專ら再製茶の購入のためにのみ貸付けたことを意味してゐるのであつて、從つて又購入時に於ける危險負擔を免かるゝためであり、その利潤增大を圖らんがためであつたことは勿論である。かくて茶生産者は資金の融通を媽振館から受けたといふことに束縛せられて、その製茶の賣付先は彼等自らの意思によつて決せられることなく、常に必らず媽振館に向つてでなければならなかつた。而して洋行は更に媽振館に對してその製茶の一手買取を約せるものであり、同時にその强大なる金融上の勢力によつて製茶賣買價格を一方的に決定し得たのであるからして、製茶賣買による利益は殆んど洋行によつて壟斷されたと見て差支へない。

改隷當時の茶洋行の數は次の如くである。

Todd & Co.（室順洋行）

Tait & Co.（德記洋行）

Brown & Co.（水陸洋行）

Boyd & Co.（和記洋行）

Jardine. Matheton & Co.（義和洋行）

Case & Co.（嘉士洋行）

以上述べたるが如く洋行はその資金を媽振館に融通し、媽振館は茶館に、茶館より生産者に融通したのであるが、洋行は最初は媽振館を利用せずして、直ちに茶館に資金を融通したのであつた。此の場合には所謂買辨制度を利用した。茲に買辨制度といふのは、洋行に隷屬し、身元保證金を納入し、洋行と買込者との仲繼關係の業務に干與することによつて一定額の報酬を受くるものである。[6]外商の遠く異域に入り未經驗なる事業に資本を投じて利益を收めんと欲せば、當該地方の商業上經驗、智識ある者を利用することが洋行にとつて最も利益をあげ得る所以であつた。

註(1) 洋銀の流通に關しては、政學科研究年報第二輯、北山富久二郎助教授の秀れたる論文「臺灣に於ける秤量貨幣制と我が幣制政策」銀元の部を參照せられよ。

註(2) Jardine Matheson & Co. は "Pathfinder" と稱する船を、而して Dent & Co. は "Ternate" といふ船を打狗に繋留して receiving ship たらしめた。

註(3) 正確には輸入 $ 1,608,789, 輸出 $ 1,158,778 であつた。淡水及び基隆では輸入 $ 1,058,682 輸出 $ 379,321。($=元)

註(4) 「臺灣銀行二十年誌」九頁。

註(5) 茶館とは粗製茶を買收して再製するものである。烏龍茶館と包種茶館とに分けられるが、前者は臺灣に於ては番莊と稱し再製烏龍茶を洋行に賣渡すものであり、後者は舖家と稱し直接再製包種茶を輸出するものである。卽ち貿易系統は次の如くである。

烏龍茶、茶館——洋行——淡水港——厦門——北米、

包種茶、茶館——淡水港——厦門——シンガポール——爪哇、

註(6) 買辨は茶館の依賴により洋行より自己の身元保證金として買付委託價格の四割に相當する前借をなし之に對して日歩一分二厘の利子を支拂ひ、更に之を日歩一分五厘の利子を以て右の茶館に前貸をなしてゐたものである。

以上は茶貿易に關してゞあつたが、次に樟腦についてはどうであつたらうか。外商の樟腦買入れに最初に渡臺したのは咸豐五年(一八五五年)香港在住の一米國商人 W. M. Robinet である。其後米商船の二、三來るあり、西海岸の要所に代

辨店を設けて樟腦の一手輸出を開始し、開港以前の二ヶ年間は年々一萬擔以上の樟腦が香港に向けて持ち出され、島內で一擔當り八弗で購入したものを高價に販賣することによつて利益を壟斷してゐた。然し咸豐十一年(一八六一年)よりの本島の四港開港を契機として米商の樟腦購入の特權は英商、Jardine. Matheson & Co. 並びに Dent & Co. に共有せらるることゝなつた。

一方島內に於ては陳方伯の道臺であつた同治二年(一八六三年)從來樟腦事務をとらせてゐた軍工料館なるものを腦館と改め、更に小館を新竹、後壠、大甲に設置し、臺灣道庫より資金を支出せしめて樟腦の買收に當らせた。然しその實際の業務は民間の請負とし、道臺は請負から毎年一定の銀兩をとつたものであつた。それは云はゞ不完全な樟腦專賣制度の實施である。

島內に於て政府の腦館が直接製腦業者より買ひ受けたる樟腦を香港相場を基準として外商が買ひ入れたのであるが、腦館の製腦業者よりの買收價格は一擔六弗內外であり、外商の買收價格は一擔十六弗、其間にあつて十弗近くの暴利をむさぼつた者はいふまでもなく政府であり、又政府の威令のあまねくは行はれなかつた當時にあつては官吏着服の好餌でもあつた。外商は擔當り十六弗で買入れたものを當時の香港相場十八弗に賣拂つたものであるが、樟腦に關する限り運送費をも含めれば外商の純利益はまことに僅少なるものであり、高々その營業を辛じて支へ得るに過ぎないものであつた。嘗つて巨額の利益を壟斷してゐた外商がかゝる狀態の下に於て滿足する筈のものではない。そのあらはれは同治五年(一八六六年)安平在住の英國領事によるかゝる獨占的專賣制の廢止の提議であつた。然し兵備道吳大廷は之に應じないばかりではなく、腦館に命じて外商には樟腦を斷じて賣らぬ方針を立てさしたのである。當時英商の外、獨逸商人、亞米利加商人の來り商ふあり、[8] 互に競爭して止まなかつた此等外商等は打つて一丸となつて支那官吏の不法行爲に對抗した。然し當時の官吏は辭を設けてその責任を負はざるのみならず、愚民を煽動して外人を輕侮せしめ、屢々危害を加へしめた。殊に同治七年(一八六八年)清國官吏がElles商會に屬する約六千弗の樟腦を梧棲に於て押收し、英國領事の抗議に遭ひ、返還を約したにも拘らず、之を履行しないのみか却つて同商會の代理人Pickeringを鹿港に襲ふや、安平在住の英國領事Gibsonは本國政府に軍艦の派遣を乞ひ、海兵を上陸せしめて、清兵をゼーランジャ城外に驅逐し、遂に支那政府をしてElles商會に六千弗を賠償せしめ、且つ新たに樟脳條約を締結した[9]。同治八年(一八六九年)のことである。

この樟脳條約によれば、外商は通過券を得て內地に入り、自由に樟脳購入に從事し得るのであるが、直接製脳業に從事するの權利は認められなかつた。然し外國商業資本の力は淸國官吏の微力にして怠慢なるに乘じて次第に內地に侵入し、遂には店舖又は貨物集積所を設置し、土民に資金を貸付けて、彼等の名義の下に製脳業を營み、遂に本島製脳業の實權を掌握するに至つた。

而して樟脳の生產額は專賣制度撤廢によつて急に增加したが、外商の購入價格は逆に——それは當然なことではあるが——俄然暴落の一途を辿り、嘗つて十六弗であつた外商賣買價格は九弗に下り、一時は七弗八〇仙の安値を示したこともあつた。當時需要の大部分は藥用及び防腐用であつて殆んど歐米に輸出せられ、一部印度に於て宗敎上の儀式に使用せられたけれども、それは云ふに足らず、その年輸出高は大體に於て百二、三十萬磅以上であつた。然るに本島內開拓の進展に伴ひ、蕃人の出草次第に甚だしくなり、所在の脳灶は荒廢して光緖元年(一八七五年)にはその產額遂に九十萬程度に下つた。翌一八七六年よ

(6) 臺灣樟腦輸出額累年表

年期	淡水港輸出量(磅)	安平及打狗港輸出量(磅)	總輸出量(磅)	擔當り平均價格(銀弗)	總輸出金額(銀弗)
1864	1,171,464	......	1,171,464	8.00	70,464
1865	1,035,405	......	1,035,405	15.40	119,889
1866	1,123,474	......	1,123,474	15.00	126,705
1867	674,310	......	674,310	16.00(專賣)	81,120
1868	1,485,477	107,996	1,593,473	9.00	107,829
1869	1,835,001	200,564	2,035,565	9.00	137,745
1870	1,925,973	314,279	2,240,272	9.49	159,850
1871	1,288,903	......	1,288,903	8.22	79,660
1872	1,367,373	3,773	1,371,146	10.36	106,801
1873	1,430,415	......	1,430,415	9.17	98,623
1874	1,606,507	......	1,606,507	8.87	106,778
1875	949,487	......	949,487	8.93	63,751
1876	1,169,602	......	1,169,602	8.71	76,596
1877	1,752,408	......	1,752,408	10.00	131,760
1878	1,795,766	41,629	1,837,395	9.50	131,243
1879	1,469,387	8,778	1,478,162	9.76	108,473
1880	1,640,555	......	1,640,555	12.24	150,980
1881	1,239,028	......	1,239,028	12.81	119,338
1882	656,089	36,841	692,930	12.33	64,239
1883	410,438	28,329	438,767	17.47	57,633
1884	58,919	2,294	61,313	11.95	5,509
1885	399	......	399	13.89	42
1886	128,212	23,210	151,422	16.86	19,195
1887	335,160	31,388	336,548	13.56	41,831
1888	382,109	127,813	509,922	12.05(專賣)	46,775
1889	476,273	79,268	555,541	16.50(專賣)	54,301
1890	983,186	100,947	1,064,133	30.00(專賣)	240,030
1891	2,511,173	282,093	2,793,266	36,50	766,573
1892	2,332,820	573,895	2,906,715	41.75	912,446
1893	4,431,560	889,903	5,321,463	44.85	1,794,493
1894	5,260,416	1,616,881	6,827,297	41.00	2,120,069
1895	5,586,000	1,349,285	6,935,285	68.50	3,571,932
1896	4,702,348	1,064,133	5,766,481	57.00	2,471,349

Davidson 前掲書 442 頁樟腦統計による。(原表は支那關稅報告及日本關稅報告により作成せるもの) 總輸出金額は總輸出量を淡水に流通せる銀弗によつて算出せるもの。擔當り平均價格は淡水に流通せる銀弗によるものなり。

りは蕃害も漸減し産額は舊に復しつゝあつたが、一八八二年末より各蕃の出草其の極に達し再び生産額を減じ、光緒十一年(一八八五年)には製腦中止の止むなきに至つた結果、僅々三擔(三九九磅)を輸出したに止まる。(第六表參照)

光緒十一年清國政府は清佛戰爭の結果、本島の對外要衝の地なるを覺り之を獨立の一省とし、劉銘傳を敍して巡撫としたのであるが、劉氏は進取の政策を實施し、先づ十三年には北京政府に請うて樟腦及び硫黃を專賣とし、樟腦硫黃總局を臺北に置き、腦務總局を北路大嵙崁及び中路彰化に設けて之に隷屬せしめ、兵を蕃地に駐せしめて蕃害に備へ、製腦者を保護した。茲に生産せられた樟腦は腦務局で擔當り八弗で收められ、腦務局は更に一定の利益を加算して特許商に賣下げられることゝなつた。獨逸人 A. Buttler の經營せる公泰洋行はその一手買受を約せる洋行であり、擔保金三千弗を提供して擔當り十二弗で買受けてゐたといふ。

又中部に於ては林朝棟なる者、Buttler より資金四萬五千元の融通を受け、之を彰化樟腦局地方の製腦業者に轉貸して樟腦の一手買受をなし、一擔十二弗にて政府に納め、三〇弗にて專ら Buttler に賣下げ輸出せしめたといふ。

北部では光緒十一年廣東人蔡南生大稻埕に來り恒豐號なる一店を開き、身元保證金三萬六千弗を巡撫衙門に收めて、樟腦の拂下げを受けんことを請願して許され、同時に政府は獨逸商公泰洋行の擔保金三千弗を還附した。

偶々樟腦を無煙火藥、セルロイド、煙火等の製造に利用するに及んでその需要額頓に增加し、光緒十四、五年頃には其市價は二倍に暴騰した。其處で政府は光緒十六年樟腦一擔の價格を三十弗と定め、內十二弗は製造及び運搬の費用として製造人に支拂ひ、殘額十八弗は政府の純益として收むることゝした。

當時の樟腦相場は香港に於て一擔(百斤)七十弗、上海に於て一擔六〇弗の高價であつたから、製腦業各地に勃興し、腦務局の增設を見たのであるが、一方政府の買收價格三十弗が、上海香港に於て八十弗以上になつてゐたといふことは、其處に在住せる外國商人をして正に十割以上の商業利潤を得せしめてゐたことを物語るものに他ならない。外國商人は然し、更にその資本を製腦業者に前貸してその利潤をはかるべく、臺灣內地進入を企てゝ、政府當局と屢々爭ひを生じ、たまたま光緒十六年英商怡記洋行集々より樟腦七萬餘斤を購入して彰化縣鹿港に至りしに巡察官吏に發見せられて沒收せられ、又九月には、五萬四千餘

(7) 世界樟腦生産額

年	日本の輸出額(磅)	同前(圓)	臺灣の輸出額(磅)	同前(圓)	總輸出額(磅)	同前(圓)
1868	622,644	77,097	1,593,473	107,829	2,216,117	184,925
1873	592,750	68,437	1,430,415	98,623	2,023,165	167,060
1878	2,666,586	323,664	1,837,395	131,242	4,503,981	454,906
1883	6,456,274	707,992	438,767	57,528	6,895,041	765,520
1887	8,615,740	1,130,596	536,548	37,371	9,152,288	1,167,967
1889	6,612,559	1,391,371	555,541	68,920	7,168,100	1,460,291
1890	5,936,916	1,931,371	1,064,133	240,030	7,001,094	2,172,022
1891	5,800,637	1,629,104	2,793,266	766,573	8,683,903	2,395,677
1892	4,075,126	1,274,752	2,906,715	922,446	6,981,841	2,187,198
1893	3,308,355	1,308,610	5,321,463	1,794,493	8,629,818	3,103,103
1894	2,754,932	1,023,956	6,877,291	2,120,807	9,632,229	3,144,763
1895	2,976,939	1,226,831	6,935,285	2,877,000	9,912,224	4,103,831

Davidson 前掲書 443 頁による。圓は日本の圓單位なり。

斤が同樣に沒收せらるるや、同官は領事を經由して北京總理衙門にその不法をたゞし、北京政府に迫つて同年十一月遂に樟腦專賣制を廢止せしめた。

臺灣樟腦の輸出額は南部よりも北部に多く、開港當時より十年間は毎年總額常に百萬磅金額にして十萬弗を越えてゐたが、其の後の十年間は民蕃偸越の爭ひの結果として樟腦の生産は減少し、一八九一、二年頃より再び增加の傾向を辿るに至るまでは殆んど平均

三、四十萬磅を過ぎないものであつた。(再び第六表參照)

以上の如く島内に於て樟腦の生産から販賣に至るまで事實上其の支配的地位に立つてゐたものは外商と政府官吏であつたが、輸出に際しては全く外商の手を籍ら[10]ねばならず、又彼等はこのことによつて取引による莫大なる利潤を獲得したわけである。

由來臺灣の樟腦は世界生産額の優位を占めてゐるといはれてゐるが、何時頃からしかく壓倒的になつたのであるか、試に右表(第七表)世界樟腦生産額を掲げて示して置かう。

註(7)　「樟腦專賣志」を見ると十萬擔となつてゐるが、これは一萬擔の間違ひではなからうか。「樟腦專賣志」の此の部分が殆んど Davidson; Island of Fromosa, Past and Prsent に據つたものであると充分に推察し得るのであるが、これを認むれば原本四〇一頁の一萬擔が正しいことになる。「樟腦專賣志」はその出所を明らかにしてゐないので、十萬擔を何か充分な根據に於て主張してゐるやうに解釋出來ないことはないが、玆には一萬擔として置く。

註(8)　一八六五年各港場に於ける樟腦關係の外商をあぐれば左の如くである。

打狗——英商　Jardine. Matheson & Co.
Dent & Co.
MacPhail & Co.

淡水及基隆——獨逸商 James Milisch & Co
米商 Field Hastus & Co.
英商 Dent Co. の代理
John Dodd.

註(9) 樟腦條約は左の如くである。

第一條 從來ノ官有樟腦貯藏所ハ悉ク之ヲ廢シ補充條約第七條ノ規定ニ從ヒテ營業ノ取締ヲナスベシ
外國商人ハ此規定ニ依リ內地通過劵ヲ得テ內地ニ入リテ樟腦ヲ買取リ之ヲ開港場ニ運搬スルコトヲ得右內地通過劵ハ稅關長ノ發給スル所ニシテ商人ノ姓名營業上ノ社名輸出關稅ノ半額ヲ以テ內地稅ニ代フルノ義務アルコト並內地ニ入ルニハ支那形船ニ限ルヘキコトヲ明記スルモノトス
外國商人並其雇役スル外國人ハ前項ノ規定ニ依リ臺灣內地ニ入リ淸國臣民ヨリ樟腦ヲ買取リ支那形船ニ積ミテ開港場ニ輸送シ稅關ニ報告シテ稅金ヲ納付シタル上外國船ニテ輸出スルコトヲ得右ノ外更ニ制限（釐金稅）ヲ加ヘラルルコトナカルヘシ
外國商人ニシテ此規則締結前ニ旅行劵ノ發給ヲ受ケ內地通過劵ヲ所有セサル場合ニハ輸出關稅並釐金稅ヲ納付スヘシ
內地通過劵ト旅行劵トヲ共ニ有セサル外國商人ハ刑ニ處シ其所持品ヲ沒收ス
外國人ハ外國船ニテ非開港場ニ入リ不法ノ商業ヲ營ムコトヲ得ス

第二條 內地通過劵ノ發給ヲ受ケ樟腦買入ノタメ支那形船ニテ內地ニ入リタル外國商人ハ其地ニ永住シ若ハ家屋ヲ借入若ハ自己ノ名義ニテ家屋ヲ建設スルコトヲ得ズ但內地通過劵ヲ有スルモノハ釐金稅ヲ免除ス

第三條 內地ニ入レル外國商人ハ公平ヲ旨トシテ營業スヘシ蕃地ニ入リテ私ニ資本ノ前貸ヲナシ其返金ノ延滯スル場合若ハ其資金ノ浪費セラレタル場合若ハ自ラ危險ヲ冒シテ深ク蕃地ニ入リテ爲ニ損害若ハ損失ヲ蒙ルコトアルトモ淸國政府ハ其

責ニ任スルコトナシ

第四條　前各條ノ規定ニ從ヒ樟腦買入ノタメ內地ニ入リタル商人ニシテ（淸國政府直轄區域內ニ於テ）掠奪盜難ニ逢ヒ若ハ其他ノ方法ニテ損害ヲ蒙リタル場合ニハ直ニ之ヲ領事ニ報告スヘク領事ハ盜賊ノ捕縛方並盜品ノ取戾方ヲ淸國官吏ニ請求スヘシ淸國官吏ニシテ盜品ノ全部若ハ一部ヲ取戾スコト能ハサル場合ニハ犯罪人ヲ處分スルニ止マリ淸國政府ハ之カ辨償ノ責ニ任スルコトナシ

第五條　官有樟腦專賣法ヲ廢シ內外商人ヲシテ營業ノ自由ヲ得セシメタルニ付テハ道臺ハ之ヲ公布スルノ義務アルモノトス而シテ福建總督ハ公布文ノ謄本一部ヲ領事ニ送付シ同時ニ臺灣道臺並地方官ニ訓令シテ各其部下ニ諭達セシメ此規則ヲ遵奉シテ營業スル製造人賣買人等ニ告示スルモノトス淸國人ノ樟腦業ニ從事スルコトヲ禁シ違フ者ハ樟材硝石輸出禁令條例ニ依リ處分スヘキ旨曩ニ道臺心得「リヤン」ノ發シタル公布ハ本規則ニ依リ消滅ニ歸シ其效力ヲ失フモノトス

註(10)　光緖年間、樟腦稅徵收の布告發せられて後も、官吏の紊亂其の極に達し、例へば光緖十八年（一八九二年）の樟腦輸出額は二百九十萬磅で其の稅額當に二十二萬五千弗內外（一擔＝一三三磅につき十二弗八十仙＝十二元八十點の課稅）であるのに、北京政府に報告せられたる所は僅かに五萬五千弗に過ぎず、更に翌年に於ける稅額は四十二萬五千弗に達すべきに、報告せられたるところは又僅かに二十六萬弗に過ぎなかつた。以て當時の官吏の擅橫を知るであらう（臺灣樟腦專賣志一一頁參照）。

次に砂糖は如何。

淸朝時代外國人にして砂糖貿易に從事したのは一八五六年アメリカ商館たるRobinet & Co. を以て嚆矢とする。此の頃北淸に向けて積荷せられた砂糖は年々十六萬擔、メキシコ銀で約四十七萬弗（其の約三分の二は赤糖であり、一擔當り二弗、他は白糖であり、擔當り四・五弗）に上つてゐた。[11] 其後次第に增加の傾向にはあつたが、それでも一八七〇年以前では砂糖輸出總額は三〇萬擔には達しなかつたのであるが、オーストラリアに於ける需要增大から此の年の輸出は二倍に激增した。

この頃日本への新市場開拓あり、又一八七二年にはロンドンに向け五萬擔が輸送され、一八七三年には濠州メルボルン砂糖會社(Melbourne Sugar Houses)員打狗市場に巨額の注文となし、この顧客の繼續的存在によつて臺灣砂糖の隆盛は約束付けられたかの感があつたが、オーストラリアの撤退によつてそのすばらしい前途は一時中絕の止むなきに至つた。然し幸にも一八七六年モーリシアス及び東印度諸島の甘蔗、フランスの甜菜の凶歉の結果、及び明治變革期日本の砂糖消費の增大の結果として、臺灣糖の輸出額はとみに增大した。其後の九年間は一八七八年の凶歲を除き臺灣糖輸出の全盛期を現出した。一八八〇年を例にとつてみれば輸出總額百萬擔を凌駕してゐる。(141,531,418 lbs.)

一八八四年は豐歲であつたが、その必然的結果として從來の擔當り二弗八〇仙の砂糖價格は一弗方下落し、甚だしきは一弗六五仙とまで下つた。其處で外國糖商は一きに競つて本島糖の買ひに出た。此年末に支那に淸佛戰爭あり、甘

(8) 臺灣砂糖輸出額累年表(磅)

年次	高雄安平出港の赤糖	同前出港の白糖	同前出港の全輸出額	淡水出港の赤糖	臺灣の全輸出額
1865	?	?	19,403,636	——	19,403,636
1866	?	?	27,953,674	1,977,976	29,931,650
1867	?	?	32,891,166	855,722	33,746,888
1868	?	?	36,638,973	——	36,638,973
1869	?	?	35,921,837	——	35,921,837
1870	73,522,267	5,938,851	79,461,118	——	79,461,118
1871	74,122,230	3,530,352	77,652,582	——	77,652,582
1872	81,264,064	2,369,395	83,633,459	——	83,638,459
1873	65,213,092	1,666,756	66,879,848	613,369	67,493,244
1874	89,466.041	1,801,219	91,267,260	6,650	91,273,910
1875	64,598,552	681,359	64,779,911	243,257	65,023,168
1876	113,247,904	3,784,515	117,032,419	80,199	117,112,618
1877	75,488,406	4,279,142	79,767,548	1,104,432	80,871,980
1878	52,116,582	2,903,390	55,019,972	——	55,019,972
1879	93,323,972	8,460,662	101,784,634	8,113	101,792,747
1880	132,684,125	8,847,293	141,531,418	——	141,531,418
1881	95,571,805	4,805,689	100,377,494	26,866	100,404,360
1882	76,228,285	5,361,097	81,589,382	——	81,589,382
1883	97,708,849	5,359,634	103,068,433	103,740	103,172,223
1884	119,315,497	9,299,094	128,614,591	17,423	128,632,014
1885	66,616,508	7,648,052	74,264,540	79,800	74,344,340
1886	48,225,060	3,655,372	51,880,432	10,241	51,890,643
1887	69,684,419	4,058,761	73,743,180	3,724	73,746,904
1888	81,905,390	5,098,422	87,003,812	201,362	87,205,174
1889	72,381,925	3,435,656	75,817,581	10,374	75,827,955
1890	90,010,809	6,100,577	96,111,386	71,687	96,183,073
1891	72,531,151	3,268,741	75,799,892	8,778	75,808,670
1892	74,297,258	5,649,175	79,946,433	——	79,946.433
1893	63,910,357	3,908,870	67,819,227	——	67,919,227
1894	89,372,542	8,458,800	97,813,342	——	97,831,342
1895	85,070,790	9,143,484	94,214,274	——	94,214,274
1896	85,479,366	10,293,402	95,772,768	138,586	95,911,354
1897	76,781,166	9,182,852	85,964,018	44,555	86,008,573
1898	65,956,695	22,648,836	88,605,531	71,687	88,677,218
1899	58,640,500	9,721,700	68,362,200	177,600	68,539,860

Davidson 前掲書 457 頁に據る。

蔗作は具合により需要を充たすに足らず輸出額の減少を見て、在庫糖を賣りに出た外國商人が其處に投機的利益をむさぼつたといふことが出來る。一八八六年に於ける島内よりの砂糖輸出は僅かに四十萬擔に足らず(51,890,643 lbs.)、此の年五月釐金税賦課によつて該貿易は全く攪亂せられ、英國糖商も本島市場から去つてしまつた。

其後は島内に於ける甘蔗の豊作、凶作一進一退あれど、概して變化なく砂糖の大部分は二百有餘年來の顧客であつた所の日本に向つて輸出せらる。一八九五年は生産額多きを數へたが、偶々日本征臺軍の攻撃あり、これを恐れて糖荷の持主は賣りに出で、價格は擔當り二弗九十仙より漸次下落二弗以下となり、市場は殆んど攪亂せられ、其後日本糖業資本によつて回復せらるゝに至るまでは、打ち續く金融逼塞、土匪討伐による蔗園荒廢、勞賃の昇騰、生産費の増大を來して、本島糖業は衰頽に歸してしまつた。

清朝時代本島砂糖の輸出は一八七五年頃を境として二期に分つことが出來る。前期は帆船による貿易時代であり、後期は外國汽船による貿易時代である。支那各港貿易年表に「此の地のジャンク貿易を回顧すれば本年(一八七七年―東)の貿易額は一八七五年の半額となれることを發見せり、而して石炭は減少せんとし且つ他の物品は汽船にて積送らるゝ故ジャンク貿易は多分尙一層減ずべし[12]」とあり。又事實、このジャンク貿易は以後衰微して外國商船によつてとつて代らるるやうになつたのである。領臺當時臺灣の汽船海運は香港に本據を有したる英商Douglas汽船會社が獨占してゐた。

註(11) Davidson; The Island of Formosa, Past and Present. p.
註(12) 支那各港貿易年表臺灣之部一八七七年のものによる。

以上述べた所の茶、樟腦、砂糖は輸出商品の主要なるものであつたが、次に輸入商品の大宗たりし阿片について外國商業資本の進入し來つた過程を簡單に眺めやう。

阿片は如何にして臺灣には入り來つたか。其の當初に遡つて阿片渡來の歷史を繙くことは玆にはその必要はない。吾々は支那に於ける阿片戰爭の結果、清朝の威力衰へ、阿片吸食の弊風滔々として流るゝ時に當つて、當時中央から遠く離れて等閑視せられてゐた臺灣に於て百般の秩序紊亂して阿片吸食の弊害の瀰漫してゐたことから始めればよい。十九世紀中葉阿片吸食者は實に五十萬を數ふるの多きにわたり、其の量も十萬斤を下らなかつた。此等の阿片は主として英吉利商人によつて印度より南支を渡つて臺灣に齎らされたものであるが、當時支那にて吸食せらるゝとされてゐた阿片の大部分は臺灣で消費せらるゝものであつたから、當時一千萬弗を下らなかつた英商利益の根源はその大部分を臺灣在住支那人の吸食にあつたと見ることが出來る。其後も阿片の臺灣輸入は、一八七〇年頃から領臺當時に至るまで每年平均四十萬斤を下らなかつた。今阿片の臺灣への純輸入量を累年的に示せば次の如くである。

(9) 臺灣阿片輸入額累年表

年次	純輸入(斤)
1864	99,700
1865	228,800
1866	254,200
1867	258,600
1868	203,300
1869	257,100
1870	289,700
1871	328,000
1872	334,100
1873	359,300
1874	416,900
1875	415,900
1876	451,800
1877	508,200
1878	470,100
1879	555,200
1880	579,600
1881	588,072
1882	459,648
6883	401,833
1884	357,772
1885	377,506
1886	454,567
1887	424,794
1888	464,239
1889	473,487
1890	504,276
1891	558,200
1892	514,100
1893	468,700
1894	390,900

清國海關年報による。

右の表の如く臺灣の阿片輸入總額は每年三十萬斤を下らず、而かもその百斤

（10）　臺灣阿片百斤當平均價格

（海關兩）

年次	パトナ阿片	ベナレス阿片	ペルシヤ阿片
1882	—	354	409
1883	450	422	385
1884	446	462	478
1885	520	538	482
1886	501	503	462
1887	—	446	480
1888	—	403	508
1889	—	413	459
1890	—	381	463
1891	370	360	338

淸國海關年報による。

（11）　臺灣阿片輸入金額累年表（海關兩）

年次	パトナ阿片	ベナレス阿片	ペルシヤ阿片	合計
1882	——	991,841	——	991,841
1883	481,912	1,163,087	——	1,644,999
1884	333,985	481,811	1,254,133	1,769,929
1885	218	479,896	1,453,273	1,933,387
1886	3,507	452,081	1,756,552	2,212,140
1887	——	496,670	1,523,683	2,020,353
1888	——	552,628	1,846,870	2,399,498
1889	——	373,914	1,804,246	2,178,160
1890	——	340,145	2,027,084	2,367,229
1891	370	248,400	1,754,896	2,003,666

淸國海關年報より作製。

當平均價格が平均約四百兩の高價であり、それを運び來るものは殆んど歐洲船舶であつたことと考へ併せれば、外國商業資本が阿片によつて如何に多くの商品代價以上の利潤を獲得してゐたかを窺ひ知るを得るであらう。

而して試みに今一八八五年の阿片輸入全額を見ると、百九十萬兩を越えて居り、此の年の臺灣總輸入價額三百二十萬兩の中の六〇%を占めてゐる事實は當時阿片が如何に鯛を釣る蝦の役割を占めてゐたかを物語るものである。

(12) 臺灣貿易價格累年表（海關兩）

年次	打狗		淡水基隆		合計		輸出超過 △印は輸入超過
	輸入	輸出	輸入	輸出	輸入	輸出	
1865	925,196	702,482	484,288	226,340	1,409.484	928,822	△480,662
1866	1,034,078	758,462	632,253	230,001	1,666,331	988,463	△677,868
1867	1,017,040	746,879	638,695	143,144	1,655,735	890,023	△765,712
1868	644,742	614,499	538,695	284,557	1,183,437	899,056	△284,381
1869	825,928	711,868	508,364	251,293	1,334,292	963,161	△371,131
1870	890,788	1,254,021	572,208	413,558	1,462,996	1,667,579	204,583
1871	1,090,408	1,187,553	714,474	525,346	1,804,882	1,712,899	△ 91,983
1872	964,464	1,144,816	823,923	1,684,018	1,788,387	2,878,834	1,090,447
1873	902,254	927,644	1,036,980	1,647,167	1,939,234	2,574,811	635,577
1874	1,098,873	1,204,356	1,037,828	1,715,920	2,136,701	2,920,276	783,575
1875	1,195,690	1,083,780	1,027,358	1,842,221	2,223,048	2,926,001	702,953
1876	1,282,576	1,415,744	1,197,132	2,410,370	2,479,708	3,826,114	1,346,406
1877	1,521,244	1,325·470	1,334,350	2,766,597	2,846,594	4,092,067	1,245,473
1878	1,372,660	1,120,723	1,421,359	3,809,309	2,794,019	4,930,032	2,136,013
1879	1,711,509	2,039,416	1,547,476	3,633,186	3,258,985	5,672,602	2,413,617
1880	1,966,466	2,561,078	1,613,718	3,926,995	3,580,184	6,488,073	2,907,889
1881	2,305,595	1,753,716	1,748,636	4,165,880	4,054,231	5,919,596	1,865,365
1882	1,653,926	1,516,741	1,485,310	4,018,723	3,139,236	5,535,464	2,396,228
1883	1,402,897	1,770,099	1,217,948	3,561,682	2,620,845	5,331,781	2,710,936
1884	1,319,411	1,764,657	1,252,759	3,653,416	2,572,170	5,418,073	2,845,903
1885	1,400,217	1,078,464	1,796,166	4,537,465	3,196,383	5,615,929	2,419,546
1886	1,509,625	1,074,000	2,050,338	5,462,503	3,560,183	6,536,503	2,976,320
1887	1,571,496	1,191,042	2,270,554	5,641,690	3,842,050	6,833,032	2,990,982
1888	1,377,938	1,484,082	2,641,861	5,701,185	4,019,799	7,185,267	3,165,468
1889	1,421,066	1,325.398	2,209,125	5,294,496	3,630,191	6,619,894	2,989,703
1890	1,622,413	1,953,310	2,277,143	5,579,713	3,899,556	7,533,023	3,633,497
1891	1,496,998	1,634,262	2,251,188	5,352,554	3,748,186	6,986,816	2,238,630
1892	1,400,020	1,532,291	2,368,188	5,796,284	3,768,208	7,328,575	3,560,367
1893	1,724,018	1,571,851	3,115,475	2,880,204	4,839,493	9,452,055	4,612,562

輸入は純輸入にして再輸出を減ず，

支那各港貿易年表より作製，但し 1865—1871 の7年間は支那各港貿易十年表による。

（13） 臺灣出入外國船舶數及噸數累年表

年次	入港數		出港數		合計	
	船數	噸數	船數	噸數	船數	噸數
1863	84	16,177	79	15,145	163	31,322
1864	185	34,829	179	33,533	364	68,862
1865	256	50,179	257	49,943	513	100,122
1866	222	51,540	229	53,415	451	104,955
1867	185	48,341	186	48,668	371	97,009
1868	210	55,207	213	55,772	423	110,979
1869	131	26,431	125	25,341	256	51,772
1870	249	63,851	246	62,307	495	126,158
1871	174	42,149	179	43,400	353	86,549
1872	310	81,930	305	81,235	615	163,165
1873	274	84,862	279	85,974	553	170,836
1874	222	62,483	228	64,113	450	126,596
1875	251	77,853	246	76,508	497	154,361
1876	357	110,240	356	109,974	713	220,214
1877	286	84,623	287	85,192	573	169,815
1878	263	83,196	259	81,692	522	164,888
1879	300	96,114	303	97,086	603	193,200
1880	271	108,840	271	104,254	542	213,094
1881	299	120,740	296	120,297	595	241,037
1882	287	116,114	291	117,362	578	233,476
1883	291	123,623	287	122,979	578	246,602
1884	259	125,182	265	126,840	524	252,022
1885	221	92,057	207	90,395	428	182,452
1886	232	111,097	231	110,636	463	221,733
1887	233	113,080	231	112,791	464	225,871
1888	227	128,530	223	128,106	450	256,636
1889	231	144,559	233	145,344	464	289,903
1890	231	154,906	231	156,016	462	310,922
1891	316	200,801	313	200,399	629	401,200
1892	237	142,868	238	143,270	475	266,138
1893	283	170,404	281	169,493	564	339,897

臨時臺灣舊慣調査會第二部「調査經濟資料報告」下卷による。

(14) 貿易船入港國別五年毎表

船別	國別	1876年		1881年		1886年		9891年	
		隻	噸	隻	噸	隻	噸	隻	噸
汽船	英吉利	70	24,797	129	63,582	118	66,446	143	95,449
	西班牙	14	5,919	—	—	—	—	—	—
	丁抹	1	1,577	—	—	1	768	—	—
	獨逸	—	—	15	7,361	26	13.680	13	9,183
	支那	—	—	4	1,354	8	3.232	50	29,690
	日本	—	—	—	—	—	—	5	4,277
	小計	85	32,293	148	72,297	153	84,126	211	138,595
帆船	英吉利	119	33,226	71	24,356	28	11,770	15	6,112
	亞米利加	2	1,047	3	1,015	5	1,878	—	—
	ドイツ	112	32,037	65	19,452	41	11,855	16	5,527
	フランス	12	4,417	1	309	—	—	—	—
	デンマーク	13	3,481	5	1,235	3	821	—	—
	スキエーデン ノウルエー	11	3,278	5	1,313	2	646	—	—
	オランダ	3	561	1	263	—	—	—	—
	小計	272	78,047	151	48,443	79	26,970	31	11,639
總計		357	110,340	299	120,740	232	111,096	242	150,236

支那各港貿易年表により作製。

(15) 貿易船出港國別五年毎表

船別	國別	1876年		1881年		1886年		1891年	
		隻	噸	隻	噸	隻	噸	隻	噸
汽船	イギリス	69	24,750	129	63,582	116	65,698	143	95,449
	スペイン	14	5,919	—	—	—	—	—	—
	デムマーク	1	1,577	—	—	1	768	—	—
	ドイツ	—	—	15	7,361	26	13,680	13	9,183
	支那	—	—	4	1,354	8	3,232	50	29,690
	日本	—	—	—	—	—	—	5	4,275
	小計	83	32,246	148	72,307	151	83,378	211	138,587
帆船	イギリス	121	33,877	71	24,716	28	11,645	16	6,444
	アメリカ	2	1,047	3	1,015	4	1,698	—	—
	ドイツ	111	31,476	62	19,152	43	12,448	14	4,793
	フランス	11	3,908	1	309	—	—	—	—
	デムマーク	13	3,481	5	1,235	3	821	—	—
	スキエーデンノウルエー	11	3,278	5	1,313	2	648	—	—
	オランダ	3	561	1	263	—	—	—	—
	小計	272	77,828	148	48,000	80	27,258	30	11,237
總計		355	110,074	296	120,357	231	110,636	241	149,834

支那各港貿易年表により作製。

（16）外國貿易より獲たる政府總收入（單位海關兩）

年次	淡水	打狗	合計
1863	20,039	16,210	36,249
1864	63,540	47,851	111,391
1865	39,281	54,989	94,270
1866	54,823	51,364	106,187
1867	49,037	68,471	117,508
1868	69,347	51,487	120,834
1869	67,344	72,700	140,044
1870	66,445	112,525	178,970
1871	102,418	117,297	219,715
1872	122,196	110,694	232,890
1873	127,576	98,931	226,207
1874	126,341	139,111	265,452
1875	152,909	124,021	276,930
1876	207,301	167,944	375,245
1877	235,504	150,382	385,886
1878	272,266	133,871	406,137
1879	284,303	203,015	487,318
1880	305,133	249,294	554,427
1881	320,470	218,395	538,865
1882	385,321	186,962	572,283
1883	296,932	194,896	491,828
1884	297,880	210,213	508,095
1885	372,720	152,376	525,096
1886	382,156	154,085	536,241
1887	534,524	337,576	872,100
1888	598,384	404,206	1,002,590
1889	590,945	399,203	990,148
1890	584,242	461,032	1,045,274
1891	638,135	473,435	1,111,570
1892	635,080	444,111	1,079,101

支那各港貿易年表により作製。
輸入税として普通貨物税，阿片税，沿岸貿易税を含み，其他輸出税噸税を含む，1871年よりは通過税を徴收せるにより，1887年よりは阿片税金を徴收せるによりこれを含む。

以上、茶、樟腦、砂糖の主要輸出品及び主たる輸入品たる阿片について、外國商業が如何にして侵入し來り、如何に多くの商業利潤を此の貿易に求めたかを概説し得たのであるが、この年々の發展を吾々は更に或は外國貿易總價額累年表によつて或は貿易船舶數によつて、或は政府の外國貿易より擧げ得たる諸税收入によつて明らかに看取することが出來る。（第十二、十三、十四、十五、

十六表參照）

第二　外國商業資本の島內經濟社會に及ぼせる影響

臺灣に於ける貿易がその最初の段階に於ては居留地貿易であり、先づ行郊の手によつて輸入品の居留地への進出が試みられ、次いで外國商人の內地進出を見るに至つたことは既に見た。外國商人の內地進出といつても、外國商人自らの內地進出ではなく實質的には專ら支那より渡來せる福建、廣東人であつた。然らば行郊によると、外國商人によるとに從つて、其の輸入品の內地進出の狀態は如何樣に異つてゐたであらうか。

先づ支那各港貿易年表によつて一八六六年の統計を見るに、主たる外國輸入品は、綿織物五、二二五兩（海關兩）、小麥粉一、五三八兩、鉛塊一、九六〇兩、阿片三二、二九三兩、緋金巾一、六〇〇兩、毛織物二、八七二兩、等々であつたが、然し其等を合計しても、高々五七、七五二兩に過ぎず、主としては本島への輸入品の大宗は對岸よりの雜貨、食糧品であり、其額五五四、六六九兩を算し、外國輸入品の十倍にも達してゐた。このことは、臺灣が未だ未墾の地多く、完全なる自給自足をなし得てゐなかつたことを物語るものに他ならないが、其後の本島の開發は正にこの生活必需品輸入の形勢を逆轉せしむるものであつた。

試みに一八九三年をとつてみれば、阿片一、一七五、二七九兩、毛布類七三、四一二兩、晒金布五一、六七七兩、等々の外國輸入品價額合計一、五九六、一六六兩であり、其總計に於て一八六六年に比しその約三倍に達してゐる。阿片はそれが本島在住民の昔も今もかはらぬ嗜好品であり、その需要に應じて大部のものが輸入せられたのではあつたが、其の量に於て終始かはらぬものであつたからこれは暫く除外するとして、嘗つて輸入品の大部分が支那農民手工業者の生産物たる低度の生活必需品であつたに對して、今や英國製、日本製のシャツ、製藥、燐寸の如き工場工業製品があげられる樣になつたといふことが出來る。

飜つて輸出貿易を見るに、その實權は殆んど外國商人の掌中に握られてゐたといつても敢て過言ではない。砂糖、樟腦、茶、石炭等勿論支那の需要も多少あるにはあつたが、其大部分を香港を通じて歐米に輸出したものは、何と云つても彼等の有する商業資本であつた。而してこの外國商業資本がかゝる輸出の實權を握り貿易による利潤獲得の增大をはかつた過程に伴ひ、輸出貿易額の增大の或は原因となり或は結果となつて、製糖、製茶、製腦の生產高は次第に增加して行つた。其の爲めにはその生產に携はる人數、釜、搾車數等の增大があつたことは勿論である。然し此の外國商業資本が遂に全くは產業資本に轉化せず、商業資本それ自體として止まつてゐた限りに於て、その製造法には決して一大變革は行はれなかつたことを記憶せねばならない。製茶、製腦、製茶に携はる人數、釜數等々に關して、淸朝治下に於けるそれの統計を吾々は不幸にして見出すことが出來ない。從つて嚴密に云へば、しかく斷定し得ないところではあるが、吾々は諸記錄によつてその大略を推斷することが出來るのである。試みに左に我が國領臺直後の製茶、製糖、製腦に關して戶數、釜數、產出額等を臺灣總督府第一統計書によつて示して置かう。

製茶(明治二十九年)

戶數	釜數	產出額

八、三六七　一〇、四五五　二、四一五、六二五斤

製糖(明治二十九年)

戸　數　搾車數　製糖額

七九三　八二八　三、一六三、〇二〇、六六三斤

樟腦(明治三十年)

人員　竈　數　產出額

七八　一一、五二三　二、一七三、一九九斤

次に家內工業に及ぼせる影響であるが、此の方面に於ては外國商業資本が入り來つても、さきの郊支配の時代に於てと殆んど變化がないと云つてよい。多少の影響を與へたと考へられるのは、船匠、阿片煮工、腦匠に對してであらう。船匠は、運漕船の製作を事とする職人である。從來臺灣には陸運交通の大路なく、南は淡水、東港、北は曾文、八獎の四大溪を以て貨物出入の要路に當てゝゐた。だからして砂糖、樟腦、茶等の生產物を輸出のために港に運び來るためには、勢ひ、臺灣で所謂小舢仔船なる運漕船の製作增加が必要であつた。これによつて外國商業資本は船匠によつて陸運を擴大しえたのであると見ることが

出來るであらう。次に阿片煮工とは島內產の罌粟を以て阿片を作る職人である。外國商業資本の侵入は臺灣に阿片を持ち來らすことに成功したのみでなく、更に島內にその原料たる罌粟の栽植を刺戟し、島內に於ける阿片製造をも結果せしめた。然しその生產高に於ては殆んど問題とするには當らない。腦匠は樟樹より樟腦を熬出する職人であるが、外國商業資本はこの腦匠數の多少の增大に役立つたと見ることが出來る。其他、農具の鑄造をなす鑄犁司阜、屋宇を構造する木匠、蕃布、草蓆、魚網を織る織工、農家藍草の栽植をなし蕃菁をとる染房司阜の如き職人が存在したが、其等は外國貿易に殆んど關係がなかつたために外國商業資本の影響を蒙ることは尠なかつた。從つて吾々は以上家內工業に關する限りに於て外國商業資本の影響は殆んどなかつたと斷定して差支へあるまい。

以上の如く淸朝時代末期の臺灣は、半鎖國的自給自足經濟が支配的であつたにも拘らず、次第に支那に發達せる特殊の商業資本がそれの破壞を企てゝゐた所の、而して又次には外國商業資本がその資本主義的生產方法を植ゑつけた所の、封建經濟より資本主義經濟への推轉に於ける過渡的時代であつた。一般に吾々は特定國の資本主義の成立を考察する場合に、商業資本の演ずる役割は、それ自體として見るとき資本主義のための地馴らしをするに止まり、自ら新しい資本制生産を生み出す原動力ではないとし、（尤も全然それが生産關係の變革に與つて力なかつたといふのではなく、勿論それは一つの動力になつてはゐるが）、それを生み出す原動力となるものは、他の力即ち生産方法それ自體であることを知つてゐる。然し臺灣の如き植民地的社會に於てはさうではない。臺灣に於ては吾々は寧ろその資本主義成立への原動力を商業資本に、それも島內に於てかすかに蓄積せられつゝあつた商業資本に於いてゞはなく、專ら外國商業資本に求むることが出來る。

由來商業は常に新しき時代への道しるべである。臺灣の人々は外國商人によつて代表さるゝ輸出業者によつて、自己の生産物が貨幣價値と代へられ、この貨幣を自由に消費し、又は蓄積し得ることを知つた。自給のための生産以外に商品生産の途あることを學んだのである。卽ちW－G－W′なる形態をとる生産者たち自身の間に行はるゝ商品取引とは本質的に異る所の、而してGをG＋gに轉化せしむることをその起動々機たらしめ決定目的たらしむる所の、G－W

—G′なる形態をとる商業資本の運動のあることを知つた。然し當時島内に於ける生産資本が尙未發達であつた限りに於てgは商人財産として外國商人の手に收められるものであつた。彼等はこれを阿片・織物類の臺灣への移送に於て獲得した。

この商業資本の最終目的たる自己の蓄積擴大再生産に最も捷徑たるものは、いふまでもなく、貨幣の支出が直接により多き貨幣となつて從來の資本に附加される利貸附資本、その前期的形態たるところの高利貸資本である。由來この高利貸資本は二つの方向に向つて活動するといはれてゐる。第一には土地所有者に對する高利貸付であり、第二は自己の勞働條件の所有者たる小生産者に對する高利貸付である。後者の中には勿論手工業者も含まれてゐるが、一般に前資本主義的狀態に於てはそれが獨立せる個別的小生産者の存在を許す限りに於て農民がその大部分を構成せねばならぬからして、その最も特徵的なものは農民であるといへやう。

臺灣に於ても外國商人による高利貸付はこの二つの形態に於て活動した。然し今問題としてゐるのは後者だけである。それは茶、砂糖、樟腦等々の生産を通じて臺灣農民大衆の、一方では定期的におしよせる支拂義務、他方ではその悲慘なる狀態が、臺灣農民をして生產のほんの一寸した故障にも均衡を失はしめ、高利貸の毒牙に陷らしめたのである。

遠く歐米の曠野に充滿せる近代資本主義の先鋒、商業資本の寸瞭をも漏さじの勢ひが遙かに海を越えて東洋の經濟社會に押し寄せてきたといふのは、云ふまでもなく、以上の如き資本の原始的蓄積を生み出すべき特殊な使命を擔ふものであつた。當時英國內の工業の發展によつて增產せられた綿製品は其の市場を各地に求めて遂に支那には入り來つたのであるが、又東印度會社を通じて支那に持ち込まれた阿片は莫大なものであり、その儲けも亦多額に上つた。支那に流れ込んだ此等の商品がその一部の捌口を臺灣に求めたのも、それが支那本土に近接せる領土であつたことから又無理からぬことである。

かくて工業製品賣捌市場の開拓を目的として登場した歐米商業資本は天然資源豐かな臺灣を發見した。この歐米商業資本を代表する洋行の商人は臺灣に於ける茶、樟腦、砂糖等々を母國に搬出することによつて取引による利潤を獲得したことは前に一言した。此の外國商業資本侵入の過程に於て形成せられた仲介ブルジョアジーがある。所謂買辨である。買辨は外國人商館と土着市場との間に仲介的機能を營み、商業資本の臺灣への侵入を助けたものである。即ちそれは商業的機能を營み、資本主義の政治的並びに經濟的手先きとなり、その助けを借りて農民大衆を隷農化し、同時に彼等の知ると否とに拘らず、國内に於けるブルジョア制度の樹立に貢獻したものであつた。

この東洋に於ける歐米資本活動の中樞は香港上海銀行であつたことはさきに述べたが、此の銀行は先づ外國商館たる洋行に金融をなし、金融を受けたる洋行は買辨制度を利用して生產者に前貸金を放資すると共に生產物の一手買收を契約した。反面から見れば生產者は前貸金に縛られ、其の生產物は洋行によつて一方的に決定せらるゝの不利に陷つたわけである。時には不作や其他不可避的困難によつて生產者殊に農民は洋行との契約なしに一定期間を過さねばならないこともあつたらう。而かも前貸に對する高率の利子に惱まされて其の負債も相當に生じたであらうことは想像に難くない。臺灣砂糖生產に關しこの點について Davidson は次の如く云つてゐる。「一度支拂が滯るや、彼の財債は急速な勢で增大するからして、農民達の負債が支拂不可能にならないうちに數年インタベーンが必要である。著し彼が從順なおとなしい人であるならば彼は自己の地位を少しでも向上させやうなどとの望も持たず、金貸の爲めに死に至るまで奴隷の如く働くのである云々[1)]」と。

以上によつて吾々は臺灣に於ける外國商業資本が二重の方法で超過利潤を獲てゐたことを知る。卽ち第一には、直接的生產者殊に中、小農に對する農產物價格の壓迫によつて彼等を困窮におとし入れた結果、その賣却を餘儀なくせしむることによつて。第二には、商賣上のペテンにかけて商品價値以上の代價を騙取するといふ二重の方法によつて。

註(1) Davidson; Ibid, p.

第四節　外國商業資本の撤退

臺灣の如き前資本主義的植民地社會の資本主義化はその固有の資本によつて行はれ得るものではない。それは專ら外國商業資本によつて促がされた。然し我が國領臺前後にあつてはこの外國商業資本も單純なる商業資本として臺灣の沿岸を堂々めぐりしてゐただけであり、社會內部に於ける生産關係そのものの資本主義化にまでは至つてゐなかつた。換言すれば産業資本家的企業の設立にまでは及ばなかつたと云つてよい。偶々惹起せられた日清戰爭を契機として日本の資本は更にそれ自らの勢力と國家の直接間接の援助卽ち土匪討伐による治安設定、土地及び林野調査、權度及び貨幣の統一等によつて、外國商業資本をそれが未だ産業資本に發達せざる前に剪り取つてしまつた。

先づ砂糖を見ても、我が三井物産は、明治三十一年臺北に支店を設け、越えて三十六年には赤糖の買付を開始し、外商と製糖業者及び汽船會社間に存在してゐた特約によつて買付積出者に不便不利を被つてはゐたが、豐富なる資金を以て外商專屬の買辦を吸引し、盛に前貸金を放下して極力その勢力の附植につとめたのである。翌々年には横濱の增田屋商店が砂糖貿易に着手し、打狗安平渡しの舊慣に對し、これを驛渡しとし、進んで産地渡しに改め製造業者の便を、計つてからは、買辦制度を唯一の賴みとしてゐた外商も次第にその勢力を失墜した。而して三井物産は更にこの買辦別度の不便を痛感してこれを廢し直接製造業者と取引するやうになつた。而して一方我が國領有當初總督府が本島糖業改良の方策を樹立し其の奬勵に着手するや、明治三十三年十二月臺灣製糖株式會社は資本金百萬圓を以て創立せられ、爾後我が國に於て製糖事業に投資する者相次ぎ、殊に日露戰爭後の事業勃興期に際しては會社の新設擴張行はれ、又各地に改良糖廍の設置せらるゝあり、明治四十年には新式製糖會社資本金千五百八十四萬圓、大正元年には九千六百七十萬圓の多きに上つた。新銳我が國糖業資本のかゝる華々しき登場は、かくて外國商業資本支配下の臺灣を轉じてわが國產業資本支配下のそれに化せしめたわけである。又總督府の補助金を受けし大阪商船會社の進出も目覺ましく、かのダグラス會社が明治三十八年遂に臺灣海運界より撤退してからは砂糖積出に於ける外商勢力もその根抵から一掃せられた。かくて明治の末年に至つては外國人及び本島人糖商は全く沒落し或るものは資金を製糖業に投じ或は米の取引に方向轉換を行つた。

次に烏龍茶及包種茶の集散市場は領臺前對岸厦門を中心として同地に於て買入れがなされてゐたが、臺灣に於ける產額の增進と共に漸次臺北に於て直接買付をなすを有利とする機運に向ひ、且本島に於ても幣制の確立と共に金融機關完備するに從ひ、直接歐米宛爲替の買入れをなし製茶資金を供給するやうになつてから、卽ち明治三十年以降は、茶市場は全く臺北に移り洋行及び茶館より各烏龍茶、包種茶の直輸出をなすやうになり、次第に媽振館の存在を必要としなくなり、同四十年には其の片影なら止めざるに至つた。卽ち明治三十二年に、臺灣銀行、臺灣貯蓄銀行設置せられ、四十三年に臺灣商工銀行設立せられてより改隷當時の外國銀行による金融も漸次本島銀行に移行して行つたのである。

而して茶の輸出の支配に於て、外國商業資本に對して挑戰せる我が資本は三井物產及び野澤組のそれであつて、明治四十年頃より茶貿易に從事し、外人商館は英商三、米商一を殘すのみとなつた。然しながら茶貿易についてかくの如く相當に永く外國資本の勢力が殘つてゐたといふのは、他の產物の貿易路が殆んど我が國內地に轉換せるに對し、茶は依然としてなほ內地販路よりも外國輸出を主としたが故であらう。

樟腦事業に於ける外國資本家の獨占的地位は、淸國時代屢々これを專賣制になさんとして果さなかつたことによつても明らかであるが、領臺後に於ても我が政府の細心の注意にも拘らず、樟腦製造取締規則(明治二十八年制定)樟腦稅則

（明治二十九年制定）に對して彼等の抗議に遭つた。然しながらかゝる外商の勢力を驅逐し得た所以のものは實に我が國國家權力の發動によつたためである。即ち明治三十二年の專賣制度の實施は、外人の樟腦商權獨占を政府の獨占に引上ぐることに成功した。尤も其後十年間は樟腦輸出は輸出業者の競爭入札により結局英商サミユール商會に落札されることによつて實際上は尙外國資本の獨占に屬してはゐた。然しこの牢固として拔くべからざる堅城を陷入れたのは、明治四十一年制度上形式的ではあるが總督府の販賣直營であつた。樟腦販賣の方法を直營とすることによつて、三井物產株式會社に委託販賣せしめて以て、サミユールの有する樟腦商權を全く日本資本家の手に歸せしめたのである。

阿片は領臺當時の輸入品中斷然頭角を拔きて最高價額を示してゐた重要商品であつてその輸入は專ら外商によつたのであるが、同じく專賣制度實施の結果三井物產其他邦商が之に代るに至つた。

其他、米について本島人米商の勢力は相當永く殘つたが、外國商人は漸次米の商賣から手を引いた。

海運についても既述の如く對岸及び香港航路は英商ダグラス會社の獨占であ

つたものを明治三十二年總督府が大阪商船會社に補助金を與へて命令航路を開かしめた結果、ダグラスは壓迫せられて遂に明治三十八年頃完全に臺灣から撤退したのである。

かくして一八五八年天津條約による臺灣の開港以來、廈門、香港を根據地とし、淸國商人の勢力を凌駕して貿易及金融の權を掌握してゐたところの英米獨等の商業資本も、我領臺後鞏固なる近代的政府の樹立せらるゝや、忽ちにして我國商業資本にとつて代られ、更に投資の安全を保障する諸種の基礎的事業の成功を見るや、資本の活動形態は發展して産業資本の相をとり、生産關係そのものゝ資本主義化を招來した。卽ち單純なる商業資本より産業資本への轉化が行はれたわけであるが、その詳細なる探究は今の私の能くなすところではない。

——一九三六・臺灣施政記念日——

昭和十一年十一月十二日初版印刷
昭和十一年十一月十五日初版發行

政學科研究年報〔第三輯〕
第二部 經濟篇

編輯兼發行者 臺北帝國大學文政學部

東京市神田區錦町三丁目十一番地
印刷者 白井赫太郎

東京市神田區神保町二丁目
發賣所 巖松堂書店
電話九段(33)〔四一三五 四一三六
四一三七 四一三八〕
振替口座東京六五五六